Miłość klasy średniej

Świat Książki
wydawnictwo

Miłość klasy średniej

**Manuela
Gretkowska
Piotr Pietucha**

Wydawca
Daria Kielan

Redaktor prowadzący
Katarzyna Krawczyk

Redakcja
Sylwia Bartkowska

Korekta
Marianna Filipkowska
Agnieszka Wójcik

Świat Książki
Warszawa 2015

Świat Książki Sp. z o.o.
02-103 Warszawa, ul. Hankiewicza 2

Księgarnia internetowa: swiatksiazki.pl

Łamanie
Joanna Duchnowska

Druk i oprawa
Abedik S.A.

Dystrybucja
Firma Księgarska Olesiejuk Sp. z o.o., Sp. j.
05-850 Ożarów Mazowiecki, ul. Poznańska 91
e-mail: hurt@olesiejuk.pl, tel. 22 733 50 10
www.olesiejuk.pl

ISBN 978-83-8031-098-8
Nr 90095829

KALIFORNIA

Manuela Gretkowska

Czesławowi...

To nie może być prawda. Mijam kabriolety z opalającymi się Kalifornijczykami. Ja w czapce uszatce, szaliku i rękawiczkach prowadzę przez Golden Gate Bridge. W dole trałowce ciągną za sobą mgłę z oceanu na San Francisco. Przede mną jeszcze dwa przęsła. Staram się nie wyć ze strachu. Przełykam wrzask. Ciecnie mi z nosa, oczu i czoła.

Wąsaty policjant przygląda się pieszym. Jest jednoosobową, zmotoryzowaną brygadą antysamobójczą, od lat zatrudnioną na moście. Weteran ratownictwa wyłapuje pierwsze oznaki desperacji. Nie stanę przy nim, prosząc o pomoc, zostało mi jeszcze tylko jedno przęsło. Jednak, zamiast przyspieszać, gwałtownie zwalniam. Cholerny automat, pomyliłam pedał gazu z hamulcem. Pojawia się policjant. Siwe wąsy ocierają się o szybę mojej poobijanej hondy. W jego profesjonalnie zatroskanych oczach przebłysk zadowolenia. Co prawda złamałam tylko przepisy, ale może to był wstęp do szaleństwa. Zdążył i eskortuje mnie w stronę zjazdu. Co mu powiem? Mogę być pasażerem, byle nie prowadzić. Umiem pływać, nie boję się wysokości.

Co z tego? Na każdym moście atak paniki. Robię się purpurowa. Podkręcam najzimniejszą klimę, żeby oddychać. Spocona dostaję ciężkiej anginy, więc biorę szalik, czapkę. Założyłam jednopalczaste rękawiczki Luli, mojej córki. Ręce mokre z przerażenia ślizgają się po kierownicy.

Nie jestem wariatką, wariuje mój organizm. W spodniach kilka podpasek zastępuje pieluchy, na wszelki wypadek. Kiedy wiozłam dziecko do zoo, dojechałam pod most Świętokrzyski i wzięłam taksówkę. Teraz za bardzo się spieszę, zaryzykowałam.

– Prawo jazdy? – Policjant zagląda przez uchylone okno. Wdziera się upał.

– Tak, mam tymczasowe, kalifornijskie.

Mam też prawo opowiedzieć, skąd się wzięłam na moście Golden Gate. Nie, nie jestem samobójczynią. Zawsze bałam się umrzeć, zanim przestanę żyć. Może dlatego nic sobie nie zrobiłam tyle lat. Nawet rok temu podczas Wigilii:

Odpakowujemy prezenty, dwa dni przed Gwiazdką. Ty i Lula jedziecie na święta do Amsterdamu. Z naszej podwarszawskiej chałupy w wielki świat.

Zaprosił cię Eryk, syn z poprzedniego małżeństwa. Eryk, zielonooki jak dolary Eryk, marzący od zawsze o karierze, negocjuje ze światowymi handlarzami dla holenderskiego banku. Przyrodni, przyrodzony brat naszej Luli, jakby to, co nie najbliższe, należało do przyrody. I pleniło się w rodzinnych romansach z samicami i samcami obcych genetycznie gatunków. Lula po przeczytaniu tomu *Harry Potter i Książę Półkrwi* zaczęła nazywać Eryka bratem półkrwi. Kupił jej za to w Amsterdamie kolczyk – prawdziwy brylant oprawiony w srebro. Nosi go z dumą księżniczki, siostry półkrwi.

Lubisz być w Holandii, masz obywatelstwo, znasz język. Tam uczyłeś się zawodu w najlepszych klinikach. Podziwiana przez ciebie flandryjska mieścina Geel, gdzie od kilkuset lat chorych psychicznie nie trzyma się w szpitalu czy azylu. Tradycyjnie mieszkają ze zdrowymi, wracając do normalności.

Czy my wrócimy do niej? Choinkowe lampki zapalają się i gasną wśród skrzyżowań gałęzi. U nas magia świąt przystaje, po czerwonym świetle będzie niebieskie do nieba. Aniołek albo wróżka zwisająca nad podłogą kieruje ruchem statków kosmicznych NASA. Czemu nie? Święta, ma być cudownie... Gdzie w takim razie jest mój prezent? Jedenastoletnia Lula szeleści pod stertą kolorowych papierów. Zębami rozrywasz sznurek kolejnego pudełka.

– Tyle prezentów. – Plujesz rozdartym opakowaniem. – A dla ciebie nic? Głupio tak...

Podpuszczasz mnie, nie zapomniałbyś. Otwieram podarunek. Żaden z podłożonych przeze mnie pod choinkę.

– To dla ciebie. – Podaję ci męskie perfumy.

Kupiłam je miesiąc temu, zapomniałam.

– Umawialiśmy się. – Wąchasz butelkę. – Żadnych prezentów, tylko dla dziecka. Ty naprawdę myślałaś? – Kpisz z mojego rozczarowania. – Umawialiśmy się... – Obłudnie wpadasz w oskarżycielski ton.

Nie, nie umawialiśmy się. Święta raz w roku, dlaczego nie dla mnie? Nie umawialiśmy się, i na takie życie też nie, że mnie nie ma.

Że w wakacje po przyjściu z pracy słyszysz od dziecka: Mama jest na górze, pomalowała mieszkanie. Ale nie zajrzysz do mnie, nie powiesz: „Napracowałaś się" albo chociaż: „Co słychać?".

Pooklejałam papierami podłogi, framugi. Złapałam za wiadro z kredowym mlekiem i wielkim pędzlem machnęłam dwa piętra w parę godzin, bez sufitów. Szybciej wyschnie przy otwartych oknach. Pod dachem ukrop, zdjęłam nawet majtki. Skapująca farba przemalowała mnie na albinoskę. Mam białe sutki. Nie różnię się od klasycznej rzeźby, gdyby posągowe kobiety miały gipsowe owłosienie łonowe. O zmierzchu zlewam się z mleczną ścianą. Mogłabym w nią wejść. Nie zauważyłbyś. Przecież podałabym ci herbatę nienagannie białymi rękoma wysuwającymi się ze ściany w kuchni. Może to ty jesteś za ścianą, nie ja? Poddaję się, nie wywijam białą flagą, cała jestem umazana bielą. Padam na deski podłogi i ciężko oddycham przez jej szczeliny, gdzieś nad twoją głową oświetloną ekranem telewizora.

Dlaczego pamiętam tylko to? Złe? Dobre jest normalne. Jest zmysłem życiowej równowagi, jak wtedy, gdy uczymy się chodzić, instynktownie łapiąc pion. Pamiętamy upadki. Chyba że ktoś, jak ty, nauczył się w dzieciństwie czołgać przez życie, zamiast iść. Ze wstydu, z upokorzenia po zataczającym się ojcu pijaku.

Jedź już. Wolałbyś zostać na prawdziwą Wigilię? Nie, proszę, nie będzie mi przykro, przynajmniej nie z tego powodu. Lula nie może się doczekać, jedźcie, zanim znowu złapie mróz. Sople z dachu topnieją, zamarzają nocą. Dosięgają już parapetu, zamieniając się w lodowe kraty.

Nareszcie sama, moja wigilia, wigilia mnie. Bez babrania się godzinami w kuchni. Ryba, surowa, zagryzana ryżem i suche owoce zalane wodą na kompot, wystarczy dosypać cukru. Potem Święty Mikołaj, plastikowa taniota. Zakładam brodę, długi płaszcz, pod czapkę ciemne okulary. W worku mam keyboard, lalkę, słodycze. Nie przewidziałam ślizgawicy na drodze przez wieś. Trzymam się płotów, przy każdym potknięciu z worka bębni perkusja albo disco polo. Jest za ciemno, żeby znaleźć przycisk i wyłączyć, w dodatku te przeciwsłoneczne okulary. Zdejmując je, zniszczę konstrukcję czapki połączonej z mikołajową brodą. Wzdłuż płotów bezpieczniej, doślizguję się pod bramę. Gospodarstwo nie wygląda biednie, ale mają finansowy zawał. Jedna krowa, kawałek pola nie starczy młodemu małżeństwu z dwojgiem maluchów. Odkują się, byle znaleźli znowu pracę. Cieszę się ze Świętego Mikołaja bardziej niż oni. Nie poznali mnie! Dopiero po głosie, chociaż staram się brzmieć groźnie: ho, ho, ho! Dzieci mówią paciorek, dziewczynka składa lalce ręce do modlitwy. Chłopiec zaczyna się spowiadać. Nie mogę go wysłuchać, muszę iść do innych dzieci – święcie kłamię. Gospodyni chce zatrzymać mnie na wigilię, wie, że będę sama.

– Nie, jutro przyjeżdżają znajomi, naprawdę jest okej. – Wymykam się na zaśnieżoną ulicę.

Nie jestem panią z dworku odwiedzającą ubogich. Znam radość wigilijnego cudu. W taki dzień wiele lat temu dreptałam przy ojcu, pomagając mu podeprzeć na działce gałęzie po śnieżycy. Spieszyliśmy się przed zmierzchem. Ulicę dalej, w domu, mama szykowała wigilię. Już mieliśmy wychodzić z działki, gdy kij podpierający młodą jabłoń osunął się w krzaki malin. Właściwie chwastów, wielkie kolce, żadnych owoców. Tata postanowił je wyciąć wiosną i posadzić prawdziwe maliny. Nagle spod osypanego śniegu błysnęło coś krwistego. Zimowa, przemrożona odmiana owoców, słodsza od letniej. Nazbieraliśmy, ile się dało. Nieśliśmy je w rękach ulicą wyłożoną kocimi łbami, wzdłuż zamarzniętych rynsztoków starych Bałut. Zaczepiali nas przechodnie. Nie wierzyli – świeże maliny na święta w lukrze szronu. Kupowali je od nas na sztuki. Tacie z malin został na rękawicach sok i nasączone nim krwiste, pachnące banknoty.

Zdążyliśmy przed zamknięciem sklepów kupić wymarzoną lalkę z zamykanymi oczami. Tata wbiegł do drogerii i poprosił o perfumy dla mamy. Nie wodę kwiatową, prawdziwe – w jego głosie wzruszająca duma, stać go na prezent. Perfumy Być Może, innych wtedy nie było.

Wymarzone, samotne święta, Vivaldi na moc głośnika i kawałek skręta. Czas zwalnia, synchronizuje się z muzyką. Nuty są czarnymi banieczkami musującymi w ciemnych wodach Wenecji, przy każdym uderzeniu wiosłem, pociągnięciu smyczkiem. Skręt skręca czas w nieskończoność. Próbuję tańczyć, zamiast pasterki balet. Każdy ruch wydaje się tak zaskakująco możliwy, wczuwam się w niego nieruchomo... Vivaldi, odprawiając mszę, też zastygał. Wierni czekali cierpliwie, aż rudy ksiądz przy ołtarzu ocknie się i pobłogosławi. Albo dokończy kazanie przerwane w pół słowa, w pół dźwięku olśniewającego błyskiem wody. Zdarzało się Vivaldiemu przerwać wenecką mszę. Uciekał sprzed ołtarza do zakrystii rozpisać nutami nagły przypływ muzyki.

Pukanie w sieni, potem w okno. Kogo niesie o tej porze?

Błyskawicznie otwieram kominek, mieszając zapach trawy z dymem. Jest prawie północ. Nie ma jednego pustego talerza dla wędrowca, wędrowca z innego świata, czyli zmarłego. Byli ze mną sami zmarli: mój ojciec, babcia, Przemek Marczewski – umarł w tym roku, śmiejąc się. Opowiedział dowcip, fiknął z krzesłem do tyłu. Studenci pomyśleli – dalsza część żartu wykładowcy. A jemu pękło serce. Dwa miesiące po operacji jeszcze z rozpędu pracowało i puściły szwy.

Na mojej wigilii byłam jedynym wędrowcem ze świata żywych, reszta puste talerze.

– To my! Poznaniacy! – Na ganku, między dworkowymi kolumnami, przyjaciele.

Tupią, strząsają śnieg.

– Zjedliśmy z rodziną wigilię i przyjechaliśmy. Co za różnica jutro rano czy dziś.

Antek stawia torbę przy kominku, Ola zaciąga się ostatni raz, gasi papierosa w śniegu. Żar roztapia lód. Pet chwilę dygocze, zamarza.

– Autostrada pusta, śmig i jesteśmy w trzy godziny, nie będziesz sama.

Olę spotkałam dwadzieścia lat temu. Pracowałam w redakcji, ona przyszła do działu kultury z ogłoszeniem o politycznie zaangażowanym spektaklu. Opowiedziała przedstawienie, swoje życie, ja jej swoje. Doszłyśmy do wniosku: świat jest pojebany, bo mężczyźni to pizdy, a kobiety chuje.

Wyszła za faceta, który miał być moim mężem. Jeszcze w liceum zobaczyłam go na scenie. Postanowiłam rzucić szkołę i zostać w jego teatrze. Nie widziałam nic doskonalszego od jego awangardowych przedstawień. Obalały komunizm i moje aktorskie beztalencie. Z nim zagrałabym Hamleta. Na szczęście w Łodzi był tylko kilka dni, nie zdążyłam się przebić przez tłum wielbicielek.

Antek pił; artyści piją. No wiesz, jem przez rozum, piję przez rozpacz, przesączam przez nią alkohol. Pomagał innym wydostać się z nałogu chociaż na weekend, od święta. On nie potrzebował pomocy ani Oli. Postanowiła odejść.

– Jak to? – Nie miał delirium, mimo to zobaczył przemawiającą do niego mysz dokarmianą okruchami miłości.

– Basta. Nigdy więcej. – Wyliczyła to, co żony, kochanki, dzieci alkoholików znoszą w upokorzeniu.

Powiało nie meliną, lecz chłodem spraw ostatecznych. Antek przestał pić.

Dlaczego on mógł się zmienić, ty nie? Twój ojciec umarł przez alkohol. Zaczął pić po śmierci brata. Niemcy spalili go żywcem w bitwie o Koszalin.

Mówi się: „Byle nie pił". Ty nie pijesz. Odziedziczyłeś zachowania alkoholika. Danusia, sąsiadka z Zalesia, broniła cię: „Nie możesz go oskarżać, to fantastyczny człowiek. Zobacz, też jestem z alkoholowej rodziny, dorosłe dziecko alkoholika i co?". I podobnie jak większość DDA wybrała na męża pijaka. Została sama z czwórką dzieci. Nocą, wędrując wiejską ulicą, może wyjąc z bólu do księżyca, napisała palcem na moim brudnym wozie: „Kochacie się, pasujecie do siebie".

Dorosła kobieta rysuje w kurzu i brudzie marzenie, że gdzieś, w sąsiedniej wsi, za siedmioma błotami i płotami, jest prawdziwa miłość. Ale miłość to nie to, co się komuś zdaje, tylko to, co jest. Ginę codziennie za Koszalin, Leningrad i Stalingrad, na linii frontu.

Styczeń, luty, jesteśmy jeszcze sojusznikami, wierzę w twoją lojalność.

Marzec. Siedzisz godzinami przy komputerze. Prowadzisz drugie życie na facebookach. Nie ma cię ani tam, ani tutaj. Żyjesz gdzieś między dwoma światami, niby dusza zabłąkana w buddyjskim bardo, szukająca drogi powrotu. Znalazłeś zaprzyjaźnioną duszę, zainstalowałeś sobie dzięki niej wirtualny rozrusznik serca. Proszę, żebyś się wyprowadził. Masz swój gabinet w Warszawie, masz gdzie. Twoja jedyna obrona: „To tylko internet". Rzucasz za sobą jak klątwę:

– Dzwoń wyłącznie w konkretnej sprawie! – Pakujesz walizkę.

– Sam się dzwoń! – Nie mam żadnej sprawy.

Lula widuje cię, kiedy chce. Nie prowadzę wojny totalnej. Zrywam tylko kontakt.

Jestem silniejsza, nie muszę do ciebie skomleć. Ale to pozorne zwycięstwo. W twojej pokrętnej logice pijackiego dziedzictwa przegrywam. Przecież tego chciałeś – milczenia. Nauczyłeś się go we własnym domu. Tortura cichego poniżenia stosowana latami przez rodziców. Nie było o czym rozmawiać. O leczeniu psyche w zionącym alkoholem ciele? Nikt wtedy nie słyszał o chorobie uzależnienia. Pijak był pijak, a niewidzialna dusza w kościele. W konfesjonale ksiądz ostukiwał ją po zadaniu pokuty i rozgrzeszeniu. Może dobijał się do niej, uderzając trzy razy o drewniane kratki: Następny!

Twoi rodzice karali się milczeniem. Mijali bez słowa w wąskich korytarzach blokowego mieszkania. Puchli obrazą martwego małżeństwa. Nadęte gazami trupy w grobie, zanim zgniją pożarte przez toczące je od środka robale. Prawda też jest pośrodku, ale racja zawsze po jednej stronie. Na tym polegało twoje obrażone dzieciństwo. Twojej matce to zostało. Owdowiała obraziła się na cały świat. Na psychiatrów próbujących wykurzyć ją elektrowstrząsami z labiryntów pokrętnego myślenia. Wyniośle cierpi i milczy, obmywana przez salowe w domu opieki.

Kwiecień, pierwszy dzień, pierwsza noc milczenia od dwudziestu lat. Nie czuję się nawet niedobrze. Oddzielona od ciebie nie czuję w ogóle siebie. Jestem tobą, spędzając poranek w internecie. Czytam porady „Szybkie i bezbolesne samobójstwo". Zaczynam się śmiać. Ze śmiechu przechodzi mi ochota na podcięcie żył. Dawno nie widziałam tylu błędów ortograficznych: „Jeżeli przerzywasz depresję", „Kto znius taki bul". Najwidoczniej dyslektycy, siostry i bracia błędni, mając w szkole życia „cieńrzej", częściej rozważają wyjście awaryjne. Nie drwię. Mój ojciec czytał codziennie jedną książkę, ale z trudem się podpisywał. Lula nie zauważa, kiedy kończy jej się zeszyt zapełniony typowym dla dyslektyków „lustrzanym" pismem poprzekręcanych liter. Dalej pisze w powietrzu. Przekazałam jej geny dziadka, od pokoleń sama dyslektycznie upośledzona. Urodziłam się z poprzestawianymi kablami w mózgu.

Listopad. Wsłuchuję się w odgłosy swoich czterdziestych ósmych urodzin. Świt, nie leżę sama, skrobanie za ścianą. Nadchodzi jesienna inwazja gryzoni z pól. Przez uczuciową obsuwę zapomniałam o nieuchronnym.

A sąsiedzi, wielbiciele przyrody, dają swoim dwóm hodowanym szczurom witaminy. Zawożą Słodziaka z astmą na seanse w namiocie tlenowym. Ja w tym czasie powinnam bezlitośnie wysypać trutkę. Budzę Lulę. Szybko, uciekamy. Miałyśmy dzisiaj świętować u Antka i Oli w Poznaniu. Zdążymy na pierwszy poranny pociąg. Jadąc tramwajem, wystukuję numer myszołapa. Przyjdzie, sypnie hojnie trucizną.

Razem z porannym tłumem wysiadamy na przystanku przy Pałacu Kultury. Po cichej wsi, gdzie skrobanie myszy dudni, jazgot Marszałkowskiej ogłusza. W dodatku wyje syrena. Radiowóz ściga podejrzanego faceta. Pomięty, niedomyty oprych idzie spokojnie. Uskakuję przed wozem policyjnym, jadącym za nim po chodniku. Zamiast dalej go ścigać, zajeżdża nam drogę.

– Dlaczego pani się nie zatrzymała?! – woła policjant. – Dokumenty proszę!

– Co ja zrobiłam? – W myślach wertuję dawne wezwania, mandaty.

– Jak to co? Przeszła pani z dzieckiem na czerwonym świetle.

– Gdzie? Nigdzie nie przechodziłam, dopiero co wysiadłam z tramwaju.

– Właśnie.

Wszyscy wtedy przeszli, ale on uczepił się czerwonego skafandra Luli, matka z dzieckiem – łatwy łup. Próbuję opanować roztrzęsione ręce i łzy.

– Dokumenty proszę! – krzyczy na mnie facet w mundurze. – Życie pani niemiłe? Dziecko narażać?!

Dopadła mnie męska władza, twoje oskarżenia i samotna bezradność. Nikogo na moją obronę.

– Zawód? – Policjant ogląda plastikowy dowód.

– Pisarka, buuu. – Nie mogę ukryć płaczu powstrzymywanego od miesięcy.

– Tak myślałem. – Chyba mnie rozpoznał, z telewizji, nie z kronik kryminalnych. Przygląda się zdziwiony. – Nigdy pani nie zatrzymała policja?

– Nieee, udawało mi się uciec przed ZOMO – szlocham.

Przestraszony łkaniem, oddaje mi dowód, Lula nie wie, co się dzieje. Im bardziej chcę być spokojna, tym głośniej ryczę.

– Proszę uważać. – Policjant zostawia mnie, jest z drogówki, nie z psychiatryka.

W Poznaniu tradycyjnie kultura i ciastko. Ola z Antkiem prowadzą nas do najstarszej części miasta, tam ochrzczono Polskę.

– Mniej więcej tu. – Pokazują trawnik.

– Tu? – Podchodzę najbliżej miejsca, gdzie stała chrzcielnica.

Żadnego znaku, krzyża. Zwykły chodnik z budką telefoniczną Orange. Właściwie to jest pomnik funkcjonalno--symboliczny. Tak jak chrzest w dziewięćset sześćdziesiątym szóstym przyłączył kraj do cywilizowanego świata, tak telefon łączy Polaków ze sobą, światem, emigracją. Polacy nie gęsi, chociaż odlatują częściej niż inne nacje.

Idziemy do prawdziwie poznańskiej cukierni świętować

moje urodziny. Ciemne meble, pluszowe kanapy z lukrowymi okruchami wanilii. Przytulność nie wygłusza rozmów z kąta sali. Antek syczy, gdy elegancki mężczyzna w krawacie przeklina. Na scenie można, ale kurwoszyć przy kobietach i dzieciach?

– Przepraszam – mamrocze skarcony, międląc białą serwetkę.

Poznańska sielanka. Dwie licealistki jedzą na spółkę krem, za odłożone przez tydzień kieszonkowe. Lula pożera nasze porcje. Krztusi się ze śmiechu i zanim zdąży dobiec do łazienki, obrzyguje gorącą czekoladą dziewczyny, meble. Stara się odwrócić do ściany. Siła odrzutu miota nią po sali. Potok płynący z ust dziecka godny *Egzorcysty*. Biegniemy po ścierkę. Ocieramy Lulę, potem podłogę, buty licealistek. Na klęczkach kończę swoje urodziny: myszy, policja, rzygi.

Pierwszy września. Lula w szkole. Chodzę po lesie i rozdłubuję patykiem błoto. Powieść to umiejętność powiedzenia wszystkiego w odpowiednim czasie. Dziennik jest litanią do świętego Ego.

Nie zależy mi na byciu pomiędzy. Pomiędzy tobą i mną. Kochając, chciałam, żebyś wszedł we mnie, nie tylko między mnie i mnie, pomiędzy skórę i waginę. Chciałam głębiej, tam gdzie kończą się słowa i zaczyna bełkot miłości.

Rozwód, rozstanie to werdykt. Kto przegrał? Zawsze przegrywałam, odzywając się po kłótni pierwsza. Tyle razy przechodziłam przez poligon twojej depresji. Teraz się uparłam: Nie. Wysyłasz SMS-y sondujące moją desperację. „Tęsknię" – piszesz. Po dwudziestu latach SMS-y?

Nie umiem sobie wyobrazić takiego życia – ja z Lulą, ty przychodzisz nas odwiedzać. Być może dwie osobne rodziny. Już to przerabiałeś, znowu twoja przewaga.

Muszę uciec, najdalej. Australia – nauczę się tam angielskiego. Dyslektyczna, nie mam szans opanować żadnego języka w szkole. Lula też. Po pięciu latach drogiego dwujęzykowego przedszkola umiała powiedzieć jedno słowo: *water*, i to nie wiadomo czemu z australijskim akcentem: *łota*. Słońce, plaża, *łota*... Kiedy mi się to znudzi? Potrzebuję czegoś więcej... a gdyby pojechać na amerykański uniwersytet? Jaś, mój amerykański przyjaciel. Wysyłam mejla: „Nigdy nie przyznano mi stypendium dostępnego nawet dla magistrów historii czy debiutujących poetów. Napisałam dziesięć powieści historycznych. Mogłabym przyjechać do Berkeley?". Odpowiedź Jasia: „Bardzo mi przykro z wyglądu na twoje serce. Ja i Tabita współczujemy wam. Zapytam ludzi z Literature Department, przyślij życie". Wysyłam. Odpowiedź następnego dnia i tak już będzie, natychmiastowe odpowiedzi administracji, profesorów. Żadnego czekania, polskiej metody na później, na odpierdololo. Jasiu: „Przyznali ci za książki doktorat, inaczej byś nie mogła przyjechać. Możesz mieć akademik, Lula szkoła darmo. Pakowuj się".

Jasia spotkałam w Krakowie. Beznadziejnie zakochany student. Przyleciał z Ameryki do Niemiec, wtedy jeszcze RFN – Niemiec zachodnich – podszlifować język. Bracia mechanicy samochodowi, matka gospodyni domowa. Ojciec, weteran drugiej wojny światowej, przeczytał jedną książkę poleconą mu przez kaprala. Jasiek z typowym irlandzkim nazwiskiem przechodził wyżej i wyżej w hierarchii katolickich szkół dzięki stypendiom dla wybitnie zdolnych. Po pierwszym roku studiów przyleciał do Europy. W Berlinie Wschodnim, po niewłaściwej stronie historii, spotkał w kawiarni piękną dziewczynę z NRD. Zakochany przekonałby ją do małżeństwa, ale kończyła mu się wiza. Ojciec Niemki rozwiał jego nadzieje: Ona nigdy nie wyjedzie, studiuje w Berlinie aktorstwo, to jej przyszłość.

Jasiek się nie poddawał. Bez kropli słowiańskiej krwi przekonał o swoim polskim pochodzeniu komisję rozdającą stypendia dla Polonusów. Nie kłamał, przecież katolicy są braćmi. Dostał stypendium w Krakowie. Z polską wizą był bliżej granicy. Codziennie nosił ten sam bawełniany mundur amerykańskiego młodzieńca: przetarte dżinsy i kraciastą koszulę, spod której wystawał T-shirt. Jego twarzy hollywoodzkiego gwiazdora o rozbrajająco dziecięcym uśmiechu nie dały rady zamaskować żadne przeciwsłoneczne okulary. Gdy w wakacje, wędrując po schroniskach, zwiedzaliśmy poniemieckie ruiny Kotliny Kłodzkiej, pijacy prosili Jasia o dolary, dzieci o gumę do żucia.

Skończyłam studia. On oddalał się od swojej miłości i Niemiec, studiując w Rosji, Pradze. Wrócił do Stanów, został profesorem historii, mężem Tabity, szczęśliwym ojcem trójki dzieci. Przez trzydzieści lat widywaliśmy się niemal co roku: we Francji, w Polsce, w Niemczech.

Na pięćdziesiąte urodziny profesorowie w Berkeley sprezentowali germanofilskiemu Jasiowi bilet do teatru. Po bankiecie niemiecki spektakl. Szeptem tłumaczył żonie nudną sztukę Becketta, aż zobaczył swoją dawną miłość. Rozpięła na scenie bluzkę, by pokazać nagi biust. Nic więcej, krótki niemy epizod. Kurtyna czasu opadła.

Przez telefon twój głos. Tłumaczy Luli, co się stało u babci w szpitalu. A co się mogło stać? Nie żyje? Próbowano lekarstw, prądu, głaskania na siłę psów i głów wnucząt. Wyniszczona małżeństwem, do końca, do delirium ślubnego pijaka, zamurowała się w starczym odrętwieniu. Dwa dni temu wypadła z wózka i uderzyła się w głowę. Natychmiast do niej pobiegłeś. Babcia przeszyła cię matczyną intuicją: „I co? Znowu jesteś sam?" – przemówiła po latach milczenia. Skąd mogła wiedzieć, co się stało? Przestałeś ją odwiedzać na długo przed naszym rozstaniem.

Podejrzewam, że walnięcie w głowę wrzuciło mózg na swoje miejsce. Z zaświatów rozumu matka wróciła ci pomóc. Na jeden dzień, potem znowu zamilkła. To możliwe? Ja przestałam się odzywać i przemówiła ona. Jakbyśmy na zmianę musiały do ciebie mówić, więc teraz moja kolej:

– Słuchaj, chciałabym z Lulą wyjechać do Berkeley w wakacje, zostałybyśmy na rok. Nauczyłaby się języka... Zgadzasz się?

– Tak i na terapię małżeńską też.

Na wszystko byś się zgodził. Boisz się. Przebudzenie matki udowadnia psychiczność świata, więc i możliwość odwetu za okropne traktowanie nas.

Ostatnie miesiące mieszkałeś w swoim gabinecie. Przez ścianę krzyczała nocami kobieta. Nie wytrzymałeś, poszedłeś zapytać, co się dzieje. Otworzył słaniający się z wycieńczenia staruszek, żona umiera na raka kości, znieczulenie kosztuje.

Cisza, hospicjum. Po starym małżeństwie wprowadziło się młode. Znowu krzyki nie tylko nocą. Za ścianą orgazm orgazmu. Miłość i śmierć bywają głośne. Jedna przypomina o drugiej. Wycie hinduskiej Kali wmurowanej żywcem w cegłę warszawskiego bloku. Bogini seksu i agonii, rodząca dzieci na pożarcie. Bogowie są po to, by nam coś przypomnieć, rodzicielsko przestrzec.

Zapisujemy się do pary terapeutów. Będą naszą „matką i ojcem", „mężem i żoną". We dwójkę sprawiedliwie rozłożą winy. Samotny terapeuta to za mało na udźwignięcie naszego związku. Mógłby wziąć stronę jednego, osierocić drugie w poczuciu niezrozumienia.

– Pani jest chyba pisarką... znam panią – mówi w drzwiach terapeutka, poprawiając sobie okulary prymuski.

– A pani... jest taka młoda. – Wyzerowuję licznik nietaktów.

Nie, nie jest za młoda. To ja jestem okropną pacjentką. Mało kto zniósłby moje zawodzenie. Na twoje jedno słowo potok moich. Wcześniej nie dopuszczałeś mnie do głosu. Obrażałeś się, trzaskałeś drzwiami. Nadrabiam stracone dyskusje, wysuwam szpony nigdy nieużytych argumentów. Terapeuci mają mnie dość, grożą wyrzuceniem. Uspokajam się, żeby na następnej sesji znowu oskarżać.

– Było nam tak źle? – pytasz.

– Nie, ale mogło być lepiej, o wiele lepiej.

– Zawsze może być lepiej – mówi terapeuta. – Po to tu jesteście.

– Nie. To nie ma sensu, jeżeli nie pójdziesz na terapię DDA. Ja już nic więcej nie mogę. – Poddaję się.

– Nie pójdę i nie chcę, żebyście wyjeżdżały. – Zmieniasz zdanie.

– Byłam na swojej terapii prawie dwa lata. – Załamuję się. – Chyba zamiast ciebie. Wiem, że jestem partnerem DDA, zaraziłam się tobą i więcej nie chcę.

– Co się naprawdę stało? – Szukasz winnych wszędzie oprócz siebie.

Najchętniej obgryzałbyś z nerwów paznokcie. Zaciskasz pięści, ale widzę twoje palce. Wstydzisz się dziecięcych przyzwyczajeń. Gryziesz je pod jednakowym kątem, nadając paznokciom artystyczny sznyt. Przycięte zębami niby fryzura zaczesana na bok.

– Może jestem starsza i brakuje mi sił? A co, jeśli nasz wyjątkowy, jedyny związek jest typowym piekłem? – Mam przygotowany wydruk z pierwszej znalezionej w internecie strony po wbiciu w wyszukiwarkę: „Partner DDA". Czytam:

„Partnerzy dzieci alkoholików są w wyjątkowo trudnej sytuacji. Po latach normalnego życia i zwyczajnych przeżyć w niezaburzonym otoczeniu spotykają tak specyficzną osobę jak DDA (dorosłe dziecko alkoholika).

Partnerzy DDA [...] wielokrotnie są rozczarowywani, i to z przeróżnych powodów. Na przykład: nie czują się przez swojego partnera docenieni, dowartościowani, a często nawet nie czują się kochani. Słyszą miłosne słowa – ale to wszystko. Czyny są już inne. **Niezrozumiałe, wręcz ekscentryczne.** Bo taki partner, który nie jest jednostką zaburzoną, a do tego nie ma pojęcia o «czymś takim jak DDA», **traktuje dziecko alkoholika jak równe sobie**. Skoro się stara, mówi to, co czuje, potrafi rozmawiać, wyrażać emocje, jest otwarty, szczery i ufny, **to po prostu nie rozumie, jak można zachowywać się inaczej**. To tak samo jak dziecko alkoholika nie rozumie tych codziennych, zupełnie zwyczajnych zachowań osób z funkcjonalnych rodzin.

Przez lata wychowywać się w rodzinie funkcjonalnej – to nabywać prawidłowe wzorce postępowania. A w przyszłości – kierować się nimi.

Jednakże «bohaterem głównym» tego artykułu jest **trauma**. W jaki sposób dzieci alkoholików mogą swojemu partnerowi zgotować taki los? Niestety, w bardzo prosty. **Najczęściej robią to, kierując się egocentryzmem, który w nich tkwi**. Chęcią bycia kochanym, docenionym, dowartościowanym, krótko mówiąc: chęcią zaspokojenia w końcu, po długich latach, swoich potrzeb. To wprawdzie nic złego, pod warunkiem, że myśli się także o tej drugiej osobie. Ale, niestety, **dzieci alkoholików są nauczone tego, że każdy zajmuje się sobą – tak jak w ich rodzinie**. Ewentualnie silniejszy zajmuje się słabszym – a w związku to zazwyczaj one czują się słabsze.

Osoba związana z dzieckiem alkoholika nie patrzy na swojego partnera jak na dziecko. Wiąże się z dorosłą osobą i traktuje ją jak równą sobie. Nie ma świadomości, że wiąże się z dorosłym dzieckiem, dlatego **nie jest w stanie zrozumieć krzywdzących dla siebie zachowań swojego partnera**. Nie rozumie, że dorosła osoba może mieć potrzeby dziecka.

Bądźmy szczerzy. **Dzieci alkoholików często zachowują się wprost okropnie – a chcą zrozumienia**. Nie można się dziwić partnerom dzieci alkoholików, że ich nie rozumieją. Dlaczego? Dlatego że doznają przez nich bólu, cierpienia. Dlatego że nie czują się kochani i rozumiani. Cały czas muszą tylko dawać, nie dostając niczego w zamian. W takiej sytuacji żaden człowiek nie ma ochoty na dalsze dawanie. Dzieci alkoholików nieświadomie **obarczają swoimi własnymi uczuciami najbliższą dla nich osobę. Przemieszczają swoje bardzo trudne uczucia na swojego partnera.**

Spójrzmy na kilka przykładów w poniższej tabeli. W pierwszej kolumnie mamy uczucia i zachowania dziecka alkoholika w dzieciństwie, w drugiej ich efekty – czyli zachowania DDA, a w trzeciej kolumnie skutek – oddziaływanie tych zachowań na partnera:

Uczucia i zachowania dziecka alkoholika w dzieciństwie	Zachowania dziecka alkoholika w dorosłości	Uczucia partnera dziecka alkoholika
Brak zainteresowania ze strony najbliższych – poczucie bezwartościowości. Próby wzbudzenia zainteresowania.	Nieokazywanie zainteresowania najbliższej osobie.	Partner czuje się bezwartościowy i ma poczucie przymusu walki o zainteresowanie partnera.
Brak ciepła i uczucia w domu rodzinnym. Walka o miłość najbliższych.	Nieumiejętność wyrażania uczuć i pustka bądź chłód emocjonalny.	Partner czuje się niekochany, traktowany przedmiotowo. Ciągle towarzyszy mu niedosyt pozytywnych uczuć ze strony partnera.
Brak rozmowy, brak wspólnego rozwiązywania problemów i trudności.	Nieumiejętność rozmawiania, rozwiązywania problemów i trudności.	Poczucie niechęci ze strony partnera do rozwiązywania problemów i trudności. Partner czuje się nieważny i ignorowany.

Znając specyfikę problemów dzieci alkoholików – wyżej opisane najczęściej będą tymi fundamentalnymi.

I tak właśnie powstaje u partnerów dzieci alkoholików trauma. Prawie tak samo jak u dzieci alkoholików. Zaczyna się od obserwowania dziwnych, niezrozumiałych zachowań. Później od próbowania zrozumienia tych zachowań. Kończy się na tym, że tak jak dziecko alkoholika szuka winy w sobie – tak partner dziecka alkoholika szuka jej u siebie.

To znaczy, że osoba związana z dzieckiem alkoholika zaczyna czuć się beznadziejna, bezwartościowa, niekochana, odrzucona, odepchnięta, mało interesująca, mało atrakcyjna... **bo po prostu nie otrzymuje od partnera tego wszystkiego, co sama daje.** Te wszystkie odczucia z dnia na dzień zaczynają się utrwalać. Są coraz bardziej dokuczliwe i coraz intensywniej odczuwane. [...] Czasami pojawia się lęk, a zawsze stres i napięcie.

Później, kiedy partnerzy dzieci alkoholików tracą siły i chęci do walki o zainteresowanie partnera i jakiekolwiek oznaki jego uczucia – popadają w bezsilność. Czują się bezradni, a do tego bezwartościowi.

To wszystko składa się na traumę. Jest ona oczywiście inna niż ta, którą odczuwa się po tragicznym wypadku, ale omawiamy tutaj traumę po przeżyciach mniej intensywnych, za to o wiele częstszych i bezpośrednio dotykających sfery emocjonalnej i psychicznej.

Po jakimś czasie partnerzy dzieci alkoholików zaczynają uporczywie unikać bodźców, które mogłyby im się kojarzyć z traumą. Znacznie obniża się ich zainteresowanie związkiem, a tym bardziej staraniem się o niego. Unikają wspólnego spędzania czasu, nawet jeśli są bardzo zakochani. Mocno obniża się także ich zdolność do cieszenia się «partnerstwem» oraz zdolność do przeżywania pozytywnych uczuć i emocji. Zaczynają być drażliwi i coraz bardziej irytują ich zachowania partnera. Irytują ich stare i te nowe zachowania – nawet jeżeli są lepsze – bo dla nich są po prostu niezrozumiałe lub nieprawdziwe.

Te zachowania partnerów DDA nie wypływają z wyrachowania, z chęci zemsty czy z podłości charakteru. **Są normalną reakcją na nienormalną sytuację!**

Najtrudniejsze tutaj staje się zrozumienie. I to działa w dwie strony, jeszcze bardziej niż na początku związku. Dziecko alkoholika nie rozumie przemiany swojego partnera. Z tego, który niegdyś się tak bardzo starał, w obecnie wiecznie rozdrażnionego, zirytowanego, znudzonego i przygnębionego człowieka. Zaczyna znów czuć się niepotrzebny etc.".

Za pochylonymi plecami terapeutów bezlistna korona drzewa z ptasim gniazdem. Po kilku miesiącach nadal puste gniazdo ledwo widać w zieleni. Ono też puściło listki.

– Ale chcesz z nim być? – przypominają mi zgodnie terapeuci.

– Chcę z nim, z tobą być... kiedy nie wpadasz w swoje urojenia DDA, jesteś najlepszym człowiekiem, jakiego znam.

Kocham cię, znaczy nie chciałabym ci wyrządzić żadnej krzywdy, niczego złego, ale czy dobrego? Raczej już nie, to tylko miłość, nie miłosierdzie. Nie mogę czekać, aż znowu twoje dzieciństwo poplącze ci się z naszym życiem, nie mogę czekać na koszmar.

Kilka lat wcześniej sen o galopującym koniu. Boję się, nie ma we mnie ułańskiej fantazji. Tradycji pokoleń z szablami na czołgi, współcześnie z dzieckiem na konia. Nie należę do rodziców zachwyconych potomstwem ujeżdżającym końskie bydlę dla sportu.

Kulę się pod tratującym ogierem. Zanim uderzy mnie kopytami, zamieni się w niedawno zmarłego słynnego aktora. Jestem do niego zaprzęgnięta. Ciągnę go przez pole, czerń ziemi zlewa się z niebem, jakby też było do zaorania.

Pomaga modlitwa o koniec tej męki. Z każdym słowem trup traci śmiertelny ciężar. Ze snu wyrywa mnie własny szloch: „Zdrowaś Mario, Matko...!".

– Co się dzieje? – Budzi cię mój krzyk.

– Nie wiem, stanie się coś złego.

– Sen mara.

Bóg, wiara. Wierzę mojej mamie, gdy wieczorem mówi przez telefon:

– Byłaś dzisiaj u nas rano, stało się coś złego?

– Tereska – słyszę sceptyczny głos ojca. – Żywi nie przychodzą. – Aluzja do moich rzadkich wizyt.

I obsesja, że straci też Tereskę. Jej pół uśmiechu zakleja warstwa maści przeciw niegroźnemu nowotworowi skóry.

– Mamo, rozumiesz, że nie mogłam być we własnym łóżku i u was, ponad sto kilometrów stąd?

Boję się jej intuicji.

– No przecież – trzeźwość mojej mamy, emerytowanej oddziałowej psychiatrycznej – nie mówię, że to byłaś ty. Pokazałaś się mi w rogu łóżka. Nie zdążyłam obudzić taty.

„Matko!", ostatnie słowo nocnego koszmaru, wykrzyczanej modlitwy. Moja matka nie ma zwidów ani halucynacji. Jej praca polegała na odróżnianiu prawdy od snu wariata. Wyrzuciłam z siebie wędrujący cień razem z błaganiem o pomoc do mamy? Zjawy nie wiedzą, komu się pokazują i kim są? A żywi, mądrzy ludzie mogą nie wiedzieć, kim naprawdę są i co robią innym?

Tego samego dnia wyszedłeś z domu. Obrażony moją odmową bycia obrażaną. Nie powiedziałeś, dokąd idziesz. Wyłączyłeś telefon. Mieliśmy zawieźć Lulę na obóz, wysyłam ci SMS-y, nic. Tydzień później pojechałam z nią sama. Zostawiłam i zmęczona zatrzymuję się w Kazimierzu.

Przy drodze, nad Wisłą, otworzono nowy hotel z restauracją. Może dobrą, od paru dni zmuszam się do jedzenia. Na pustawym tarasie hotelowym wiosłuję łyżką w zupie, gdy przysiada się Krystyna Janda. Z wrażenia zdejmuję ciemne okulary. Mrugam zapuchniętymi oczami. Przyjechała na tutejszy festiwal filmowy. Radzi się mnie, czy wybrać z menu tę samą zupę. Chciałabym, żeby w zamian poradziła, jak żyć. Ale nie będę obcej osobie opowiadać, co mi się przytrafiło. Nawet wspaniałej Jandzie, wzruszająco dostojnej w żałobie po mężu. Pochyla się nad talerzem, z dekoltu wysuwa się jej duży filcowy szkaplerz. Kto nosi teraz szkaplerz?! I to ze świętą Tereską, patronką mojej mamy. Znak. Spowiadam się więc jej jak Matce Przenajświętszej ze snu i strasznej jawy.

– Dziecko moje, to nie był sen – mówi zatroskana. – Byłam na jego pogrzebie. Dobry aktor, człowiek żaden, gorzej niż człowiek – demon, co za piekło urządził on swoim kobietom!

Talmud we freudowskim stylu poucza: „Niezinterpretowany sen jest jak nieotwarty list". Myślę, że napisałam go sama do siebie tamtej koszmarnej nocy, tratowana przez trupa. Do ciebie wysyłałam codziennie SMS-y. Po tygodniu odpowiedziałeś, podałeś adres. Jechałam przez pół Polski, przepraszać, prosić, sama nie wiem po co, po ciebie. Kochaliśmy się, wyspowiadałeś się w konfesjonał pizdy.

Miłość jest zbrodnią doskonałą. Ofiara pokazuje, gdzie zadać cios, by nie zostawić śladu, i z przywiązania prosi o więcej. Nie ucieka przed mordercą. Tęskni i spodziewa się, że jej nie opuści do śmierci.

Na terapii masz doskonałe, nietykalne alibi – uczucia. Kłamiesz, żeby przekonać siebie, nie mnie. Ja się nie liczę. Nie wierzę, że będzie lepiej. Miłość nie jest zbawieniem odkładanym na później. Jest tu i teraz. To spokój, nie udręka. Nie zatkam w twoim sercu dziury po dzieciństwie wygryzionym przez ojca i matkę.

Wyjadę do Berkeley, chcesz czy nie. Wypełnianie wniosku o amerykańską wizę przypomina test na inteligencję. Pytają zresztą drobnym drukiem: „Kto pomaga ci odpowiadać na pytania". Wpisuję: „Moja przyjaciółka Ola, anglistka".

– Ola, czy ja dobrze rozumiem? – Proszę ją o przetłumaczenie zdania powalającego szczerością: „Czy jesteś terrorystą?".

Przeskoczenie pułapek wizowych zajmuje nam dwa dni.

Spełnienie wszystkich wymogów to zaledwie wstępna selekcja. Mimo honorowego doktoratu z Berkeley ledwo osiągam końcowy etap: opłata konsularna. Nie można wpłacić po ludzku kartą ani przelewem bankowym. Trzeba znaleźć pocztę ze specjalnym okienkiem opłat wizowych. Nie ma takiej w mojej podwarszawskiej okolicy. Znajdę w Krakowie, będę tam następnego dnia na targach wydawniczych, coroczna targowica.

Branżowe spotkania zlewają mi się w jeden obraz: pisarze i wydawcy krążą między stolikami, nudna wywiadówka. Kto w tym sezonie był dobry, kto prymusem, kto nie przeszedł w rankingach. Postanowiłam się zabawić, rok albo dwa lata temu, ożywić warszawską imprezę.

Szykowny lokal na Foksal. Otwarte okna, po zmierzchu zapalono ogrodowe lampiony. Goście krążą w półmroku z kieliszkami niby lampkami oliwnymi odbijającymi szklany blask. Wyszedłeś wcześniej. Nie potrzebowałeś pretekstu – znudzona Lula musi już iść spać. Powiedziałeś: „Nie wiem, co szykujesz, ale wygłupy mnie nie interesują. Za kogo ty się w ogóle masz?! Za pisarkę czy klauna?".

Ubrana w kimono i jedwabne, szerokie spodnie wybieram przy barze przekąskę. Rozmowy w eleganckim języku pla-pla gwałtownie zamierają. Nie ruszam się, stoję tyłem do wejścia. Ktoś wytrąca mi z włosów drewniane pałeczki podtrzymujące kok. Odwracam się podnieść je z podłogi. Samurajski miecz tnie obie na drzazgi tuż koło moich palców, zgodnie z planem przećwiczonym co do milimetra. Przy srebrnej rękojeści miecza tradycyjny węzeł czerwonej wełny wchłaniający krew przegranego. W czarnym kostiumie wojownika ninja szczupły, ogolony na łyso Sroka porusza się z gibkością cienia. Wyjmuję spod szerokiego rękawa ukryty wachlarz bojowy. Okuty metalem potrafi, rezonując od uderzenia, przetrącić kark, rozwalić czaszkę, zmiażdżyć tchawicę. Zaczynamy wojenny taniec do monumentalnej muzyki z *Incepcji*. Po miesiącu ćwiczeń układu próbuję dorównać Sroce, mojemu mistrzowi tai chi. Publiczność się cofa. Mamy dość miejsca na skoki, uniki, szybowanie. Motyl wachlarza kontra żądło miecza. Po prostu *Przyczajony tygrys, ukryty smok* improwizowany z natchnienia. Głośniki podłączone kilka sal dalej chroboczą, zamiast mistycznej *Incepcji* dudni przebój *Tyle słońca w całym mieście*. Organizatora imprezy zaniepokoiła cisza, trzeba się bawić. Zaskoczeni, niezdarnie podrygujemy. Żałosny finał, opadamy z opery w śmieszność. Uciekamy. Nasz przerwany występ nie miał sensu, dowcip bez puenty. Wielki epicki rozmach zmasakrowany przez disco. Całe szczęście, że nie widziałeś. Triumfowałbyś, ze swoim perfekcjonizmem niedocenianego dziecka: „Po co się ośmieszać?!".

Twój ojciec wyśmiewał cię za dziewczyńskie zainteresowania. Nie nadawałeś się na inżyniera ani sportowca. Mogłeś przynosić mu z kiosku papierosy, do tego byłeś przydatny.

Jesteśmy ze Sroką już przy Jerozolimskich. Dogania nas ktoś z wydawnictwa, namawia do powrotu. Nie rozumie artystycznej porażki. Odmawiam. Rozmawia przez telefon, osłaniając głowę przed hałasem ulicy.

– Arleta obiecała wypić dla ciebie tequilę – powtarza podsunięty mu przed chwilą argument.

– Co? – Wychylam się zza rozłożonego obronnie wachlarza. – Sroka, wracamy, nie wierzę, to będzie spektakl...

Szefowa mojego wydawnictwa stoi w rozkroku przy wysokim stoliku z tequilą. Nauczyła się tego w Stanach, gdzie chodziła do liceum. Na dłoni solidna kreska soli. Wsysa ją nosem. Rozciętą połówkę cytryny wyciska w otwarte oko i łyka tequilę. Jej asystent sięga po drugą połówkę cytryny. Duma nie pozwala mu zostać w tyle za kobietą i szefową.

– Nawet nie próbuj, synu. – Arleta łapie oddech, idzie na parkiet.

*

Wydawniczą targowicę zameldowano w krakowskim hotelu przy Świętej Gertrudy. Żadna święta, to przecież dawna, za komuny, Waryńskiego z łomoczącym tramwajem niedaleko mojej Alma Mater. Od piątej rano mimo zamkniętych okien wjeżdża mi po szynach w głowę dzwoniący miejski wiatyk. Powinnam pamiętać, Gertruda Waryńska po rozwodzie z komunistyczną historią wróciła do panieńskiego nazwiska, co przytrafiło się też wielu ulicom.

Niedospana, decyduję się wrócić do domu dzień wcześniej. Jeszcze obiad z dawnym znajomym, teraz Profesorem, badaczem starożytnych języków. Zapraszam go Pod Różę, on w rewanżu zabiera do siebie na deser.

Mieszkanie Profesora jest typowym inteligenckim bunkrem wyłożonym od podłogi po sufit książkami. Jedyne meble to zawalone papierami biurko i zarwane łóżko, właściwie prycza przykryta łowickim pasiakiem. Przecieramy zakurzone kieliszki. Wieloletni osad miesza się w nich z podzieloną na pół dawką meskaliny. Zalewamy proszek kranówą.

– Toast czy komunia? – Nie jestem pewna, co zrobić przed wypiciem.

– Meskalina pochodzi z peyotlowego kaktusa używanego przez indiańskich szamanów w Ameryce Północnej. – Profesor wącha napój jak dobre wino. – Wypadałoby odprawić obrzędy.

– Więc za moją amerykańską podróż! – Podnoszę kieliszek.

– Za wspólny trip.

W oczekiwaniu na efekt Profesor otwiera książkę.

– Wiesz, co to jest? – Pokazuje stronę technicznych schematów.

– Pojęcia nie mam, układy scalone? – rzucam jedyną znaną mi nazwę czegoś elektronicznie niepojętego.

– W pewnym sensie. Dużo żydowskich informatyków nawróciło się na chasydyzm. Przez dziesięć lat nie chcieli mi tego wysłać z Jerozolimy. Wreszcie wydrukowali w Nowym Jorku. – Przewertował kartki. – Same czarno-białe rysunki drzewa kabalistycznego w stylu technicznym. Żadne tam średniowieczne ozdóbki i gałązki. Przejrzysty, nowoczesny schemat, spryciarze. Gdybym zobaczył kolory, domyśliłbym się reszty. – Jego młodzieńcza, piegowata twarz jaśniała satysfakcją.

Przetarł okulary, omijając zatłuszczony kawałek szkła tuż pod plastrem sklejającym pękniętą czarną oprawkę.

– Reszty czego?

– Konstrukcji świata. – Wzruszył ramionami, strząsając z nich banał oczywistości.

W dorobku Profesora są światowej sławy dzieła o azteckich technikach transowych i szkołach prorockich Starego Testamentu. Dlaczego by nie mógł dobrać się do algorytmu skrywanego przez utalentowanych matematycznie ortodoksów? Są najbliżej źródeł.

Dawno nieobcinanym szponem lewego palca Profesor wyskrobał z kieliszka nierozpuszczone drobinki meskaliny. Pozostałe paznokcie miał przycięte tak krótko, że nie wystawały z nich białe obwódki.

– Kochana, oni wiedzą, świat jest informacją. Wielkim komputerem z ilością danych równych ilości cząsteczek we wszechświecie. Żeby je zredukować do systemu, trzeba znać klucz. Mógłby się dostać w niepowołane ręce. Co innego szamani. Szamanem trzeba się urodzić, z zębami albo podduszonym pępowiną i ta pępowina łącząca z pozaziemskim ciągnie się całe życie, nie odpada. Drewnieje w *axis mundi* – oś świata czy jak wolisz, drzewo życia, po którym w transie szaman wspina się w zaświaty.

Coś w tym jest. Kikut pępowiny mojej córki przypominał uschniętą gałązkę.

– Muszę do toalety. – Szurnęłam krzesłem.

– Mdłości? Zaczyna działać, zaciśnij zęby – poradził.

W łazience zapomniałam na chwilę o nudnościach. Zafascynowała mnie ogromna reprodukcja nad wanną.

– Skąd masz tego Chagalla?

– Dostałem od ojca, pracował w muzeum. – Profesor stał po drugiej stronie drzwi. – Proszę, wytrzymaj, szkoda porcji. Spacer ci pomoże.

– Zaraz. – Wyjęłam telefon.

Fotografowałam niesamowity kadr. Sznurki na bieliznę i dyndająca z nich czarna skarpetka przecinały niebieski kij szczotki. Idealna kompozycja dla reprodukcji w tle. Meskalina musiała już czarować. Wcześniej nie lubiłam Chagalla. Profesor zajrzał do łazienki. Przesunął mnie na bok od zachwycającego obrazu. Zdjął okulary i otworzył szafkę. Mrużąc oczy, poszukał w niej plastra.

– Muszę zmienić opatrunek. – Zszarpnął stary, by równie sprawnie przykleić czysty na oprawce okularów.

Zamiast odciąć zwisający kawałek plastra, przykleił go sobie do skóry wzdłuż uchwytu, za uchem.

– Nigdy nie wiadomo. – Zgasił światło, zmuszając mnie do wyjścia.

– Nadal widzę! – krzyknęłam zdumiona.

– W ciemnościach?

Poza obrazem zniknęło wszystko inne w łazience – moje ręce, lustro szafki, ściany. Chagall nie świecił. Był cudownie widoczny mimo kompletnej czerni wokół.

Szliśmy z przedmieścia do Krakowa. Przed nami kopiec Kraka. Żołądek uspokojony, moc przesunęła się w oczy. Na cokolwiek skierowałam wzrok, widziałam malarstwo. Musiałam iść, prawie biec, żeby nie wtapiać się w obrazy. Zmęczona usiadłam na ziemi. Nie dawałam już rady uciekać przed wizjami. Przesunęłam butem wapienną skałkę. Zwykły kamień ożył. Jego powierzchnia powtarzała miliony lat poniewierki i geologicznej masakry. Miażdżąca siła zgniotła wapienne skorupki w skałę. Opowiadały o sobie przesuwającymi się obrazami. Ludzkie szkielety, roztarte ciała, stogi pobielanych trupów, wędrówki dziwnych karawan na śmierć. Miałam przed sobą, w ręku malarstwo Beksińskiego, ruchome. Przestraszona upuściłam kamień. Historie nadal odsłaniały się z kosmiczną prędkością warstwa po warstwie. Czas falował wokół konturów skały jak glony porastające podwodny kamień. Mój wzrok był soczewką odsłaniającą przeszłość. Niemożliwe, żeby zniekształciła ją soczewka aparatu fotograficznego. Zrobiłam telefonem zdjęcia pod różnymi kątami. Nie wiem, czy pokazało mi się to, co kamień widział, czy to, co czuł. Witkacy brał meskalinę. Beksiński też? Trzeźwo, bez wspomagaczy, wyczulonym spojrzeniem artysty odczytał wapienną historię?

Ostatni pstryk telefonem, chwilę się waham – wysłać ci zdjęcie albo SMS-a? Nie. Pisać do ciebie to chwalić się, że istnieję, a to ostatnie, na co mam ochotę. Kiedyś było inaczej, opiekowałeś się mną w ciąży... Tak, w ciąży miałam odobne napady artystycznej wrażliwości. Hormony wywoływały we mnie fizyczne mdłości na widok brzydoty. Oglądanie pięknych twarzy stało się fizjologicznym przymusem. Meskalina nie jest hormonem. Podobnie działa, zalewając mózg substancjami pobudzającymi hormonalne przekaźniki – serotoninę, dopaminę. Ma też coś więcej – roślinnego ducha służącego szamanom za przewodnika.

W naszej wędrówce przez Kraków pojawia się szczupły chłopak – wojskowa kurtka, płócienny plecak i rude dreadloki. Gadatliwy, zwinny, przeskakuje chodnikowe płyty. Brakuje mu skrzydełek przy sandałach i byłby Hermesem. Nadrabia to propozycją lotu balonem. Kolorowy bąbel balonowej kopuły widoczny jest nad Wisłą przy Wawelu. Hermes wyszedł nam na drogę dowiedzieć się, czy jesteśmy zadowoleni z meskaliny. Rozprowadza różne substancje wśród psychonautów. Zapisuje opinie w pomiętym zeszyciku bez okładki.

– Gro i bucy? – pyta z krakowska.

– Dobra, stonowana – ocenia Profesor. – W przeciwieństwie do San Pedro bardziej otwiera oczy niż serce, prawda?

– Bardzo. – Na parkowym trawniku powtarzam figury tai chi.

Olśniona ich nowym znaczeniem, nie mam ochoty rozmawiać.

– Wysokość daje turbo. – Hermes namawia Profesora na lot balonem.

– O tej porze?

– Zdążymy.

– Przepraszam, ale chce mi się mówić po aramejsku. – Profesor zasłonił sobie twarz, by ukryć odruchy wymiotne.

– *Eloi, Eloi lema sabachthani?* – zastanawia się głośno Hermes. – Byłem ministrantem w Mariackim, to po żydowsku?

Ćwiczę od dawna tai chi, te same płynne gesty powtarzane każdego dnia, wyuczone przez Srokę. Piłowanie doskonałości. Nie przypuszczałam, że ruch rysuje w przestrzeni smugi. Zwykłe wyciągnięcie rąk czy podniesienie ich nad głowę buduje secesyjne wiry. Tai chi ma regulować przepływ energii. Ta zamienia się na moich oczach w architekturę barw i proporcji. Nie wiem, ile trwa ćwiczenie. Gdy się odwracam, Hermesa już nie ma. Musiał być bardzo szybki, skoro nie zostawił za sobą żadnego śladu w powietrzu.

Chodzimy dziesiątą godzinę. Przykładam telefon do ucha, słyszę tykanie jego elektronicznego zegara? Zegary tykają, z wahadłem, z atomem. Tykanie jest przecież rozmową czasu z wiecznością.

Nocny Rynek okupują turyści, skręcamy na Kazimierz. Kawiarnię oświetlają nastrojowe lampy, mało co widać. Stłumione kolory potrącone prędkością światła wydają dźwięki. Brudne, brązowe plakaty tworzą muzyczną zaporę, nie wytrzymuję i wychodzę. Siadam na chodniku z kieliszkiem, zachciało mi się wina. Obok Profesor polewa sobie głowę wodą mineralną. Ciekawi mnie, skąd Hermes wytrzasnął meskalinę.

– Nie była czysta – prycha. – Przychodzi od Shulgina, amerykański geniusz. Wymyśla halucynogen. W ciągu trzech miesięcy policja analizuje jego skład i zakazuje nowej substancji. Shulgin zmienia jedną cząstkę i zabawa zaczyna się od początku. Tymczasem legalna dostawa idzie do Europy.

– Aha. Jeśli przestrzeń jest nieciągła – wracam do rozmowy z jego mieszkania o konstrukcji świata – to z czego jest zbudowana?

– Z bitów. Każdy bit jest informacją.

– Przepraszam cię bardzo, co jest w tych bitach, jaka informacja?

– Czemu nie dowcip, jeżeli starotestamentowy Bóg stworzył świat.

– A my jesteśmy pointą dnia siódmego?

– Szóstego, ostatnim dniem stworzenia był dzień szósty, sześć. Klonując ludzi, stworzymy bestię 666, 666, piekło to powtórka, brak wyboru. – Profesor bawił się pustą butelką, kręcąc nią na chodniku.

– Zakładając, że świat jest dowcipem... w takim razie komicy byliby kapłanami – odkrywam.

– Dalajlama ciągle chichocze. Widziałaś wywiad wczoraj? Zapytali, co go śmieszy, skąd ten cholernie dobry humor. Kobiety? Nie. Wino? Nie. Powiedział poważnie: Narkotyki. – Profesor rozprostował nogi.

Pokazała się podeszwa jego złachanych trampek. Miał obuwnicze stygmaty, czyli dziurę. Nie zdziwiłabym się, gdyby wyciął ją specjalnie, dla lepszego kontaktu z ziemią.

– Wierzę mu. – Nie byłam zaskoczona. – Dalajlama nie kłamie. Wyregulował sobie metabolizm i produkuje endorfiny, serotoninę, kiedy zapragnie. Własne, wewnętrzne narkotyki.

– Żeby tylko. Endorfiny, to dla nas, dla metafizycznego plebsu. On ma dostęp do czegoś lepszego z siódmej czakry. Muszę ci coś powiedzieć. – Złożył plastikową butelkę w kostkę. – Rok temu zapadłem na dziwną chorobę. Miałem siniaki na całym ciele, nie wiadomo skąd. Badali mnie i nic. Za młody jestem na miażdżycę. Aż któregoś dnia, Boże, tylko nie folklor! – Odwrócił się od nadjeżdżającego na de

35

sce kadłubka cygańskiego skrzypka. – Rozmawiałem przez Skype'a z byłą żoną, foczy się w Italyyyi. Nie powie: we Włoszech, żebyś ją słyszała, w Italyyi, ani polskiego dobrze, ani łaciny nie zna.

– Bzdryngu, bzdryngu. – Beznogi skrzypek miał nas na swojej wysokości. Wstaliśmy więc z krawężnika, zostawiając mu kieliszek.

– I ona zobaczyła na Skypie. Przewracam się, wstaję, trzymam połamane okulary i nic nie pamiętam. Klasyczny atak padaczki alkoholowej, stąd siniaki. Piłem i pracowałem. Na uniwerek chodziłem raz w tygodniu, godzina zajęć, mogłem.

Poprawił okulary przyklejone plastrem do skóry. Nadjechał Cygan, rąbnął kieliszkiem o chodnik, nie rozlewając z niego resztki wina.

– Kwiatka nie podlejesz? – Wjeżdżał pod stoliki, zbierając zlewki do szklanej róży.

Z Krakowa do domu, fabryki szczęścia, gdzie dawno coś się zacięło. Nie witasz mnie radośnie.

– Brałaś narkotyki? Dorosła kobieta? – Rzucasz mi zaległą pocztę, parę reklamówek, listy i paczka. – Już masz mętlik w głowie, nie dość?

W paczce CD z tegorocznego kongresu astrologicznego. Uruchamiam płytę, byle nie słuchać twoich wyrzutów. Tak, jestem matką. Porządna matka jest archetypalna. Karmi dzieciątko i to, co wokół. Zamiast rąk i nóg ma cyce. Czołga się na nich pokornie z powrotem do domu, by odkupić żmijowatą naturę pramatki Ewy.

Nadeptuję poluzowaną deskę w podłodze pod dywanem. Jej skrzypienie jest tajemnym powitaniem.

– Brałam meskalinę, nie narkotyki.

– Co za różnica? – Nie wiesz, co zrobić z rozlatanymi nerwowo rękoma.

Łapiesz się za głowę, wreszcie, by się czymś zająć, wiążesz sobie włosy w warkocz, ciemnobrązowy z pierwszym siwym pasmem. Heban inkrustowany srebrem. Moje włosy też są długie, już całkiem białe, welon śmierci.

– Pracowałeś na odwyku, po kiego mówisz, że meskalina jest narkotykiem? Nie uzależnia, nie daje haju, jest entheogenem.

– Czym?

– *Entheos* z greckiego, „nawiedzony, pełen Boga". Pozwala wejść w nadprzyrodzony świat i stany...

– *Bullshit.*

Po co się tłumaczę? Doskonale znasz różnicę, jesteś lekarzem. Wolisz wierzyć w narkotyki. One albo sok z marchewki mnie zmieniły. Każdy powód jest dobry, byle nie dzielić się winą.

– Poczekaj. – Cofam nagranie. – Posłuchaj.

– Kosmiczne bzdury. – Przyglądasz się chwilę staruszkowi objaśniającemu z ekranu horoskop. – Ćpanie i astrologia, kobieto, zejdź na ziemię.

– Którą? – Podkręcam głośność.

Meskalina nadal działa. Roślinne entheogeny wrastają w rzeczywistość głębiej niż korzenie w ziemię. Splatają się z układem nerwowym strzępami informacji.

– Proszę państwa. – Chyba najstarszy wykładowca z tegorocznej konferencji Towarzystwa Astrologicznego objaśnia jeszcze raz swoje odkrycie. – Dotychczas znaliśmy nieprawidłowy horoskop Chagalla. Nie uwzględniano korekty czasowej. Proszę pamiętać o kalendarzu sprzed rewolucji w Rosji i wziąć poprawkę. O, proszę, co widzimy? – Wyświetla okrąg, na którym rozrysowuje się horoskopy. – Najważniejsze miejsce, szczyt zajmuje Merkury. Czy uskrzydlony bóg nie przypomina wirujących postaci Chagallowskich obrazów? Muszę się z państwem podzielić ciekawostką. Szukając dokładnej godziny jego narodzin, znalazłem wspomnienie... kogoś z rodziny... Chagall urodził się siny, podduszony pępowiną, prawie martwy.

Korekta czasu. Łazienka w domu Profesora. Wyświetlam telefoniczne zdjęcie. Nic się nie zmieniło: sznur na bieliznę i szczotka są nadal doskonałą kompozycją z błękitną reprodukcją Chagalla. „Szamanem się rodzisz" – przypominam sobie słowa Profesora. Rozmowa o geniuszach komputerowych nawróconych na kabałę i znakach zwiastujących szamana: Podduszenie pępowiną, zęby noworodka.

Chagall urodził się w rodzinie chasydzkiej. Żydowscy ortodoksi nie malują postaci. Nie wolno im naśladować boskiego twórcy ani wymawiać Jego Imienia. Gdyby Marc Chagall (Mojsza Chackielewicz Szahałau) nie wyszedł ze swojego białoruskiego sztetla, nie złamał reguł, zostałby bogobojnym chasydem w futrzanej czapie. Co za siła musiała tkwić w tym żydowskim chłopcu, by zerwał z rodziną i tradycją. Talent malarskiego powołania? Albo coś więcej, moc zdolna owładnąć artystami wyczulonymi na wibracje miejsca. *Genius loci* – duch miejsca, nie zaklęcia białoruskich szeptunek. One, uzdrawiając chorych, odczyniając uroki, powtarzają gesty i echo pieśni mieszkających tu wcześniej szamanów. Ich władza rozciągała się od Syberii daleko za Ural przed przybyciem Słowian i innych ludów.

Niezrozumiałe, udziwnione obrazy Chagalla, kompozycje wokół niewidzialnego centrum nagle stały się przejrzyste. Wirujące panny młode, kawalerowie, krowy tańczą transowo wokół szamańskiego Drzewa Życia, *axis mundi*, rosnącego dokładnie pośrodku świata i jego obrazów. Szaman wspinał się po nim do innych wymiarów. Latał na zwierzętach, unosił się potęgą własnego ducha. Chagallowskie postacie, nie wiadomo czemu fruwające, naśladują szamańskie podróże. Tam, gdzie chasydzi w futrzanych czapach mogą w mistycznym uniesieniu stać się szamanem okrytym zwierzęcą skórą. Gdyby chasyd został szamanem albo szaman chasydem, malowałby w stylu Chagalla. Żydowskiego ortodoksa urodzonego na szamańskiej ziemi, szamańskim sposobem z pępowiną wokół szyi. Podduszenie przy porodzie było pierwszą inicjacją, połączeniem życia i śmierci. Chagall to nie dybuk szamana. Raczej jego wcielenie, powrót wizji szukającej najprostszej drogi do objawienia.

Obraz podobno jest wart więcej niż słowo, zwłaszcza gdy trzeba tłumaczyć niepojęte.

Nie wolno mi wejść do amerykańskiego konsulatu z torebką, z niczym oprócz podania o wizę, odpisu urodzenia Luli i paszportów.

– A klucze? Pieniądze? – pytam umundurowanego ciecia.

– Nie wolno.

Kolejkowicze bez bagaży przechodzą przez bramkę. Muszę sobie jakoś poradzić. Spotkanie z konsulem jest za pięć minut.

W niepojętej sytuacji trzeba myśleć nieszablonowo. Jak potomek syberyjskich ludów opisany przez nowoczesną rodzinę w wywiadzie etnograficznym. Rząd kanadyjski postanowił pomóc koczownikom, przenosząc ich z igloo do bloków. Dziadka zakwaterowano siłą. Rodzina zabrała mu broń, ostre przedmioty, by sobie nic nie zrobił, nie wystrugał. Zachowywał się dziwnie. Lato i jesień przesiedział, patrząc przez okno. Z nastaniem zimy w mroźną noc wyprowadził swoje husky na spacer. Wreszcie nie różnił się od ucywilizowanych sąsiadów spacerujących z pieskiem pod blokiem. Za rogiem zdjął spodnie, zrobił kupę. Zanim zamarzła na kość, uformował ją w nóż. Przebił serce psa, z jego skóry wyciął lejce, z żeber sanie. Zaprzągł do nich drugiego i uciekł arktyczną taksówką.

– Naprawdę nie wolno mi wnieść małej torebki? – Miotam się przed konsulatem.

– Nie. – Cieć patrzy przeze mnie.

Nie przepuszczą, póki się jej nie pozbędę, nie wyrzucę do kosza?

Zakładam torebkę na głowę.

– Gdzie pani?! – Łapie mnie za rękaw.

– W kapeluszu nie wolno?

– Wezwę ochronę!

– My tu mamy schowek. – Zwabiony krzykiem, podbiega z drugiej strony ulicy chudzielec owinięty za dużą kamizelką odblaskową.

Prowadzi mnie do kamienicy naprzeciw konsulatu. W piwnicy Polska podziemna, od pokoleń radząca sobie z obcą opresją. Wzdłuż schodów i rur kanalizacji kolejka po odbiór toreb, plecaków, walizek. Teraz rozumiem, dlaczego kolejkowicze przechodzili bez tobołów i problemów.

– Torebeczkę tu pani zostawi. – Chudzielec o sylwetce fabrycznego komina zalatującego papierosowym dymem kładzie ją na długiej półce i daje numerek. – Dziesięć złotych się należy. – Szeleści kamizelką błyszczącą w piwnicznym, kartoflanym półmroku.

– Dycha za dziesięć minut? – Tyle potrwa moja konsularna wizyta.

– Za wartość przechowaną. – Kaszle dymem.

Metrem na parking. Jadę do domu przez podmiejskie blokowiska, willowe osiedla, las. Mijam powypadkowe krzyże i bezdomne, rozjechane psy przytulone do ziemi. Odtąd należą do niej. Wyjmuję z garażu walizkę. W środku zapomniana po zimowiskach dupolotka Luli. Nigdy nie lubiła sanek, nart. Woli trzymać się blisko śniegu na tej swojej plastikowej patelni. W tym roku nie będzie zimy. Będziemy się trzymać kalifornijskiego słońca.

Wchodzę cicho po schodach, czytasz w łóżku. Lula śpi u siebie. Zwinięty w kłębek, jedenastoletni embrion, szykujący się do nowego porodu, z domu w świat. Pierwszy poród był rzezią.

Najpierw godziny pod imadłem natury rozwierającej kości kanału rodnego. Rozrywanie żywcem. Skurcz za skurczem, szkielet we mnie przemienia się w kościotrupa, w cierpienia porodu i mękę śmierci, karę za grzech Ewy, matki życia. Już po wszystkim położne zapisały w karcie: utrata trzech litrów krwi. Córeczka była czyściutka. Nie widziałam ani kropli, gdzie się podziało pół wiadra? Porodowa krew dla aniołów jak whisky ulatniająca się przy destylacji? Anioły nie żłopią wódy ani nie piją krwi. Prędzej demony, im się składa takie ofiary.

Siedemnastego maja o drugiej czterdzieści pięć skończyło się przewijanie życia ze mnie na mniejszy kłębek, przeciąłeś sznurek pępowiny. Zostawiona sama z nowo narodzonym ciałkiem wylizałam je w ciemności szpitalnej sali. Wiedziałam o nim wszystko. Wylizałam też pierwsze wyrzygane mleko. Chciałam poczuć smak dziecka od środka.

Jedenaście lat później jestem bezradna. Nie potrafię zadbać o rosnące, przerastające mnie ciało córki. Siadam na brzegu jej łóżka. Zajady poszerzają senny uśmiech Luli w grymas klauna. Nie pomagały żadne maści, zastrzyki z witamin. Moja mama, za podszeptem pielęgniarskiej intuicji po latach psychiatryka, gdzie działały najmniej prawdopodobne patenty, posmarowała zajady Luli swoim kremem. Wreszcie się goją. Krem był na raka skóry, niegroźną formę bez przerzutów.

Po rocznej walce z kurzajkami ich niewytłumaczalne zniknięcie. Wyparowały nagle z rączek Luli, w gabinecie pediatry, zanim zdążył polać je kwasem. Wepchnięte chyba ze strachu pod skórę. Pewnie znowu wyskoczą.

Narośla w ustach okazały się niedomyciem dziąseł. Nie odwiedzam więc już przychodni z żadną dziecięcą zarazą, chyba że dostanę wezwanie na szczepienie.

Lekarz, badając Lulę przed zastrzykiem, zdiagnozował „dzikie mięso" wokół ran na palcach.

– Dlaczego to dziecko obgryza paznokcie? – skarcił nas obie.

– Z nerwów, szkoła, trudna sytuacja rodzinna – powtórzyłam formułkę świadomego rozwodnictwa.

– No tak, ale czemu paznokcie u stóp?

– Bo umiem. – Lula uderzyła się piętą o czoło, wykręcając piruet na obrotowym taborecie.

Odjechała z nim w bezpieczny kąt, po czarno-białych, spękanych kafelkach wiejskiej przychodni. Ściany też wyłożone kafelkami robiły wrażenie rzeźni dziecięcej.

Zlecono leczenie anemii, platfusa, krzywych zębów i dysleksji, którą w przypadku Luli nazwałabym „niezainteresowaniem głównym nurtem rzeczywistości". Dzikie mięso to nic przy jej dzikim uporze, dzikiego, niepodkutego kapciami dziecka. Odmawia noszenia w domu papci i rycia szkolnych wierszy. Z hymnu państwowego zero, nie do poprawienia. Bez skutku powtarzała zwrotki tygodniami. Najgłośniej darła się przy „Pokazał nam Bonaparte, jak zwyciężać mamy!".

– O co ci chodzi z tym Bonapartem? – Nie wytrzymałam jej nieuctwa.

– Pokazał nam, jak zwyciężać matki!

Oczywiście siebie obwiniam za anemię dziecka. Nie karmiłam piersią. Nie miałam mleka. Najzwyklejszego potu zamienianego pod wpływem oksytocyny, hormonu czułości, w mleczny pokarm. Może i miałam, nie wypływał jednak z piersi zaciśniętych obronnie jak pięści po bólach porodu.

Mleko wytrysnęło ze mnie raz. Wiele lat przed urodzeniem Luli. Przy orgazmie z lewej piersi bluznęła mi struga, z prawej trochę pociekło. Ginekolog uznał: „To się zdarza i bez ciąży. Nagły przypływ oksytocyny może wyprodukować mleko". Kochałam cię bardziej niż własne dziecko?

Muszę znaleźć mieszkanie w Berkeley. Akademik droższy od apartamentu w Warszawie. Jaś przez Skype'a doradza:

– Weź mieszkanie do pokrojenia z kimś.

– Może taniej będzie poza Berkeley, w Oakland? – Oglądam mapę satelitarną, kursorem powiększam ulice. – Jedno miasto przechodzi w drugie, blisko.

– Oakland to Bałuty z Łodzi – komentuje Jaś.

Domyślam się, o czym mówi. Pamięta zakazane mordy

w bramach mojego rodzinnego miasta. Z zapałem naukowca zgłębiał statystyki rozbojów i aresztowań.

– Zaraz, zaraz. – Jasia zagłusza trzask drzwi z głębi jego mieszkania, marudzenie przebudzonego dzieciaka, przez ekran przelatuje miś.

– Hi, Maria! – woła Tabita w białym szlafroku i ręcznikowym turbanie.

Jaś wyłącza światło, żeby nie obudzić córeczki podanej mu do kołysania.

– Wyobraź sobie Bałuty, gdzie mieszkają Murzyni z pistoletami – prawie szepcze. – Codziennie się strzelają. Znasz Czarne Pantery? Zbrojna organizacja wyzwolenia, zrobili je w Oakland.

– Więc Berkeley też nie jest bezpieczne?

– Oakland to strzelnica wesołego miasteczka, Berkeley dalej i weselej.

Ciemność, cisza. Na ekranie jeszcze ikona mojej obecności, światełko podobne do lampek zapalanych w kaplicach wiecznej adoracji. Pojawia się połączenie z Gianną.

Spotkałam ją w paryskich archiwach. Zbierałam materiał do książki o Cmentarzu Niewiniątek. Ona szukała dokumentacji potrzebnej do odnowienia średniowiecznej rzeźby Madonny.

Nie sposób było nie zauważyć włoskiej Gianny potrącającej zaczytanych, pokurczonych bladawców przy bibliotecznych stołach. W długiej, cygańsko kolorowej sukni szła wyprostowana, oliwkowa, opierając albumy dokumentów na biodrze. Zwaliła je tuż przy mnie. Uniósł się kurz – chmura spalin z turbiny czasu.

– *Scusa, bella* – powiedziała raczej do siebie.

Nigdy nie byłam piękna. Nie miałam jej reklamowej twarzy, długich nóg, kołyszących się bez stanika piersi. Między obwisłymi cyckami nosiłam coś ważniejszego, na co mężczyźni nie zwracają uwagi – serce. W nim aptekarską wagę odważającą potrzebną ilość uczuć i rozsądku. Gianna używała wyłącznie emocji, na tej samej zasadzie co nietoperz echolokacji. Pomagały jej ustalić, kim jest i co ma robić.

Chropowaty, seksowny głos Gianny przekroczył barierę bibliotecznego szeptu już po kilku słowach.

– Cmentarz Niewiniątek? Żartujesz?! Kupiłam tam mieszkanie, w Halach! – Zajrzała, nad czym pracuję.

– Pst, pst – uciszano nas z sąsiednich stolików.

– Pójdziemy na kawę? – Wstała. – Wreszcie ktoś normalny!

Po drodze z biblioteki zahaczyłyśmy o kościół, gdzie odnowiła spróchniałego świętego Antoniego z siedemnastego wieku.

– Tutaj musiałam wstrzyknąć cement. – Klepnęła figurę ustawioną wśród duszących lilii.

Kilkusetletnia polichromia i czerwony lakier jej poobgryzanych paznokci. Dla Gianny nie było nic niezwykłego w dotykaniu, obmacywaniu zabytków. Wyrosła w weneckim domu pełnym historycznych bibelotów.

– Mocniej tam tupniesz, podłoga się ugina, cały dom skacze na palach. Nieraz sobie podskoczę w Paryżu ot tak, z radości. – Odbiła się od chodnika. – Konserwuję dla kasy, wolałabym być artystką.

Pokazała zdjęcia swoich instalacji noszone w portfelu. Barokowy Jezus Chrystus z jej weneckiego domu niosący na ramionach nie owieczkę, lecz bożonarodzeniowego Chrystusika.

– Dzieciątko Jezus jest plastikowe. – Zmrużyła oczy z doklejonymi rzęsami. – Fajne, nie? Dwa w jednym. Że nikt na to nie wpadł! Wielkanoc razem z Bożym Narodzeniem, parodia nowoczesności, pośpiechu i zgniecenia przeciwieństw w jedną glamzę. A poza tym ładne i mocne. Jezus był niewinny do końca, jak dziecko, bez grzechu, bez pierdolenia. – Wysypała monety na blat kawiarnianego stolika. – Dziwne, że musimy płacić. Za kawę, za wszystko... Nie jesteśmy z papieru ani metalu. – Oglądała rachunek. – Zastanawiałaś się nad tym? Jesteś naukowcem.

– Wolę pieniądze. Płacić kurami albo żyć w komunie? I nie jestem naukowcem, piszę powieści historyczne. Mogę za ciebie zapłacić.

– Nie o to chodzi. – Zerwała pasek ze sztucznymi rzęsami tylko znad jednego oka, drugie było nadal powiększone seksownym owłosieniem. – Nie jestem idiotką, wiem, po co jest kasa, wisi nade mną kredyt za mieszkanie. – Napluła na resztkę kleju z oderwanych rzęs.

Przykleiła je do pięciu euro. Nadal mrugały nad niewidzialnym okiem, unosząc się i opadając, podrywane wiatrem.

– Opowiedz mi o cmentarzu, był tutaj pod Halami? – Kopnęła wapienny bruk przykrywający tunel metra.

Z przyjemnością kopnęła jeszcze raz, podskakując na kawiarnianym krześle. Zawirował biały pył wokół jej opalonych stóp w sandałach. Zawiązane ciasno rzemyki wydawały się przedłużeniem nabrzmiałych wokół nich żył. Skórzany krwiobieg łączył but z nogą, martwe z żywym.

Nudziło mnie powtarzanie historii Cmentarza Niewiniątek, Les Innocents. Jego zburzenie było wstępem do zburzenia Bastylii. Tysiące trupów wykopanych w centrum Paryża, zaleciało odorem nihilizmu.

– Historia byłaby ciekawsza, gdyby opowiedziała ją zwykła menda. – Dla porównania wielkości wzięłam kryształek z cukru rozsypanego na kawiarnianym stoliku. – Taka zakompleksiona wesz łonowa. Zazdrosna o pochodzenie zwykłych ludzkich wszy. W porównaniu z mendą są arystokratkami. Mają za sobą sześć milionów lat historii. Wesz łonową człowiek złapał od goryla, zaledwie trzy miliony lat temu.

Menda przeskakiwała z pokolenia na pokolenie. Z gorylego legowiska w Afryce, gdzie zasnął nasz przodek, na resztę ludzkości – rozlaną kawą narysowałam palcem kontynenty i przeniosłam przez nie cukrowy okruch – do osiemnastowiecznej Francji. Wyperfumowanej, niedomytej i libertyńsko swobodnej. Po prostu mendzi raj.

Podróżując po przyrodzeniu zwykłego mieszczanina, menda dowiedziała się o wyczynach markiza de Sade'a. Przeniosła się na niego. W arystokratycznym towarzystwie, chociaż poniżej pasa, stała się bardziej wyrafinowana. Ssała krew umęczonych pokojówek i chłostanych parobków. Tego wymagała podróż z boskim markizem do granic ludzkich możliwości.

Podróż i ucieczka przed wymiarem sprawiedliwości czy jak wolał mówić de Sade: hipokryzji. Ukrywając się w Paryżu, lubił nocą, zamaskowany kapturem, spacerować wokół cmentarza Les Innocents. W centrum miasta ziemia przepełniona ciałami grzebanymi od stuleci wypychała na powierzchnię kości. Grabarze nie nadążali ze zbieraniem ich do worków. Rozpoczęto likwidację cmentarza. Zburzono mury i arkady ozdobione słynnym Tańcem Śmierci, rozkopano groby. Pracowano nocą, by nie wzbudzać sensacji. Tłumy paryżan przychodziły o każdej porze oglądać makabrę historii.

Markiz wmieszany między ciekawskich widział więcej od nich, mimo kaptura przysłaniającego oczy. Jego przenikliwy umysł dostrzegał wydobywaną z grobów przyszłość. Trupy tylko zajmują miejsce – rozmyślał, drapiąc się w przyrodzenie, gdzie wierciła się menda marząca o złożeniu jajeczek na nowym łonie natury. Przeszłość i tradycja są zbutwiałą przeszkodą. Trzeba żyć, tu i teraz. Do tego potrzebna jest wolność od przestarzałych praw, tych cmentarzy tradycji. *Liberté.* Popędzani okrzykami tłumu grabarze rzucali kości na stos.

Egalité! Szkielety biedaków i możnych niczym się nie różnią; markiz już od dawna wciągał w swoje orgie lud. Przy zawalonym murze rozglądał się za nowym, apetycznym ciałem dla siebie i mendy.

Szkielety przewieziono do katakumb, markiza uwięziono w Bastylii. De Sade, znawca ludzkiej natury, wyczuł nastrój Paryża mimo pięciu lat za kratami. Wyrwał się strażnikom, wykrzyczał przez okno: „Mordują więźniów

Bastylii!". Dziesięć dni później lud Paryża przyszedł mu z pomocą, burząc mury więzienia. Zaczęła się rewolucja. Niestety, markiza wywieziono wcześniej do zakładu dla obłąkanych w niedalekim Charenton.

Menda de Sade'a przeżyła ze swoim panem niewolę Bastylii. Była świadkiem jego porannych erekcji, tych kilku centymetrów ponad męskie dno. Nie traciła jeszcze wtedy nadziei. Jednak szpital wariatów to za dużo. Nie przeżyłaby próby ognia i wody. Szaleńców leczono wielogodzinnymi kąpielami. Podpalano im włosy łonowe, by wytępić pasożyty. W normalnym świecie nie było lepiej. Sprawdziły się przewidywania markiza. Zapanowały *liberté, égalité*. Ścinano głowy arystokracji. Królewskie wszy dały się tchórzliwie zmieść razem z obciętymi przed egzekucją włosami. Menda w więziennym zamieszaniu i brudzie przeskoczyła do osamotnionej Marii Antoniny. Pijąc błękitną krew, została jej krewną. Ona, plebejuszka wykarmiona przez goryla, wspięła się bohatersko po szyi królowej. Spoglądała na świat z góry, ze wzniesienia szafotu. Tchórzliwe wszy arystokratki oblazły już łby rewolucjonistów. Na mendę i monarchinię spadło ostrze gilotyny. – Oblizałam palec umaczany w kawie.

– Myślisz, że zmarli mają wpływ na żywych? – Gianna prowadziła mnie z kawiarni do swojego nowego mieszkania.

Jej weneckiego dziadka znaleziono dziesięć lat po śmierci. Podejrzewano, że się utopił. Miał dziewięćdziesiąt pięć lat i niedowidział. Obszukano pobliskie kanały.

– Był taki pomarszczony, myślałam, że jest zrobiony z pogniecionej kartki papieru. Miałam sześć lat, a on był lżejszy ode mnie. – Gianna wysypała z torebki na chodnik bilety metra, karminową szminkę, startą, jakby ją gryzła, a nie rozsmarowywała na ustach, notatniki, szkicownik i wreszcie klucze. – Przy remoncie domu trzeba było sprawdzić słupy, wiesz, domy w Wenecji nie mają fundamentów, stoją na dębowych balach obrośniętych skorupiakami. Wapień małży wzmacnia drewno, dobrze konserwuje. I dziadek tam był, zaczepiony ręką. Nie wiadomo: wypadek czy samobójstwo. My nad nim, wyobrażasz sobie? Tyle lat. Belki się uginały, szkielet razem z nimi. Pierwszy raz się kochałam w pokoju na parterze, prawie zarwaliśmy łóżko. Dziadek pod spodem z nami w górę, w dół. Robotnicy powiedzieli, że wrosły w niego skorupy małży, przygwoździły. Kości wzmacniające belki. Myślisz, że tego chciał? Zamienić się po śmierci w dom i nas chronić? Zwariował? Za nic bym nie mogła mieszkać w Wenecji. Odbija mi się szlamem, jak się zdenerwuję. – Znowu szukała kluczy.

– Wrzuciłaś je z powrotem do torby.

– *Scusa, bella.*

Jej paryski dom przy Halach był średniowieczny, za stary, za wąski na windę.

– Szóste piętro – ostrzegła. – Tutaj stała Studnia Zakochanych. Mówię ci: znak. Dzień przed znalezieniem mieszkania poznałam André, nie myślałam, że zakocham się we Francuzie.

– Dlaczego nie?

– Są tacy... francuscy. – Oparła spocone czoło o popękaną belkę niskiego sufitu. – Jeszcze dwa piętra.

Na chodniku przed domem pamiątkowy napis: Studnia Zakochanych. Położona niedaleko cmentarza Les Innocents, musiała nim przesiąknąć. Stulecia temu była ulubionym miejscem samobójstw desperatów miłości. Jeden z nich po skoku cudem ocalał. Wzruszona tym ukochana odwzajemniła uczucie.

Trzeba chcieć się zabić, żeby zasłużyć na miłość? I co potem, żyć z ocalałym trupem? Tego byś ode mnie chciał? Wyjazd będzie pogrzebem. Chyba nie wierzysz w zmartwychwstanie, w to, że moja wagina pali papierosy i czeka na ciebie.

Gianna popchnęła gołym ramieniem zardzewiały właz otwierający dach. Zapachniało rozgrzaną blachą, cegłami kominów. Najpierw podziwiałyśmy z góry Paryż. Potem przez okno w suficie jej mieszkanie: stumetrowy strych niepodzielony ścianami.

Nic się w nim nie zmieniło od kilkunastu lat. Wanna prawie w przedpokoju. Widać z niej wzgórze Montmartre. Zawieszona na łańcuchach jest domowym spa, bez bąbelków, za to z falami, gdy się dobrze rozbujać. Biały fortepian Yamaha przy zlewie, kuchnia w salonie. Jedna wielka stodoła wypełniona artystycznymi rupieciami. Łóżko na półpiętrze oddziela szmatka. Pod nim materace trójki dzieci. Bohemiczny apartament stał się rodzinnym barłogiem. Francuskie obiady na mieście zastąpił gar spaghetti.

Gianna pracuje dziesięć, dwanaście godzin dziennie w muzeum. Oddycha przez maskę, czyszcząc dzieła sztuki chemikaliami. André odprowadza dzieci do szkoły i przedszkola. Stracił laboratoryjny etat, ma dużo czasu. Co drugi dzień przystrzyga ciemnoblond brodę, zostawiając parę milimetrów zarostu. W kołysce wanny obmyśla kompozycje fortepianowe. Czuje się muzykiem, nie laborantem. Jest tak chłopięco uroczy, że kobietom przy nim przebija spod makijażu prawdziwy rumieniec.

– Kalifornia? – Gianna przysuwa się do ekranu, węsząc za Berkeley i szczegółami.

Kreski jej uśmiechu stwardniały w zmarszczki. Jakby, wychodząc z pracy, nie zdejmowała pomiętej maski. Używa mieszanki łez, krzyku, zawziętości do ratowania rodziny.

Jej mąż ma kochankę, studentkę z Węgier, ulicznym śpiewem zarabiającą na operację oczu. Za grubymi okularami ukrywa zeza. André współczuje biedaczce i wspiera ją, przygrywając na gitarze. Może nie jest piękna, ale on przy niej żyje. Czuje się kimś lepszym, sobą. Oczywiście, z nią nie sypia. Chce tylko żyć naprawdę. Woli ulicę. W domu nie ma gdzie się schować ze swoimi myślami.

– Nie pozwolisz mi wyjść?! – Walczył kiedyś z Gianną przy drzwiach.

Wanna niby dzwon obijała się o ściany przedpokoju.

– A dzieci, dom?! – Oskarżycielsko pokazała na chłopca z grą komputerową. Młodsze dziewczynki w słuchawkach oglądały bajkę.

– Puść mnie, nic nie rozumiesz. – Mąż był już przy schodach. – Chcę żyyyć!

– To sobie żyj! – Wróciła do kuchni, złapała za garnek z makaronem w krwistym sosie bolognese.

Wrzuciła kolację pod uchyloną klapę yamahy. Dzieci kwiczały, zarzynany fortepian parował, ze strun na podłogę skapywała czerwona maź. Włoska opera, partytura rodzinnego szczęścia.

– Rozstanie dobrze nam zrobi. – Nie zamierzam tłumaczyć się Giannie.

Kobieta porzucająca mężczyznę jest kimś pomiędzy morderczynią a wdową. Nie wiadomo: potępić czy współczuć?

– Też powinnam coś zmienić. Gdybyśmy mieli inne mieszkanie, przynajmniej dwa pokoje. Ciężko teraz sprzedać... wynająć w Paryżu drogo. Myślałam o Prowansji, dobry klimat, francuska Kalifornia.

Tydzień do wyjazdu. Nie mogę spać. W umęczonej głowie są dwie ja. Jedna chce zasnąć, druga nie pozwala. Gdybym mogła wyrzucić tę bezsenną samą siebie. Drapię się, układam na ileś sposobów. Wydłubuję z uszu woskowinę. Resztką spod paznokcia poleruję deskę przy łóżku, po tylu nocach już błyszczy.

Za oknem biała tabletka Księżyca dla Ziemi kręcącej się bezsennie w ciemnościach. Połykam własną dawkę usypiacza.

– Nie, nie jesteśmy małżeństwem – odpowiadaliśmy dumnie. – My jesteśmy na zawsze. Małżeńskie problemy, wierność, niewierność to nie dla nas, ani rozwód. Nam niepotrzebne papiery, zaświadczenia, jakbyś stawiał we mnie pieczątki chujem, zamiast kochać.

Nie mamy zdjęć przed ślubem ani po. Zawsze byliśmy przed, przed wszystkim najlepszym. Po nieudanych małżeństwach poprzedniego życia. Z tego piękne fotografie. Ty na kongresie okulistów w Indonezji. Luksusowy hotel przy plaży. Zdjęcie olbrzymiego motyla spacerującego po twoim ramieniu. Zabierasz mi aparat, czyścisz z piachu, celujesz w spektakl nad morzem. Rozpędzona motorówka, za nią przyczepiony do lotni półnagi chłopak i obejmująca go muzułmańska żona. Z daleka czarne, fruwające suknie islamskiego Chagalla wydają się rojem insektów oblegających tropikalne niebo. Na lot godowy czeka następna para nowożeńców. Odwracasz aparat, fotografujesz nas.

Jest taki zwyczaj na Celebes, parę wysp dalej, fotografowania się ze zmarłymi. Nie umierają od razu. Jeszcze parę lat podtrzymują ich więzi rodzinne, pajęczyna emocji. Ciało martwe, człowiek dogorywa. Nie może zapaść się nagle pod ziemię. Nadal z nim rozmawiamy, kochamy go. Trupy w sukniach, kapeluszach obejmowane do rodzinnego zdjęcia, sadzane za stołem.

Zdjęcia z Celebes nie są przerażające, jeśli widziało się setki podobnych. Rodzinni figuranci; szczęka rozchylona w uśmiechu i martwe oczy. Zanim tatuś odszedł do innej, zanim się rozstali. Rodzinne fotografie z tobą, twoim ciałem.

– Dwa paszporty, córki i mój. – Podaję wezwanie do odbioru wiz w podmiejskim hangarze.

Nie w konsulacie ani żadnym biurze. Dla bezpieczeństwa są rozsyłane daleko od amerykańskiej ambasady.

– Akt urodzenia córki, inaczej nie wydam. – Opuchnięta swoją ważnością kobieta cofa paszport Luli z wklejoną wizą.

Racja: dowód ani paszport nie potwierdzą, kto jest czyim dzieckiem.

– Ale w konsulacie zabrano akt urodzenia dziecka. W konsulacie. – Proszę o jałmużnę zrozumienia.

51

Wydająca paszporty jest zarazem Najwyższą Pierdolencją, innej tu nie ma, i mogę sobie gadać do blaszanych ścian hangaru.

– Czy dostanę z powrotem akt urodzenia córki? – Łączę się z konsulatem.

– Oczywiście, że nie. Nie wydajemy żadnych zostawionych u nas dokumentów. – Trzask słuchawki.

Nic dziwnego, *Paragraf 22* Hellera jest amerykańską klasyką:

„Paragraf dwudziesty drugi, który stwierdzał, że troska o własne życie w obliczu realnego i bezpośredniego zagrożenia jest dowodem zdrowia psychicznego. Orr był wariatem i mógł być zwolniony z lotów. Wystarczyło, żeby o to poprosił, ale gdyby to zrobił, nie byłby wariatem i musiałby latać nadal. Orr byłby wariatem, gdyby chciał dalej latać, i byłby normalny, gdyby nie chciał, ale będąc normalny, musiałby latać. Skoro latał, był wariatem i mógł nie latać; ale gdyby nie chciał latać, byłby normalny i musiałby latać".

Ja chcę polecieć do Berkeley z Lulą. Potrzebna mi do tego już przyznana dziecku wiza, której nie mogę dostać, bo prosząc o nią, musiałam zostawić dokument konieczny teraz do jej odebrania.

Wyrabiam odpis aktu urodzenia. W hangarze dostaję wreszcie paszport. Strony rozchylają się na wizie z aktem urodzenia Luli zabranym w konsulacie.

Nie martwię się już o mieszkanie. Jaś znalazł dla nas dom po studentce wyjeżdżającej na roczne stypendium. Tanio, bo w zamian trzeba opiekować się dwoma kotami. Sprawdzam w Google Map: Parker Street. Zielona uliczka, dom zbudowany sto lat temu, wartość pół miliona dolarów. Jedna łazienka i jeden kot. Najwidoczniej stare dane. Sąsiedzi mają po dwie łazienki, koty, psy. Wszystko wyliczone. Mieszkańcy: rasa kaukaska. Nie owczarki kaukaskie, ludzie, znaczy biali. Jest tylko jedna rasa, o ile pamiętam ze studiów, rasa ludzka, reszta to różnica pigmentu i kultur.

Ważę walizki, zapakowałam letnie ubrania. Jaś, rozpieszczony kalifornijskim klimatem, marudzi: „U nas zimnawo, weź kurtki, swetry". Zapomniał chyba, czym jest prawdziwa jesień albo zima.

Walizki lekkie, serce ciężkie. Tak jak w kresowym powiedzeniu mojej babci: „Odległości u nas bliskie, ale drogi dalekie". Miała rację, za daleko jechać złą drogą ze sto kilometrów odwiedzić jej grób. Ona jest ciągle blisko mnie. Leży wysoko między warstwami powietrza, bezchmurna, czasami burzowa, gdy robię coś źle. Nic dziwnego, że zmarli śnią się na deszcz, opadają razem z nim, najprostszą drogą. Wyparowują z naszej przyziemnej pamięci i znowu są w niebie, nad nami. Zamknięty obieg pokoleń.

Nie będę sprawiać kłopotu Luli. Żadnej trumny dla mnie czy grobu. Po latach wykopywanie kości, krzywy uśmiech czaszki w złomowisku katakumb. I to nie paryskich, tylko parafialnych. Te polskie, prowincjonalne baroki kościółków między błotem a różowatym gipsem niebios przypominającym zły makijaż. Ale, daj Boże, znaleźć spoczynek w jednym z twoich barokowych disneylandów. Taki pochówek nie przysługuje nieraz monarchom. Nad posiekanym w bitwie ciałem króla Ryszarda III wybudowano sklepowy parking. Władcę Anglii pośmiertnie tratowano wózkami zakupów. Kreska asfaltu oddzielała pytanie: „A marchew kupiłeś?" od ostatnich słów Szekspirowskiego Ryszarda III: „Królestwo za konia!".

Ja chcę pośmiertnego splendoru. Dlatego kupiłam niedawno perski dywan w likwidowanym sklepie.

Przepychanka przy afgańskich, irańskich dywanach za pół ceny.

– Pięćdziesiąt supłów na centymetr, czysta wełna i jedwab – zachwala sprzedawca.

– Ten zarezerwowany, zarezerwowany! – krzyczą nade mną.

53

Co tam chciwość tłumu, nie wstanę z błękitnego persa. Leżąc, sprawdzam, czy nie wystaję. Zawiną mnie w niego i spalą, za ileś lat. Niby Kleopatra Cezarowi wywinę się Bogu z dywanu nagusieńka do kości. Otrząsnę proch krematorium.

Trumna jest najbardziej przygnębiającym kształtem na ziemi i pod nią. Dywan to usłana miękkością droga życia. Od raczkowania po raka. Uczymy się chodzić, upadając bezpiecznie na dywan. Jego kolory i wzory są pierwszym dziełem sztuki odkrytym w dzieciństwie. Edukacją przyszłych upodobań. Zapamiętałam z domu sznurkowe frędzle naszego szorstkiego dywanu produkcji ZSRR. Czesano je przed przyjściem gości. Moją grzywkę i jego, też płową. Nie mogliśmy mieć żadnych plam ani przylepionych okruszków.

Potem nastało niezakrywane niczym linoleum. Nowość – plastikowe podłogi. Bez drzazg i szczerbatych klepek. Równie piękne co gumowe wycieraczki. W przedpokojach modne były ścierkowe chodniki. Prawdziwe dywany zobaczyłam dopiero we Francji. Rozległe na wielkość domowej biblioteki mieszczańskich kamienic i pałaców. Wytarte w pielgrzymce pokoleń po tom de Sade'a, Woltera, Madame de La Fayette czy Prousta. Nadal dyskretnie lśniące pastelowymi barwami. Rzucone na posadzkę lub parkiet herbowe tarcze intelektu i dostatku. Marzyłam o takim dywanie. Dom, samochód mam. Dywan był jedyną materialną ambicją i przyszłym całunem. Mój pers w odcieniach błękitu jest nieduży, w sam raz na mnie. Z niewydeptaną jeszcze osnową codziennych ścieżek.

– Sześć tysięcy? – Odwiedzająca mnie mama docenia dywanowy zakup, jednak wypada ostrzec przed rozrzutnością: – Nie za drogo?

– Przed przeceną dwanaście, prawdziwy pers, więcej, inwestycja. Ile masz na koncie pogrzebowym, siedem tysięcy? Mniej? No widzisz.

– Dziecko, kto wtedy myśli o sprzedawaniu dywanów. – Mama pochowała już pół rodziny.

– Ja chcę być w nim spalona, obiecaj, gdyby, wiesz...

– Co ty opowiadasz!

Pielęgniarka psychiatryczna zna pośmiertne przepisy; higienicznie musi być trumna. Jej pacjenci umierali wcześniej, niż przewiduje średnia statystyczna. Choroba psychiczna nie rokuje długowieczności. Samobójstwa, wypadki.

– O czym ty wogle myślisz – karci mnie, połykając po swojemu niepotrzebne dźwięki, opóźniające dotarcie jej słów. – Prędzej nie doczkam twojego wrotu z Ameryki. Wogle, daj spokój. Odnieś ten dwan. – Nie chciała już na niego patrzeć, trumnę własnego dziecka rozłożoną w salonie.

O czym wogle myślę? Z raju dzieciństwa wpakowałam się w czyściec dorosłości. Raz lepiej, raz gorzej. Jeżeli czyściec trwa wiecznie, staje się piekłem bez wyjścia, piekłem twojego dzieciństwa DDA.

– Zamartwiasz się? Masz depresję czy co? – Ola krąży po orbicie tabletek. Jej głos przez telefon raz jest bliższy rzeczywistości, raz odlatuje, zależnie od dawki i pory dnia. – Żaden chuj nie jest tak twardy jak życie, mówię ci, pakuj się i nie wracaj.

Odprowadzasz nas na lotnisko. Nie wiem, czy wrócę. Wolałabym zacząć gdzieś od nowa. Z kimś, kto umie spojrzeć w oczy, zapytać, jak się czuję, przytulić bez powodu. Obejmujesz Lulę, pocałunek dla mnie w czoło jest zamiast ojcowskiego pouczenia: „Dbaj o nią". Twoja zadziwiająca umiejętność przechodzenia od sentymentalnej słodkości dla dziecka do nagłego chłodu, gdy musisz się zwrócić do mnie – na mnie – rzygami swojego nieprzetrawionego DDA.

Miękkość słów dla Luli, wasza bliskość ma być moją karą: zobacz, głupia suko, na co nie zasługujesz, i przynętą: postarasz się, to może dla ciebie też będę człowiekiem. Panem Człowiekiem.

Smutek Luli po rozstaniu jest mniejszy niż jej troska o podróż i nową szkołę.

– Mamo, Hollywood jest w Kalifornii? – upewnia się, zdejmując buty do kontroli.

Niedługo zaczną wyrywać przed lotem kły, można nimi zagryźć pilota.

Lądujemy w Ameryce. Nie wiem, czego się spodziewać.

– Witamy w San Francisco. – Urzędnik emigracyjny albo, sądząc po ciepłym tonie, terapeuta, bierze nasze paszporty. – O, coś się tu nie zgadza. Oczy zielone. – Patrzy na Lulę. – Błąd, nie napisali, że piękne.

Lula robi potwornego zeza, chcąc obejrzeć jednym okiem drugie.

– Ile chcecie zostać?

– Wiza jest na rok.

– Obietnica wizy. – Urzędnik znajduje stronę ostemplowaną w konsulacie. – Pierwszy raz, warto dłużej.

Uruchamia się we mnie emigracyjny mechanizm podejrzliwości. Lata starania o paszport w komunizmie, podstępne pytania milicji i służb granicznych. Po co dłużej? Do nielegalnej pracy?

– Rok wystarczy – zapewniam.

– Żadne „San Francisco" – po prostu Frisco, Berkeley wymawiać Berkli. – Jaś odbiera od nas dwie walizki. – Tylko tyle? – Dziwi się bardziej lekkości bagażu niż temu, że jesteśmy.

Nie wiadomo po co, na innym kontynencie i świecie. Pakujemy się do jego poobijanej, rodzinnej bagażówki.

– Brak zimy, brak rdzy. – Usprawiedliwia powgniatane siniaki karoserii.

Siadam za nim przy kurczowo trzymającej mnie za rękę Luli. Z bliska siwe pasma kiedyś gęstych włosów Jasia są przerzedzone. Łupież na kraciastej koszuli przypomina opadające łuski białych włosów. Jego uśmiech odbity w lusterku kierowcy wydaje się odbiciem przeszłości – nadal młodzieńczy, ale już nie tak radosny. Wzięty w nawias zmarszczek, niby cytat z beztroskich czasów. Zostały z nich niebieskie oczy, dziecinnie długie rzęsy.

Mosty, wyspy i Berkeley. Nasz drewniany jednoosobowy domek sprzed stu lat. Białe obramowania okien, niepomalowany płot. Marzę o łóżku. Nieprzytomna słucham Jasia. Otwiera lodówkę z kupionymi dla nas zapasami. Nie udaje mu się uchylić zabitego gwoździami okna. Wreszcie popycha drzwi, wychodzi.

Dwa koty patrzą za nim i na nas, nie mogąc zdecydować, do kogo należą.

Budzi mnie hałas. Przez dach ciężki stukot, właściwie stupot szarych wiewiórek. Łapią się gałęzi i przebiegają po płotku. Sypialnia jest na piętrze, ciemna, drewniana niby dziupla – stąd coraz mocniejszy zapach zgnilizny? Słychać dziobanie ptaków w dach, ocieranie się bambusów i konarów starego dębu.

W Polsce popołudnie, tutaj dziewięć godzin wcześniej – siódma rano. Za oknem mgła, przez którą przebijają gałęzie. Żeby się rozgrzać, musimy mieć herbatę. Ale najpierw trzeba wyjść po ogień do gazowego pieca. Zakładamy, co się da ciepłego z walizki. W szafie Laury kilka sukienek bez pleców i przewiewne hipisowskie szmatki.

Na asfaltowej ulicy nikogo. Drewniane domy, ogrody, po prawej mały kościół.

– Tam! – Przecznicę dalej Lula dostrzega kobietę w słomkowym kapeluszu z gwiazdorskim rondem i w przeciwsłonecznych okularach. Doganiamy ją.

– Potrzebujemy zapałek, ognia.

– Naprawdę? – Cieszy się, jakbyśmy powiedziały jej komplement.

Już nie słyszy mojego: „Przepraszam, gdzie jest sklep?".

– Elizabeth. – Zsuwa ciemne okulary, by potwierdzić swoją tożsamość.

– Brat mówi do mnie Eli, nie Bethy. Ale nie ma co na niego liczyć, mieszka w New York. Zapałki powinni mieć w hotelu Nash. Zapamiętajcie tę nazwę, Nash, nie ma lepszej. – Wywija bezładnie rękoma.

Rap wariata, gesty wyprzedzają słowa. Gdyby wolniej machała dłońmi, ruch i mowa zgrałyby się, wpadając w rowek normalności, jak na starych płytach. Ona sama jest z okładki Janis Joplin. Potargane włosy, okrągłe szkła okularów, dziwaczne korale. Paznokcie pomalowane odblaskowym lakierem zaznaczają granice pulchnego, przelewającego się ekspresją ciała i ducha. W szaleńczej przemowie hamuje palce tuż przed naszymi twarzami.

– Piszę książki dla dzieci. – Zmyśliła pewnie dla Luli.

Wariaci nie odstają od normalności. Oni zbyt dobrze do niej przylegają, plecami do ściany, nad przepaścią rozumu. Dlatego krzyczą, by się uratować, gadają cokolwiek, by pasowało do sytuacji. Normalni idą przez życie po kładce rozsądku. Tego nauczyłam się od mojej psychiatrycznej matki. Nie uchowam Luli przed świrami. Nie w Berkeley, gdzie podobno trudno odróżnić noblistów od ekscentryków.

– Książki dla dzieci, taaak. – Elizabeth przyspiesza. – Trzeba wydać pierwszą, potem ciągnąć sequele. No i najważniejsze: mieć jakąś historię o sobie, wtedy zaprosi cię arystokracja.

– Arystokracja? – upewnia się Lula, gdy zostajemy same na ulicy.

Uwielbia *Downtown Abbey*, serial o angielskiej arystokracji. Film „z psiej dupy"! Tak uczyli ją w szkole – wstęp tłumaczy, czym autor chce się z nami podzielić.

Faktycznie, czołówka *Downtown Abbey* zaczyna się od widoku dziury w tyłku biszkoptowego retrievera prowadzonego przez hrabiego. Kamera, oddalając się, przestaje być wziernikiem, powidok zostaje. Arystokracja i jej pies mają Elizabeth, nas, głęboko.

Dlaczego uwagę Luli przyciąga psi tyłek? Prawdopo-

dobnie, wychowując ją, popełniliśmy błąd. Jej nierówno-
miernie rozwijający się mózg – w jednych sferach kilkulat-
ka, w innych dorosły – został gdzieś we freudowskiej fazie
analnej. Stąd rozbawienie skatologią. Układa gówniane
opowieści, chyba o nas: Byli sobie tata Gówno, mama Kupa
z córką Sraczką. Policjant poprosił panią Kupę o papiery,
a ona miała papier do dupy!

Jest zachwycona swoimi historiami.

– Moja kupa pływa topless, a twoja nago? – Fascynuje ją
amerykański kibel, gdzie poziom wody sięga połowy wysokości muszli.

– Przestań – proszę.

– Okej, okej. Chcesz, to kupy nie będzie. – Rysuje brązowy bobek na śniadaniowej serwetce. – Z jednego końca
się wyrzyga, a z drugiego zesra – opisuje jego znikanie.

Bez protestów Lula czyści kuwetę. Nie babrała się jeszcze w kocich odchodach. Była ciekawa, czy odróżni kupę
biało-szarego Pilu od czarnej Mezzo.

Nasze koty są rodzeństwem z przytułku. Wykastrowany
samiec ma wielkie ciało i małą główkę spłaszczoną od głaskania. Czerń płochliwej kotki przypomina cień. Przesuwa
się trwożnie za bratem i znika.

Pod łóżkiem smród. Nie zdążyłyśmy umyć podłogi.
Sprzątałyśmy kuchnię z bibelotów. Ogarnęłyśmy też ogródek. Wyniosłam sprzed furtki pomnik gangreny – za-
rdzewiałego pawia najeżonego wachlarzem poczerniałych
widelców. Rzuciłam paskudztwo za dom. Przy okazji pod-
parłyśmy płot. Celnie wbite gwoździe i przestał się słaniać
nad wyschniętym trawnikiem.

– Pilu! – Zaglądamy do sypialni. – Piluuu! – Kuszę kocimi słodyczami.

„W nagłych wypadkach" – kartka zostawiona przez
Laurę. Czytam dalej: „Kontakty do hydraulika, weteryna-
rza". Co ze zgubionym kotem? Bez paniki, najpierw Jaś.

„Ratunkuuu! Uciekł nam kot!" – zostawiam na jego poczcie.

Mezzo zamyka oczy ze strachu. Czarny tunel w kształcie kota. Może wskoczyła sama w siebie, drzemie.

Szukamy wokół domu. Krzykiem wywołujemy sąsiadkę z naprzeciwka.

– Uciekł? – Staje na białym ganku stopą w mokasynach. Zatrzaskuje energicznie drzwi. Opaską ściąga puszyste, ciemne włosy wokół wąskiej, opalonej twarzy.

– Zginął. Jesteśmy Maria i Lula.

– Wiem, Laura mówiła. I John, znamy się z uniwersytetu. – Poprawia pasek przerzuconej przez ramię torby napchanej książkami.

– Też uczysz historii? – zagaduję.

Mają podobne z Jasiem spojrzenia, bystre i pobłażliwe dla niepojętych spraw codziennych.

– Naomi. – Podaje rękę uwolnioną od pospiesznego wsuwania męskiej koszuli w dżinsową spódnicę. – Wykładam literaturę żydowską.

– Aaa... A co to jest? – Przychodzi mi do głowy stwierdzenie Kafki: „Co ja mam wspólnego z Żydami? Sam ze sobą mam niewiele wspólnego". – Wykładasz o książkach po hebrajsku, w jidysz? Bellow to literatura żydowska? – Zapominam o kocim idiocie Pilu.

– To właśnie jest ciekawe, co? Szukałyście w ogrodzie? Nie pomogę wam, idę na zajęcia. Trudno mi wczuć się w kota, nie mam zwierząt. – Nie odchodzi jednak, patrzy na zegarek. – Jesteś z Polski? – Nad czymś się zastanawia. – Mój ojciec był z Polski, bohater warszawskiego getta. Przyjechał po wojnie do Nowego Jorku, był ortodoksem. Wysłali mnie do szkoły w Jerozolimie, miałam szesnaście lat. Koleżanki kazały mi pluć na Żydów niezachowujących szabasu. Ja, szesnastolatka wychowana w Ameryce, miałam pluć na ludzi? Po powrocie do Nowego Jorku uciekłam z domu. Nie było wtedy jeszcze wsparcia dla takich jak ja. Mieszkałam latem na ulicy. Po kryjomu pomogła mi sąsiadka, ortodoksyjna, ale mądra. Muszę już iść. – Zegarek Naomi pokazał teraźniejszość. – Obudźcie Huvita, mojego męża. – Przeszła skrzyżowanie. – On lubi Pilu.

– Pilu, debilu, wracaj! – Lula zagląda pod samochody.

Spod jednego z nich wysuwa się głowa umorusanego trzydziestolatka, wsparta blond kokiem.

– Zgubiłyście coś?

– Kota, biało-szary, gruby.

– Samiec czy samica?

– Kot.

– Faceci zawsze wracają.

Dialog z odwróconą figurą karcianą, moim ulubionym waletem kier. W miejscu halabardy łom. Karta pomięta, poznaczona długopisem – między jasnymi brwiami waleta granatowy, misterny tatuaż celtyckiego krzyża. Furgonetka, spod której wystaje, jest świeżo pomalowana w fale i delfiny.

– Kotki są wierne miejscu, wygodnej chałupie, nie człowiekowi. – Zmęczył się zezowaniem w naszą stronę. Patrzy prosto na niebo. – Po co się z nimi szarpać o nic? Wolna dusza w wolnym kraju, jadę przed siebie. Jezus powiedział: „Królestwo moje nie jest z tego świata". Wiadomo, świat należy do idiotów.

– Gdzie jedziesz? – Luli podoba się ekstrawaganckie auto i tatuaż.

Do osiemnastki ma szlaban na dziary.

– Burning Man. – Walet nie rusza się z asfaltu. – Pustynny festiwal – wyjaśnia Luli. – Mogę jeszcze bilety załatwić.

– Dopiero co przyleciałyśmy. – Nie sądzę, żeby artystyczno-narkotyczny festiwal był odpowiedni dla jedenastolatki.

– Z Europy? Na Burning Man ludzie biorą dzieci, jest bezpiecznie, po to bilety. Pustynia pilnuje granic. Przerabiam wóz na statek. Po bokach będą płetwy, z przodu syrena. Dach to wodorosty ze słomy, strzecha jest lepszą izolacją niż byle klima. – Wyjął papierosa. – Elektroniczny – usprawiedliwia się. – To nie tatuaż. – Zauważył zainteresowanie Luli celtyckim krzyżem. – Urodziłem się taki. Powiem ci, dziewczyno, jedno: nie mam córki, ale gdybym miał, powiedziałbym jej, co Ozzy Osbourne swojej. Znasz?

– Aha. – Lula oglądała odcinki *Osbourn's Family* na MTV. – Black Sabbath. Zjadł głowę nietoperza.

– Dokładnie, ostry gościu, cały wytatuowany, nie ma ciałka bez obrazka. Jego córka przyszła do domu po pierwszym tatuażu. Wściekł się: „Chcesz być oryginalna? Zostaw czystą skórę, każdy ma coś namalowane, to obrzydliwe! Obrzydliwe".

– Mieszkasz tu? – Nie sądziłam, że może być korepetytorem dobrych obyczajów dla Luli.

– Wynająłem na miesiąc, tam, za palmami. Póki się mojej dziewczynie mózg nie ustoi.

Wśród samochodów mignął nam Pilu.

– Jest! – Lula rzuciła się za nim.

– Gdybyś zmieniła decyzję, podwiozę. – Wśliznął się pod samochód.

– Bez obróżki. To nie Pilu. – Lula za kotem wpadła do ogrodu największego domu na ulicy.

Dwupiętrowy, nowoczesny, metalowe okiennice. Wśród zagonów róż dziwaczne białe kwiaty o zwierzęco owłosionych płatkach. Na drzewach egzotyczne owoce. Małe, posypane brokatem pomarańcze. Skubnęła jedną i odskoczyła. Worek zawieszonego między pniami hamaka niespodziewanie się zakołysał. Z jego kokonu wystrzeliły ramiona o mocno zarysowanych bicepsach. Potem opalone, błyszczące łydki i umięśnione uda. Kobieta zerwała hamak, zawinęła go wokół siebie.

Nie zdążyłam przeprosić za wtargnięcie.

– Słyszałam, szukacie kota. Jessica. – Uścisnęła mi mocno rękę.

Starcza skóra była opakowaniem jak hamakowa sukienka. Pod nią prężne mięśnie. Piegowata twarz, białe zęby

głodne uśmiechu, jasne, rozbawione oczy siedemdziesięcio-
parolatki.

– Maria, Mary.

– Nie martwcie się. – Przełożyła przez gołe ramię po-
targany, siwy warkocz. – W Berkeley nie ma bezpańskich
zwierząt. Bezdomni ludzie, tak, dużo bezdomnych. Ten
skurrr... Reagan zamknął azyle psychiatryczne w Kalifornii.
Podstawił ludziom autokary, to gdzie mieli jechać? W Berkeley nikt nie krzyczy, nie kopie, tu się przenieśli. Policjanci
mają szkolenia, nie stoją nad tobą. Wchodząc do czyjegoś
domu, ogrodu, muszą usiąść, żeby nie dominować. Berkeley ma dobre, stare tradycje praw człowieka, u nas zaczęły
się lata sześćdziesiąte i rewolucja. Nie bójcie się, kot tu nie
zginie. Otworzyli niedawno szpital dla rozdeptanych śli-
maków. Kostnicę mają we francuskiej restauracji. Żartuję. –
Złożyła ręce w przepraszalnym geście. – Ślimaki tępię, zże-
rają sałatę.

– Powiedz jej, że Pilu uciekł godzinę temu. – Lulę Jessica
onieśmielała.

Czarownica przemierzająca ogród z gracją wróżki. Mogła nie rozumieć języka, ale znała myśli.

– Moje trzy koty nie uciekają, chodzą wolno. U Laury
okna nadal się nie otwierają, prawda?

– Zamurowane.

– Laura boi się o koty. I złodziei. Pamiętaj, przysługuje ci
w każdym pomieszczeniu jedno otwierające się okno, prawo Kalifornii. Jestem architektką, wiem.

– Uciekł drzwiami, moja wina, sprzątałyśmy, nie zauważyłam. Zmiana czasu, jestem nieprzytomna.

– Wina? *Bullshit*. – Zrobiła z warkocza ramiączko sukni,
przeciągając go przez otwór po sznurze. – A już największy
bullshit, że zawsze dwoje jest winnych rozstaniu. Winni są
bycia razem i po to na ślubie świadkowie. Nie ma świad-
ków rozwodu. Jesteś z alkoholikiem i co? Weźmiesz na siebie winę za rozwód? Przez ciebie pije? Nie dałaś rady go
wyleczyć? Uciekł, to uciekł.

Worek hamaka przekrzywił się, opierając na dużej, luźno wiszącej piersi Jessiki.

– Mój syn mieszka koło was. – Podciągnęła hamak na szelce z warkocza. – Ja z Kate, czasem wpada jej były mąż. Moja poprzednia dziewczyna mieszka ulicę dalej. Wpadnijcie któregoś piątku wieczorem, robimy u nas kolację dla wszystkich. Parker jest rodziną, koty i psy wspólne. – Odprowadziła nas na ulicę.

Wędruję wzdłuż płotów pokonana. Bez Pilu, bez ciebie. Lula nazbierała świeżych cytryn. Nie może się powstrzymać i je podgryza. Ale to ja mam w ustach kwaśną gorycz. Jessica umie być ze wszystkimi, nawet byłymi, my nie potrafimy we dwójkę. Chociaż nie mamy kochanków. Zamiast nich wtrącają się nam przodkowie, popychają, żeby się nam nie udało, krzyczą za nas swoje skargi. Twoi pijani, ty przez nich pijany sobą.

Przystaję, boję się o serce. Nie kłuje normalnie, nerwicowo. W środku szmer zwrotnicy przestawiającej zbyt wielki ciężar na inne tory. Chwilę później toczy się znowu rytmicznym stukotem. Przestanę myśleć o tobie. Po to tu przyjechałam, na koniec naszego świata. Dawniej nie można było dalej, ocean. Między drzewami prześwituje zatoka San Francisco. Kolibry przystają w locie. Trzeba wysiłku, zawrotnej prędkości turbin skrzydeł, by się utrzymać na powierzchni. Oceaniczny wiatr chlusta zimnym prądem w rozgrzane powietrze.

Na ganku naszego domu siedzi Jaś. Obok rowerowy kask, czeskie, niemieckie książki. Rzucona mu przez Lulę cytryna trafia w otwarty zeszyt. Podnosi głowę niepewny, skąd spadła.

– O, jesteście! Musicie mieć telefon! – Zbiera ze schodów notatki.

– Pilu zginął. – Wchodząc do domu, Lula obejmuje go w przypływie żalu.

Znam ją, szuka i kota, i pocieszenia. Jaś jest łącznikiem

między dwoma światami, Amerykanin rozumiejący polski. Przy nim może powiedzieć, co czuje, wyżalić się na mnie.

– Mama zawsze zapomina, drzwi...

– Telefon, prawo jazdy, szkoła – wylicza czekające nas sprawy Jaś. – Kota? – Odsuwa ostrożnie krzesło od stołu. Na siedzeniu przysłonięty obrusem śpi Pilu.

– I czego się nie odezwałeś? – Biorę zaspanego na ręce.

– Mamo, nie reaguje na swoje imię, bo się już do niego przyzwyczaił. – Lula całuje śmierdzące kuwetą łapki. – Prawda, Pilu?

Jet lag przestał objawiać się sennością za dnia i nocnym budzeniem. Wewnętrzny zegar nakręcił już ciało zgodnie z nowym czasem. Tylko umysł nie nadąża albo dusza. Muszę na nią poczekać. Została w innej strefie czasowej. Tutejsze brzozy też. Pomarańcze toczą się po chodnikach, z drzew pieprzowych zwisają czerwone kulki, a bezlistne brzozy patriotki przeżywają kolejną zimę. Za dnia też przeżywam nierealność. Już nie jestem w Polsce, straciłam dawne życie, za to nie mam nowego.

W zostawionym przez Laurę samochodzie Jaś uczy mnie amerykańskich przepisów.

– Czekamy? – niezbyt przytomnie pytam go przed linią z napisem „Stop".

– Pierwszy jedzie, kto pierwszy przyjechał na skrzyżowanie, nie ten z prawicy.

– A skąd wiadomo, kto pierwszy przyjechał?

– Nie rozumiem – dziwi się.

– W sporcie stopery mierzą, kto pierwszy przekroczył linię mety.

– To nie sport, to prawo, widać kto. I nie ma korki, każda ulica powoli jedzie. – Cieszy go tłumaczenie zacofanej Europejce pragmatycznych zasad.

– Aaa. Dlatego u was tylu prawników. Bez sądu nie udowodnisz...

– Berkeley nie ma duże wypadki, musi być dwadzieścia pięć *miles* w mieście, chyba pięćdziesiąt kilometry na godzinę. – Pokazuje wskaźnik prędkości. – Ja nie patrzę na cyfry, otwieram szybek. Wieje, to wiem: za szybko.

– Szybę otwierasz, nie szybek. Szy-bę.

– Prowadzisz jedną stopą. – Spycha moje lewe kolano do drzwi. – Automatic.

Z przyzwyczajenia szukam skrzyni biegów. Dotykam dżinsów Jasia. Przejeżdżam palcami po udzie naprężonym codzienną jazdą górskim rowerem na uniwersytet.

– Wyjdę tu. – Odwraca się do uchylonego okna. – Spotkamy się u mnie, dobrze?

„U mnie" oznacza uniwersytet. Nie zaprosił jeszcze do siebie. W Ameryce Jaś jest moim przewodnikiem. Nie miesza zesłanej mu przez opatrzność pracy opiekuna z prywatnością, z Tabitą.

Skręcam nad zatokę. Nigdy nie wygląda tak samo. Mgła zamazuje półwysep albo odsłania fragmenty San Francisco. Przypomina to ściąganie prześcieradeł chroniących meble przed kurzem. Wysokie, wielopiętrowe meble, kolumny drapaczy chmur. Osiada pył z wyschniętej ziemi. Od dawna nie padało, trawy są wypalone, płowe. Ziemia kruszy się na ceglane grudki. Skaczą roje szarych wiewiórek. Nad moją zaśnioną głową płyną półprzezroczyste, oceaniczne stwory? Nie panikuję znieczulona jet lagiem. Podjeżdżam bliżej. Dostojnie falujące w powietrzu meduzy są wielkimi latawcami puszczanymi pod zatokowy wiatr. Smoki, płaszczki, chimery.

– Czy życie nie jest piękne? – Przy parkingu bosy mężczyzna z przepaską walkmana wokół bicepsa nie czeka na odpowiedź. Upojony biegnie dalej.

– Cudowny dzień, prawda? – wzdychają spacerujący emeryci.

Najwidoczniej piękno pozbawia ochronnej otoczki obcości. W Jerozolimie, Florencji przechodnie też dziecięco wykrzykują swój zachwyt. Cud bez okrucieństwa jest infantylny. Pogrąża w złudnej błogości. Prawdziwe piękno to szrama zabliźniająca brzegi czarnej dziury, skąd przyszliśmy i gdzie w pizdu wrócimy.

Próbuję przypomnieć sobie przeciwieństwo, coś, co równoważyłoby kalifornijski sen. Moja pamięć – tkanka łączna z przeszłością – podsuwa twoje, nie moje wspomnienia. Nadal myślę tobą.

Jesteś na praktykach studenckich, czterdzieści lat temu. Jedynaczek, przyszły pan doktor wśród pegeerowskich robotników. Remontujecie kilkupiętrowy silos. Rusztowanie się chwieje, skręcone co drugą śrubę. Mietkowi rano na czczo zabrakło do pół litra, więc stracił równowagę i spadł. Próbowałeś człowieka ratować, lepki od jego krwi. Lekarka przywieziona w południe brzydziła się podejść. Wypisała kartę zgonu, nie wychodząc z karetki.

Kazali ci odwieźć Mietka traktorem.

– Tam baba jest, my nie umiemy gadać, wprawiaj się, student, w życie, doktor bendziesz.

Wnieśliście go z traktorzystą do domu.

Ojciec zakryty gazetą zsunął się przy telewizorze, na łóżku chrapał brat. Pijana matka przy piecu mieszała w garach.

– Mietka przywieźli – zabełkotała do ojca.

– Nooo. Bele czem sie menczy – zionął spod zdjętej z twarzy gazety.

– Spadł z rusztowania, nie żyje – powtórzyłeś wolniej i głośniej.

– Rzućta go, to sie wyśpi i do roboty wróci. – Matka nie przestawała mieszać w pustym garnku.

Położyliście ciało koło narąbanego na umór brata. Ojciec gazetą przegonił znad nich muchy i znowu opadł.

W jednej z ogrodowych uliczek dwupiętrowy Urząd Szkolnictwa Miasta Berkeley. Cicho i sennie wśród wyłożonych filcem ścian, obwieszonych bazgrołami uczniów podstawówki. Z tłumaczeniem świadectw Luli szukamy biura przyjęć. Przez obrotowe drzwi wkracza wielodzietna, meksykańska rodzina. Znajduję ogłoszenia: „Jeśli jesteś bezdomny, mieszkasz w samochodzie, stacjonarnej przyczepie, jesteś nielegalnym emigrantem – twoje dziecko ma prawo do darmowej edukacji w publicznej szkole. Dzieci *visiting scholars* – naukowców zaproszonych na uniwersytet – również". To moja kategoria.

Zaniepokojona Lula sprawdza, skąd rozległ się krzyk podobny do dziecięcego wrzasku u dentysty. Trafia na otwarty gabinet. Nie zdążyła się wycofać przed wabiącym małe dziewczynki uśmiechem.

– Mama, Murzynka! – Rozgląda się za mną.

– Nie mówi się Mu... – Biegnę z dokumentami.

– Aha, osoba pochodzenia murzyńskiego. – Sztywnieje, wyczuwając groźbę edukacji.

– Mówisz po angielsku? – pyta ją zza biurka urzędniczka, pewnie emerytowana nauczycielka.

– Nie.

– Lubisz cukierki? – Obraca w zębach czerwoną landrynkę o połysku rubinu.

– Tak.

– Proponuję jasnozieloną, reszta bez cukru, zdrowa. – Podsuwa miskę słodyczy.

Lula znajduje jedyną jasnozieloną landrynkę w pułapce na cwaniaczków. Z łapczywości nie dostrzega drwiącego spojrzenia pedagogicznej wygi.

Podaję tłumaczenia zaświadczeń o dysleksji.

– Pisać umiesz? – Daje małej kartkę z ołówkiem.

Lula chowa za siebie ręce.

– W takim razie Martin Luther King, siódma klasa. – Oddaje mi papiery.

– Szkoła? – nie może się nadziwić moja córewna.

Liczyła na jakiś ośrodek dla opóźnionych – drabinki, piłki, kolorowanki, byle przeczekać ten rok bez lekcji.

– Kobieto – pocieszam ją. – Dostaniesz nianię. – Na skierowaniu do szkoły czytam o asystentach językowych dla cudzoziemców.

Pokazujemy ci przez Skype'a, co zmieniłyśmy w mieszkaniu. Kupiony w Ikei portret Audrey Hepburn zastąpił burą słomiankę, kolorowa cerata obrusową szmatę. – Zreperowałyśmy płot. Wiesz, co śmierdziało w sypialni? – Nie zdążyłam dokończyć, Lula biegnie z wygrzebanymi ze śmietnika butami. – Laura zostawiła przy łóżku! – Wywija zbutwiałymi adidasami. – Przywiązała je sznurówkami do belki koło poduszek. Nie widziałyśmy ich, szukając kota. – Nienormalna. – Nareszcie jesteś u siebie, wśród diagnoz. – Nie! Trzęsienie ziemi – protestuje Lula. – Ona chciała dobrze, tu się tak robi. Sąsiedzi nam powiedzieli. Szkło na podłodze, wszystko lata w powietrzu, musisz mieć w sypialni przywiązane buty i metalowy kocyk. – Wygrzebuje spod stołu fascynujący ją zestaw ratunkowy: folię, latarkę, gwizdek, sprasowane jedzenie.

– Trzęsienie ziemi nie musi się zdarzyć – uspokajam.

– Czekamy na godzinę zero – powtarza za Jessicą Lula. Codziennie buszuje w jej ogrodzie i przynosi razem z owocami ważne wiadomości.

– Kalifornia oderwie się wtedy od ziemi – straszy sama siebie.

– Duży wstrząs musi kiedyś przyjść, może za sto lat. Im więcej małych, tym lepiej, skorupa się nie napręża. A zresztą nasz dom jest daleko od uskoku, najgorzej mają ci na wzgórzach – mówię, nie przerywając, nie chcę słuchać ciszy między nami. – Berkeley jest piramidą społeczną. Najbogatsi na szczytach, skąd widać zatokę i San Francisco. Niżej średnio zamożni, na płaskim biedniejsi bez widoków, ale bezpiecznie. Przy wodzie mają swój rezerwat bezdomni. – Byłam w parku, dawnym wysypisku śmieci, gdzie osiedliła się społeczna alternatywa.

Patrzysz nieruchomo, taksujesz niezadowolony każdą

naszą beztroskę. Powinnam wić się żmijowato za szkłem ekranu w poczuciu winy. Wywiozłam dziecko, narażam je na Amerykę.

– Do szkoły masz daleko, Luluś? – Nie chcesz mnie słuchać. – Przechodź ostrożnie.

– To nie Polska, pasy nie są wyznaczonym miejscem do rozjeżdżania pieszych. Trzysta dolców za wymuszenie pierwszeństwa. – Wolałabym mówić do ciebie kodeksem drogowym, bezosobowo.

Nie jesteś tą samą osobą co przed laty. Twoja twarz poplamiona wściekłością, chociaż nie chorujesz i nie masz alergii. Sprawdzaliśmy w szpitalu. Co wiosnę dokopywał ci żołądek. Najprawdopodobniej zrakowaciałe wrzody. Jesteś lekarzem, wiesz. Trochę pomagały leki przeciwbólowe. Wreszcie namówiłam cię na badanie. Wyniki: ani raka, ani nic. Następnej wiosny w miejsce wrzodów pojawiły się nowe objawy. Plamy na czole, też z duszy, nie z ciała. Nie ma chorób urojonych, chyba że uznamy duszę za urojenie. W Talmudzie napisano, że człowiek jest duszą i ma ciało. Twoja oblazła ciało, a kopie bólem od środka, od chorego dzieciństwa. Zrywa płatami skórę twarzy, żeby się wydostać z cierpienia.

– Gianna? W co ty się wpakowałaś? Zostaw go – radzę przez Skype'a tej samej nocy, po rozmowie z tobą.

Wychylamy się z komputerowych okien, po sąsiedzku obgadując życie rodzinne.

Znalazła na Lazurowym Wybrzeżu niedrogie mieszkanie. To miała być jej Kalifornia. Swoje w Paryżu wynajęła. Pracuje od rana do nocy, mieszka po znajomych. W weekendy jeździ do André i dzieci. Wynajęli tam wreszcie kilka pokoi. On urządził sobie osobną sypialnię. Nie lubi jej wizyt. Zaburzają dzieci i przeszkadzają mu w wolności. Radzi sobie bez Gianny. Znalazł dla córki korepetytorkę – samotną matkę koleżanki szkolnej. Korepetycje trwają codziennie do późna. Gianna musi zapłacić, skoro on obiecał.

– Utrzymujesz dwa domy. Wyrwij sobie jeszcze zęby dla niej.

– Zęby? – Gianna mówi, jakby uroda nowej kochanki André była bardziej bolesna niż jego zdrady. – Młodsza ode mnie dziesięć lat, ładna.

– Nie znasz *Nędzników*? Tam też była taka matka, dała sobie wyrwać zęby na opłacenie szkoły.

– W samochodzie walnęłam go, on mnie. Rozbiłam mu nos.

– Co?

Odsłoniła ramiączko sukienki. Słońce oświetla żółtawy, rozlany siniak. U mnie jest ciemno, widzę przez ponury filtr nocy.

– Powróżysz mi? – prosi o ułożenie tarota.

Myślę, że dzwoni tylko po to, po nadzieję. Płaci samoponiżeniem, opowiadając o sobie i André. Rozkładam tarota marsylskiego.

– Śmierć, Dom Boży i Powieszony – kłamię, Gianna nie widzi kart. – Śmierć to ty, zawalony Dom Boży to wasz dom, Powieszony – André. Zadowolona?

– Nie wierzę.

– W co nie wierzysz? Przecież tak żyjecie. Nie mogę ci powróżyć, bo nie ma już gorszych kart. – Drę Śmierć i Powieszonego. – Koniec z wróżeniem, głupotami. Zadzwoń, jak coś zmienisz, cokolwiek będzie lepsze od tego, co jest.

Pozbawiłam tarota marsylskiego trzech najgorszych kart. Podarłam je też dla siebie. Czy to nie najprostsze rozwiązanie problemu zła, filozoficznej teodycei rozbabranej od stuleci przez najznamienitsze umysły? Święty Augustyn wymyślił – nie ma zła, jest wyłącznie mniejsze dobro. Mniej ciebie w moim życiu będzie błogosławieństwem, mniej rozmów z tobą.

Nie jesteś złym człowiekiem. Zbyt owładnięty swoim człowieczeństwem, stałeś się paradoksalnie za mało ludzki. Każesz przyznawać sobie rację, czcić twoją wersję. Naśladować można by Chrystusa, ale on ma pokrętną półboską naturę. Jego ludzkie „ja" przyszpilono do krzyża. Inaczej nie mógłby umrzeć. Bogowie nie umierają tak łatwo. Ośmieszeni przez klechów, przychodzą w godzinę naszej śmierci upomnieć się o swoje, zło, dobro, strach i miłość. Mamy tylu bogów, na ilu zasługujemy, i jedno życie, mylone z Bogiem jedynym.

Drąc tarota, pozbywam się stosu kart. Kiedyś na nim spalę czarownicę w sobie.

Poranna herbata, niosę filiżankę. Otwieram drzwi szeroko na umyty ganek. Słońce – błogosławieństwo Kalifornii. W gęstwinie bluszczu przesuwa się białawy kształt. Łudzę się, że po obłym tułowiu będzie coś milszego. Znajomy zarys szczura kończy się pyskiem krokodyla. Nad rzędem zębów biała szczecina.

Filiżanka grzechocze na talerzyku, mój krzyk zastępuje wrzask Luli z drugiej strony domu. Też zobaczyła, inwazja potworów z uniwersyteckiego laboratorium. Nie ma takich zwierząt, białych űberszczurów o gadziej mordzie. Natura nie mogła wyprodukować czegoś równie obrzydliwego. Nasłano go za karę, za kilogramy trutek, łapek, setki łapek uzbieranych w życiorysie kobiety fobicznie reagującej na gryzonie.

Biegnę ratować Lulę przez ogród do kuchennego wyjścia. Hamuję... chciałabym przed płotem, niestety zniknął. Po drugiej stronie zawalonej konstrukcji nagi chudzielec. Za nim rozdygotana pralka wystawiona przed dom. Jej wibracje wprawiają w drżenie resztki sztachet, wystające żebra chłopaka, długie do pasa dreadloki i dyndający, obrzezany penis.

– Ubrania piorę. – Zaskoczony nie ma gdzie się schować.

Rozgląda się za odpowiednio dużym liściem. Gigantyczny bluszcz jest zbyt daleko, przy furtce. Mógłby wyrwać łodygę rosnącego obok bambusa. Wsadzić w nią przyrodzenie zwyczajem Papuasów – tutka do kolan zatkana dumą z męskości.

Chudzielec skromnie wybiera piłkarską postawę przed rzutem karnym, zasłaniając się dwoma rękoma. Nie wydaje się zażenowany. Jego równomierna opalenizna świadczy o częstym paradowaniu nago. Zawstydzona Lula patrzy w ziemię, zbiera zbutwiałe drzazgi. Nasz remont dobił płot. Znowu sklecić się go już nie da. Prędzej złożyć na zasadzie puzzli.

– No to jesteśmy sąsiadami. Ron. – Podałby rękę, ale jedna przytrzymuje drugą. – Fajnie, dziewczyny. – Cieszy się z naszych wymamrotanych imion.

– Pod drzewem widziałam szczura, biały, wieeelki.

– Eee, nie szczur, *opossum*. – Ron staje za ocalałym kawałkiem konstrukcji. – Mieszka na drzewie.

– *Opossum*? – Nie kojarzę.

– Tu są też *raccoons*.

Lula wbija w tablet: Opos, szop pracz – to *raccoon*.

– Szop potrafi ukraść dywan przez dziurę na listy w drzwiach. Ma prawo, zajęliśmy jego ziemię, szlaki. – Przestał się przejmować brakiem majtek. Przysłonięty zielenią, gotów do przyjacielskiej pogawędki.

Pralka przyspieszyła końcowe wirowanie. Wstrząsy osypują na nas suche liście bambusa.

– Opos, nie szczur? – Chciałabym mu wierzyć.

– Znam ulicę od urodzenia. Sto cztery gatunki oposa, każdy po pięćdziesiąt dwa zęby.

Szczegółowa wiedza świadczy o czymś więcej niż przyrodniczym hobby. Mógł być naukowcem, kiedyś. Wąskie źrenice ćpuna, powolne gesty próbują uchwycić sens dla parującego marihuaną umysłu. Wysiłek skupienia wyostrzył mu pamięć i przyhamował płynność mowy. Ron wymienia fakty siekające oposa na sekcyjne talarki.

– Żyyyje trzy lata, cza-cza-sem trzy i pół, cią-ąża dwadzieścia cztery dni, cztery funty wagi...

– Funty? – Lula pamięta funtowe banknoty z londyńskiej przesiadki. – Ile w dolarach kosztuje opos? – Nie przypuszcza, że miary nie do opanowania w szkole, gdzieś indziej się zamienia na jeszcze dziwniejsze jednostki.

– Nie wiem, nie jem oposów. – Ron nie zrozumiał jej pytania. – Na Wschodnim Wybrzeżu jedzą. Duszą w warzywach. Bierzesz młodego...

– Zajmujesz się biologią? – przerywam.

– Lubię matematykę. Biologia jest częścią matematyki, jeżeli umiesz używać algorytmów.

– To ciekawe. – Cofam się powoli do domu.

– Baaardzo. – Nie wie, jak nas zatrzymać. – Masz rację, ooo-pos to hollywoodzki szczur. Potrafi grać martwego wiele godzin. Leży. – Wygiął się w usztywnionej pozie, rozkładając wykręcone spazmatycznie ręce. – Cieknie mu z ust i tyłka zapach śmierci. Gwiazda umierania.

– Chodzi w białym futrze i jest dłuższy od limuzyny! – Przechodząca ulicą Jessica przekrzykuje łomot pralki.

– Cześć, mama. – Ron przesyła jej całusa.

– Przynieść wam coś ze sklepu? – Niesie koszyk.

– Nie, dzięki. Też musimy iść, szkoła Luli.

– Gdzie? – Jessica przystaje i zahacza koszykiem jak kotwicą o płot.

– Martin Luther King.

– Ron był w MLK, bardzo dobra szkoła, prawda? – zwraca się do syna.

Dopiero w tym momencie skojarzyłam podobieństwo ich oczu. Nie były tego samego koloru czy kształtu. Jessiki lekko skośne, jasne. Rona migdałowe, ciemne, ściągnięte do szpilek źrenic. Upodabniał je ten sam błysk, lustro odbite w lustrze. Gdyby na tym polegało wychowanie... Przekazywanie blasku zamiast odbijającego się pokoleniami gówna. Bo Jessice na pewno nie było łatwo z Ronem. I to od podstawówki, sądząc po jego westchnieniu na matczyne: „Bardzo dobra szkoła, prawda?".

Jessica przetrwała znaną mi już metodą „Berkeley mama". Skręt w jednej ręce, w drugiej ciekawa książka albo kieliszek wina. Dziecko wystawione na hipisowskie wibracje, jeśli miało się zdegenerować, robiło to bez dramatycznych nałogów, zapaści. Przemiłe kasjerki, spowolniali kelnerzy i sprzedawcy w ugrzecznionym letargu byli dziećmi alternatywnych, często profesorskich rodzin. Przecież slogan „Tu i teraz" wymyślił profesor psychologii, pomieszkujący między Berkeley a Harvardem, zanim został hinduskim guru.

W MLK nie słyszeli o Luli.
– Papiery? Z administracji? – uprzejmie dziwi się sekretarka.

Podnosi czarną słuchawkę telefonu, pod kolor jej paznokci, i poucza natręta po hiszpańsku. W gabinecie oficjalny portret Obamy otoczony autoportretami uczniów szkoły. Każdy może być prezydentem.
– Przyjdźcie jutro – proponuje.

Zwiedzamy budynek. Dwupiętrowy z basenem, otoczony ogrodem.

Powstrzymuję się przed ględzeniem: „Ja, córeczko, chodziłam na przerwach gęsiego, miejsca nie było. Nauczyciel linijką kierował ruchem, kto się wyrwał, ten w łeb albo po łapach". Moje dzieciństwo przepocone strachem plastikowych fartuchów, skoszarowane w zatłoczonej bałuckiej szkole.

Lula tyle z tego rozumie, ile potrzebuje na zakupach.
– Eee. Mama, nie wiesz, co modne, ty przeżyłaś komunizm.

Ze szkolnego boiska widać ocean. Ludzie, którzy tu dotarli, na kraniec Zachodu, nie mieli już nic więcej do zdobycia. Zdobyli niebo. Wojskowy krążownik w 1969 wydobył z Pacyfiku kosmiczną kapsułę. W niej zdobywców Księżyca: Armstronga, Aldrina, Collinsa, trójcę świętą zwiedzającą niebiosa. Matka Boska została na orbicie jako Matka Ziemia.

Widziałyśmy w tutejszym muzeum tę powrotną kapsułę wystrzeloną z Florydy – trzy plastikowe krzesła ogrodowe pospinane pasami. Groza, wystarczyło jednak, by powrócić z Księżyca, nawigując średniej jakości telefonem. Polska też graniczy z niebem. Zdobywamy je na swój sposób. Oczadzeni kadzidłem, brniemy z najprostszymi sprawami dwa tysiące lat pod prąd cywilizacji.

Komu to tutaj powiedzieć? Tylko Jaś mnie zrozumie. W swoim uniwersyteckim gabinecie powiesił plakat ze stanu wojennego z Reaganem grającym kowboja Solidarności.

– Tak żyjemy. – Oprowadza mnie po korytarzach instytutu historii. Na drzwiach kanciap zawalonych książkami nazwiska światowej sławy historyków. – Spodziewałaś się pałaca?

– Rzeczywiście skromnie.

– Bogactwo jest w głowie – recytuje.

– I złote zęby.

– To było szyderstwo czy chciałaś coś powiedzieć?

Zaniemówiłam po obejrzeniu uniwersyteckiej czytelni wygodniejszej od pięciogwiazdkowego hotelu. Aksamitne kanapy, zapadnie skórzanych foteli. Jednoosobowe zakamarki oświetlone lampkami, olbrzymie okna i półki nowości. Położyłam się, nogi oparte o poduszkę, wzięłam najnowsze „Vanity Fair".

– Wy, Polacy, tracicie inteligencję szyderstwami. – Jaś nie odpuszczał.

– A co powinniśmy robić?

– Nadal go kochasz? – Pakował wypożyczone książki do plecaka.

Bibliotekarka przesuwała je pod czytnikiem.

– Przekroczyłeś limit – zawahała się.

– Jestem profesorem – powiedział przepraszająco.

Lula była już na zewnątrz, goniła wiewiórki między sekwojami.

– Dziękuję, Jasiu, za współczucie. – Zdania przesuwały się równie gładko jak książki pod czytnikiem.

Użyłam do tego beznamiętnej części umysłu. Nierdze-wiejącego od łez haka, na którym ociekała sentymentami reszta mózgu, ochłap serca, skurcz żołądka i drżące ręce.

– Co ma do rzeczy, czy kocham? – Moje słowa znowu przeszły gładko, bez tytłania się w emocjach.

– Nie pytam o rzeczy, pytam o ciebie.

Nie wiedziałam, kiedy żartuje, a kiedy przebija się przez zasieki języków, chcąc zrozumieć coś nieprzetłumaczalnego na żaden z nich.

Doszliśmy do parkingu, odpiął rower, założył kask.

– Martwię się o ciebie. – Zamocował plecak.

– Źle wyglądam?

– Pani ładna, pani ładna. – Wygłupiał się. – Zapomniał-bym. – Wyjął śrubokręt z rowerowej torby przypiętej do ramy. – Dla ciebie.

– Po co mi to? Na lwy?

Znałam już historię nieszczęśnika zaatakowanego nocą przez lwy górskie.

– Wyobraź sobie Kraków. – Jaś się rozmarzył. – Ludzie wychodzą z *university* i dyskutują na Plantach o Bóg, o Hei-degger, Kant. A tu nagle zjada ich lew górski. Tak mamy w Berkeley, na wzgórzach i w parku. Mogą być niebezpiecz-ne, uważaj. Zabić lwy? – Sprawdził ostrość dziabulca. – Nie, okna otworzyć. – Kask oparł mu się o druciane okulary.

– Co wy z tymi oknami? Jessica...

– Nie można żyć w zamkniętych szybach. Prawda, szy-bach? Będą we wrześniu upały, indiańskie lato, martwię się o ciebie. – Schował z powrotem śrubokręt. – Przyjadę w nie-dzielę po mszy, sam zrobić.

– Zostaw moje okna w spokoju. Zjeżdżaj! – Popchnęłam rower.

Jaś potoczył się na nim po wzgórzu razem z rolkarzami, deskarzami, rozpędzonymi wózkami inwalidzkimi. Pojaz-dy mijały monumentalne budynki nauk ścisłych. Wy-działy chemii, fizyki buczały i dymiły, produkując wiedzę. Przy samej ulicy potworna ilość żelastwa ulepiona w złocistą, dziurawą kulę. Lula razem z dziećmi przeciska się przez otwór pomnika ku czci Oppenheimera, podczas drugiej wojny pracującego tutaj nad bombą atomową. Żelazna kula, okrągły słup graniczny kampusu, gdzie dziwacy i świry są w stanie wysadzić świat.

– Mamo, co to jest? – Lula, weteranka placów zabaw, nie kojarzy dziurawej kuli z żadną zabawką ani pomnikiem martyrologii.

– Dziurawy, rozbity atom. Pokazuje, ile musiałabyś mieć sił do rozwalenia go rękami.

– Dlaczego atomy są tak twarde?

Zmęczona czołganiem się przez tunel, wciąga orzeźwiający zapach sekwoi – mieszankę cytrusów i sosny. Nie cierpi smrodu marihuany snującego się po ulicach Berkeley, skondensowanego na kampusie.

– Atomy są najtwardszymi klockami. – Smaruję jej twarz filtrem noszonym w torebce. Słońce, chociaż nie piecze, ma afrykańską moc. – Z atomów zbudowany jest świat.

– Ale da się potłuc atom? I co wtedy?

– Reakcja łańcuchowa. Jeden atom rozbija drugi i wybuch bomby atomowej. Oślepiający błysk, ogień, śmierć. Pamiętasz lekcje religii? Bóg ukarał Adama i Ewę śmiercią. Żeby nie wrócili do raju, postawił anioła z mieczem ognistym. Nie wstydzili się nagości, wstydzili się materialnych ciał, przed grzechem byli czystą duchową energią.

– Mama, ty się za dużo trawy nawdychałaś. – Wątpi w moje teorie.

Religia jest dla Luli bajką, nauka straszakiem.

– Tak było. – Nie zależy mi na jej wierze. Słowa odkładają się warstwami w zasobny tłuszcz wiedzy, kiedyś z nich skorzysta, jeśli zazna duchowego głodu. – Jesteśmy niewidzialną energią w materialnych wibracjach atomów – nauczam. – Po co, myślisz, jest różaniec? Do własnoręcznej reakcji łańcuchowej. Ludzie przesuwają paciorki atomów, modląc się o tyle energii, żeby wrócić do Boga, do raju duchowej wibracji.

– Powiem tacie, że mnie straszysz.

– Czym?

– Że mnie nie ma. – Zastanowiła się. – Kup mi lody.

Przed zaśnięciem wtula się, szukając ciepła. Noce są chłodne, kupiłyśmy w Ikei puchatą kołdrę. Ja też wtulam się w moją córeczkę, szukając bezpieczeństwa, dziecięcej ufności, że będzie dobrze. Jesteśmy dziewięć tysięcy kilometrów od domu, zimną nieskończoność od ciebie. Co noc o tej samej godzinie daleko nad oceanem przetacza się pociąg towarowy. Nawet jego gwizd jest obcy, westernowy. To nie swojska ciuchcia ciągnąca wagony. Zaprzęgam amerykańską lokomotywę do moich problemów. Odwozi je daleko, aż hałas cichnie w mojej głowie. Nad ranem znowu obudzi nas stupot disnejowskich wiewiórek. Jutro pierwszy dzień szkoły, mojej i Luli.

Najpierw ona – dżinsy, biała bluzka. Biorę nasze paszporty, papiery z uniwersytetu. Po uroczystej akademii wkręcimy się do jakiejś klasy.

– Najważniejsze być gdzieś wpisanym – mówiła Jessica. – Potem powołuj się na ten wpis, tak działa administracja. Zupełny bałagan, ale konsekwentny, raz się pojawisz, nie mogą cię skreślić.

Idziemy za tłumem do sali. Dostajemy karteczki. Nie będzie akademii i powitań.

– Przy stołach rozmawiasz z nauczycielem, stemplują i dalej. Obejdziesz wszystkich, powiedzą, czego uczą, a ty – co cię interesuje – objaśnia nowym dyrektorka.

– Nie mówię po angielsku – zastrzega Lula, marszcząc czarne brwi.

– Nie szkodzi, wszyscy mówimy po hiszpańsku. – Uznała ją za przefarbowaną Meksykankę z blond pasemkami.

Rzeczywiście karnacją i skośnymi oczami nie różni się od biegających po sali dziewczynek o indiańskich rysach. Trochę Afroamerykanów, Azjatów, reszta biała, nikogo w odświętnych strojach. Nauczyciele przekrzykują się w zachwalaniu swoich kółek pozalekcyjnych.

– Jakie są pani roczne dochody? – Przy jednym ze stolików administratorka podaje mi ankietę do wypełnienia.

– Małe – mówię zgodnie z prawdą.

– W takim razie obiady będą darmo, ale proszę wpisać zarobki.

– Nie muszę przynosić zaświadczeń?

– Tylko podpis. – Jest bardziej zdziwiona niż ja.

Lula kończy obchód nagrodzona książką. Jednym podręcznikiem do wszystkich przedmiotów.

– Będę mieć rano dwie godziny angielskiego dla cudzoziemców, resztę lekcji z Amerykanami, od ósmej czterdzieści, koniec po czternastej.

– Nadal cię uważają za Meksykankę?

– Nie, no co ty... dlaczego? Zapytali, po jakiemu mówię, i się ucieszyli, mają dwadzieścia cztery języki, polskiego jeszcze nie. – Minęło jej onieśmielenie. – Jeden Murzynek mnie skopał, o tam na ławce. – Pokazuje loczkowane, aniołkowate diablę o złośliwym uśmiechu. – Przyszła jego duża siostra, przeprosiła mnie i go kopnęła, że spadł.

– Świetnie. – Odwożę ją pod opiekę Jessiki.

W swojej szkole też dałam się skopać, nauczycielce z Tajwanu.

– Uczę angielskiego, ponieważ sama doświadczyłam, czym jest obcy kraj i obcy język – biadoli. – Moi rodzice emigrowali do USA, kiedy byłam mała...

Po wzruszającej historii brak zrozumienia dla innych.

– Co mówisz? – dopytuje po kilka razy w naszej dwuosobowej klasie.

Umiem niewiele, a Tajwanka udowadnia, że to, co umiem, umiem źle. Nie tak jak druga uczennica, młodziutka Czeszka ze stypendium wydziału fizyki.

– Akcent! Akcent! – Nauczycielka daremnie dyryguje

palcem, kiedy mam wznosić głos. – Powiedzcie coś w swoim języku.

Czeszka opowiada śpiewnie o pani Navratilovej, ja lecę *Litwo! Ojczyzno moja!*

– No jasne! – Nareszcie zrozumiała. – W ogóle nie masz akcentu, płasko. – Przesuwa dłonią nad moim lingwistycznym grobem. – Ty tak wymawiasz czy twój język jest bez melodii?

Dla mnie polski nigdy nie był melodyjny, chleb powszedni, pożywny, ale bez smaku i dodatków. Szeleszczące słowa, płaska linia melodyczna. Może dlatego trudno w nim śpiewać?

Czeszka powtarza nauczycielce moje angielskie słowa z czeskim akcentem. Inaczej musiałabym chyba pisać na tablicy, o co mi chodzi.

– Rozumiesz mnie? – pytam Rona leżącego pod krzakiem, w ogrodniczkach na gołe ciało.

Jessica musiała wyjść i zostawiła Lulę pod jego opieką.

Jej biała bluzka z rozpoczęcia roku szkolnego ma już plamy po zmiażdżonych owocach. Zaglądam pod krzak zakurzony pustynnym pyłem. W przywiędłej sałacie żerują ślimaki bez skorupek.

– Słyszycie? – Ron przykłada ucho do liścia.

– Mlaszczą – ekscytuje się Lula.

Gryzą sałatę, poruszając czymś podobnym do wysuniętej zapasowej, bezzębnej szczęki aliena. Zwykłe ślimaki sunące po swoim śluzie. Szczęki, czy cokolwiek to jest, nacinają miarowo kruche liście.

– Ron, rozumiesz moją wymowę?

– Coś nie tak? – przestraszył się.

Ślimaki przestały go interesować. Wstał i nie wie, co dalej. Uścisnąć mnie, ukucnąć i wysłuchać, paląc skręta?

– Nauczycielka na kursie angielskiego mnie nie rozumie.

– Uff. – Strzelił szelkami ogrodniczek. – Zmień szkołę,

to oni mają problem, nie ty. Przestraszyłem się, że coś nie tak... Nie czytam emocji, ale potrafię rozpisać algorytm zachowań.

– Żartujesz. Nie można opisać ludzi algorytmem.

– Można. Zwykłe zachowania można. Oprócz mojej matki. Z nią nie wyszło i wtedy zrozumiałem, że to rzeczywistość, moja matka ma za dużo emocji.

– Jessica bardzo cię kocha.

– Taaak, ona jest niezrozumiała, ty nie, ciebie rozumiem.

– Lula, idziemy. – Zgarnęłam ją z grządki.

Ron nie mówił niczego niestosownego ani wariackiego. Wkładał dużo wysiłku w bycie miłym, może za dużo. Otarł spocone czoło. Jego umysł zostawał na zapleczu, delegując ciało do kontaktu z ludźmi. Emocje były dla Rona tym, czym dla mnie gęstwina komputerowych kabli. Łączących nie wiadomo co z czym.

– Możesz powiedzieć coś miłego? – Żebrzę o twoją uwagę.

Bez zaczepienia w tobie jestem znikąd w nadal obcym mieście. Na chodniku przy Bowl Street rzeźby uszu i wiersze. Potknęłam się o betonową małżowinę wmurowaną w bruk. W moich uszach twój krzyk:

– Za kogo ty się masz?! – Czyhasz na moją słabość powiększoną przez kamerę Skype'a. – Że jestem na zawołanie?! – Zaglądasz w ekran.

Twoje zęby są nieproporcjonalnie duże, oddzielone pasemkami żółci. Niedokładnie zeskrobałeś kamień kuchennym nożem. Następnym razem będziesz wydłubywał spomiędzy zębów kawałki mnie.

Twoja poplamiona twarz staje się czerwona z gniewu albo triumfu nade mną. Czerwienią malowano twarze triumfatorów w starożytnym Rzymie. Cynobrową glinką na cześć Jowisza. Twarz wygranej i słusznego gniewu. Za jadącym pod łukiem zwycięstwa triumfatorem stał niewolnik, powtarzając mu: „Pamiętaj, że jesteś tylko człowiekiem". Powtarzam twoje imię. Nie słyszysz. Litościwy kosmos nas rozłączył. Nie próbuję znowu, zamykam komputer. Głaszczę kota. Włącza się koci motorek szczęścia, mruczenie w ciężkiej tonacji diesla.

Idziemy z Lulą do pobliskiego marketu. Berkeley Bowl – parterowej hali podzielonej na część normalną i droższą – ekologiczną. Pięćdziesiąt centów więcej za niepryskane owoce, farmerskie sery. Można zamknąć oczy i wybierać węchem. Pomarańcze pachną na odległość, jak z drzewa, słodko podgniwają banany. Przesypujemy w workach nieznane kasze, ryż różnych gatunków. Lula przynosi zdeformowaną naroślami cytrynę.

– To ręka Buddy. – Prowadzi mnie do egzotyki. – Nie odkładaj – protestuje.

Ze straganu wystaje więcej palczastych cytryn w kształcie raf koralowych. Niebieskie grzyby, pomarańczowe rzodkiewki, fioletowe kalafiory. Świeżo wyciśnięte mleko migdałowe. Wybieram kwiaty, chociaż jeden. Z nimi dom ożywa, zakwita martwe drewno mebli. Oprócz słoneczników, goździków i róż kwiat „sadzone jajko" – biały z żółtym, rozlanym środkiem, „kwiat ośmiornica" – cielesne macki płatków zwisają nad liśćmi.

Zwiedzamy dział słodyczy. Pomiędzy nieznanymi opakowaniami jest jedyne pudełko z Europy, maślane szkockie herbatniki. Pod nim kartka: „Produkt zawiera szkodliwy metal mangan, upośledzający płodność. Ostrzega gubernator Kalifornii".

Europejczycy zajadają się tym do herbaty i wymierają. Mamy demograficzny dół przez angielskie, nadziewane antykoncepcją, maślane ciasteczka imienia Monty Pythona. Oni nabijali się ze świętej Spermy w skeczu o katolikach.

Przy kasie gazety: „Żywienie Paleolityczne", „Koszerny Wegetarianizm", „Myśl Duszą".

– Ile? – Nie mogę znaleźć ceny na „Codziennym Buddyzmie".

– Dziesięć baksów – mówi z pamięci kasjerka, drapiąc się w tęczowego irokeza.

Zaszantażowana ceną za nirwanę, waham się. Znaleźć spokój w medytacji i przestać się tobą przejmować.

– Bierzesz teraz czy w następnym wcieleniu? – Wrzuca nasze zakupy do torby. – Okej. – Trafia czasopismem w oddaloną o kilka metrów półkę.

Przestałam wypatrywać oposa w ogrodzie. Zapominam o uskoku tektonicznym pod miastem, który przy mocniejszym wstrząsie rozewrze czeluści Ziemi. Nie rozglądam się już na ulicy za miejscem osłoniętym od szkła i drutów elektrycznych, w razie gdyby zatrzęsło się pod nogami. Bezczelnie igrając z niebezpieczeństwem, siadam pod źle przymocowaną przez Laurę półką książek.

– Możesz dokręcić meble do ściany. – Nie chcę pozbawiać Jasia wykazania się męską sprawnością.

Zgodnie z obietnicą przyniósł śrubokręty, młotki, dziabulce różnej wielkości do przebicia okiennej futryny. Ułożył je na stole, narzędzia chirurgiczne przed operacją. Jest wyjątkowo nie w jednej ze swoich kraciastych flanelowych koszul, ale odświętnie w białym lnie. Przyprowadził córeczki, pięcioletnie bliźniaczki: Filo i Selenę. Równego wzrostu, o zupełnie niepodobnych twarzach. Obydwie piegowate, z rudymi grzywkami, widocznie po Tabicie. Po Jasiu nieśmiały wdzięk. Filo chowa się za ojcem, łypiąc na zaczytaną Lulę. Selena układa z narzędzi kompozycję.

– Są dwujajeczne, charakter jajecznica – mówi o córkach.

Co roku przysyłał na Gwiazdkę ich zdjęcia. Wiem, że Filo jest rozważna. Selena rozkojarzona, żyje w swoim świecie. Znudzona jazdą samochodem, odkryła przyjemność zaciskania nóg aż do orgazmu. Dorastając, przestała to robić tak często albo zaczęła ukrywać. Przyjemnością zastępczą stało się „tworzenie rzeczy pięknych". Malowanie, sklejanie muszli, patyków zabranych z plaży. Należała do nich kompozycja ze śrubokrętów na moim stole. Jasiu nie miał serca jej zepsuć. Selena poprawiała szczegóły, kierując ostrza precyzyjnie w jednym kierunku. Pochylona nad blatem uciskającym jej żebra, posapywała, łapiąc oddech. Ruda grzywka odchyliła się, tworząc na czole cień. Mógłby to być teatr cieni przedstawiający myśli. Nie potrafiła ich wypowiedzieć, znaleźć słów na opowiedzenie, dlaczego musi poprawić kierunek śrubokrętu, znaleźć dla niego jedyne dopuszczalne położenie. W nauce jest prościej: prawdopodobne położenie elektronu da się obliczyć. Artysta musi sam znaleźć bez liczb, słów i praw jedyną orbitę piękna, na tym polega niepowtarzalna sztuka.

– Nad czym pracujesz? – Przyniosłam Jasiowi herbatę.

Czoło przecinały mu trzy równoległe zmarszczki. Zbyt geometryczne na teatr przemykających cieni. Przypominają solidne półki do gromadzenia myśli, pełne fiszek posegregowanych w tomy.

– Kończę artykuł o czeskiej duszy. – Dał spróbować herbaty uczepionej jego ramienia Filo.

– Ciekawe. – Znałam jego pasję porównywania Czech i Polski.

Kibicował zdrowemu rozsądkowi Czechów. Jednocześnie cząstką swojej irlandzkiej duszy brał stronę polskiej nieprzewidywalności.

– Czytałem tamten rok pamiętniki i gazety przedwojenne z archiwum w Pradze. I mam teza. Nie teza, dowód: Czech jest rozdarty między Niemiec a Cygan. Chciałby być Niemcem, nigdy Cyganem. Zostaje Czechem. Polak w duszy czeskiej jest poniżej Czecha, powyżej Cygana. Przykro mi, ale to jest w dokumentach.

– Czysty Freud. Superego, wyidealizowane, doskonałe – Niemcy. Ulegające impulsom, dziecinne libido niedorozwiniętych cywilizacyjnie Polaków i Cyganów. Pośrodku czeskie ego, rozdarte między dzikością instynktów a sztywną dyscypliną rozumu.

– Freud? Ja się opieram na faktach. Psychoanaliza nie

jest chyba nawet nauka. Ty możesz pisać o poezja i historia, dodać fantazjów. Ja nie, każde słowa musi mieć dokument.

Spojrzałam za okno. Ktoś znowu puścił głośną muzykę. Spłoszone ptaki uciekły. Kolibry zostały, wbite szpilkami dziobów w aromat nad kwiatami. Chyba ogłuchły od nieustającego furkotu skrzydeł utrzymujących je nieruchomo przy nektarze. Ptaki, które żeby stać w miejscu, muszą ciągle latać. Ron, widoczny przez zawalony płot, podlewa ze słoika grządki przekwitłej sałaty i róże wokół pralki. Myślę o tobie, o twoim też szczupłym ciele.

– Jeszcze herbaty? – Wracam do moich gości. – Dziewczynki, soku?

Selena odważa się wziąć mnie za rękę. Słysząc naszą polską rozmowę, nie jest pewna, czy dokładnie zrozumiałabym jej prośbę. Puszcza dopiero, gdy sok się przelewa.

Dawno nie czułam skóry małego dziecka. Masz taką na wyprężonym penisie, cienką i gładką. W dzieciństwie byłeś cały obciągnięty delikatnością. Została na seksie, pozostałość po dziecięcym libido, impulsywnym i poza rozsądkiem. Czy można je winić? Małżeńska zdrada – poczęstowanie się kimś innym.

– Jesteście głodni? – Liczę na odmowę. Nie mam niedzielnego obiadu.

– Restauracje otwierają o pierwszej. – Jaś spojrzał na swój zegarek, odsuwając biały mankiet.

Uwielbiam ten gest u mężczyzn, niemal starodawny. Nie wyświetlanie czasu komórką. Mój ojciec ma podobny zegarek ze skórzanym paskiem. W dziecięcych chorobach trzymał mnie za przegub dłoni i mierzył puls, obserwując złote wskazówki. Nie wiem, na czym polega porównywanie sekundnika z biciem serca. On to umie, zaglądać w mechanizm mojego ciała, przywilej stwórcy. Wiedział o mnie więcej niż ja sama. Przynajmniej kiedyś. Teraz, po zawałach, wylewach, pogrążył się we własnym ciele osypującym się jak klif do morza wieczności.

– Dziewczynki zjadły ciasta w kościele. – Jaś przypomniał mi o mszy.

– W Polsce dają tylko opłatek. – Lula zerknęła zza książki osłaniającej ją przed maluchami.

– Ciasto jest po mszy. Można zostać, pogadać z księdzami – wytłumaczył jej Jaś.

– Jestem głodna – stwierdziła gotowa zawsze na restaurację.

W Polsce poszłaby do McDonalda. Amerykańskiego, który miał być Watykanem fast foodów, nazwała od progu „Szokeum". Obskurna sala z wyblakłym plastikiem ozdób, wyszczerbione kafelki brudnej posadzki. Nastrój porzuconej na odludziu stacji benzynowej. Nawiedzanej przez bezdomnych lub zagubionych turystów.

– Możemy gotować? – Bliźniaczki pobiegły do kuchni.

– U was też jest msza. Grają. – Jaś nasłuchiwał. – Chcecie zobaczyć soul msza?

– Ja nie idę. – Lula podskoczyła z kanapy przy drzwiach. – Wolę gotować. Idźcie, idźcie, my coś ugotujemy – zarządzała już bliźniaczkami.

Muzyka była doskonała. Nie skojarzyłam jej z kościołem na rogu.

Dziesięć rzędów kościelnych ławek, w każdej po dwie, trzy osoby. Jesteśmy jedynymi białymi. Przy wejściu dostajemy śpiewnik i serdeczny uśmiech od dziewczyny w długiej spódnicy. Zajmując się nami, wybija tamburynem rytm psalmu śpiewanego przez potężną solistkę w wydekoltowanej bluzce.

– Oh, Lord, my Lord, yes, my Lord... – Zamyka oczy, niesie ją muzyka.

Korpulentna kobieta przed nami zrywa się, przekrzykuje ją w żarliwości. Błyszczą jaskrawe suknie, pióra egzotycznych ptaków zdobiące kapelusze fruwają razem z pieśnią. Wszyscy klaszczą, tupią w wytarte dechy. Śpiewaczka wyciąga ręce do wiernych, prosząc o pomoc, wymachuje nimi Bogu. Podłoga drży, elektryczne organy prowadzą melodię nie gorzej od mistrza żużlu dławiącego silnik na wirażu. Nie umiem śpiewać, nogami wybijam rytm. Muzyka rozbija sztywność mojego ciała. Włączam się w okrzyki:

– *Hey, man! Hey, man!*

Jasiu woła:

– To nie *hey, man*, tylko *amen*, ejmen.

Nie ma znaczenia. Pastor w białym garniturze przemawia. Na przemian: parę huczących natchnieniem zdań i melorecytacja. Wrzask, błagania, słowa wyrzucane w rytmie rapu. Jego głos też jest muzyczną falą. Niesie się daleko poza otwarte drzwi kościoła, uruchamiając samochodowe alarmy.

Połączenie wudu i koncertu bluesowego. Nie wszystko chwytam, słowa przenikają emocjami prosto w serce. Pastor w transie nawija godzinę. Unosimy się euforycznie razem z nim, spadamy w piekielne czeluście. Dołącza do niego kobiecy śpiew. Rozpoznaję w nim słyszane w domu melodie, trzęsące zamurowanymi oknami.

– Mówię wam, bracia, siostry. – Pastorem miota przy ołtarzu. – Jesteśmy jednym, jednym westchnieniem. Tyle trwa życie ludzkie. Oby było westchnieniem do Boga. Nasze życie różnie się kończy. Za brak pomocy w śmiertelnym zagrożeniu idzie się pod sąd. Nie pomógłbyś swojemu bratu wiszącemu nad przepaścią? Siostrze błagającej o chleb dla dzieci? Nie widzicie? Wszyscy jesteśmy w śmiertelnym zagrożeniu. Wszyscy oddamy niedługo ostatnie westchnienie na ręce Pana. A za co idą nasi bracia do więzienia? Za nieudzielenie pomocy? Nie... Za kradzież, za rozbój, za morderstwo. Umierający zabijają umierających, okradają ich. Stworzyliśmy piekło na ziemi, gorsze od diabła, my, dzieci Boga, bliższe mu od aniołów. Och, siostry moje, bracia! Powiedzcie: Nie!

– Nie! – przekrzykuje go chór.

– Nie! – huknął pastor.

– O nie! *Oh, my Lord, Amen, Amen!*
I zawodząca pieśń potrząsanej rytmem solistki.

Ochłonęłam, wróciłam myślami do zwykłej kościelnej ławki niewielkiego kościoła na rogu mojej ulicy.

– Nie wiadomo, co wykombinowały. – Myślałam o dziewczynkach.

Msza soul trwa godzinami. Przekracza wymiary czasu. Przebija śpiewem ściany i duszę. Spod zamkniętych powiek Jasia spływają łzy. Jaskrawość niedzielnego poranka przepuszczona przez kolorowe okna kościoła nadaje im jarmarczną poświatę nierealności. Opanowany, zdroworozsądkowy Jaś roztopił się na tej mszy? Był niedawno w swoim kościele akademickim. Godzinę odstał za pulpitem katolickiego biura do spraw Boga. Blady opłatek, pokwitowanie wiary, przełknął na pamiątkę gorzkiej wiedzy, nie radości bycia dzieckiem bożym.

W domu dziewczynki siedziały dumne za stołem nad owsianką. Lula ustawiła między talerzami kwiaty. Puściła muzykę z różowej maskotki-adapteru kupionej w drogerii. Miniaturowa płyta kręci się pod rozbłyskującym zdjęciem Marilyn Monroe. Nagranie powtarza w kółko śpiewaną przez nią pieszczotliwie kolędę *Santa Baby*.

Budzenie dzieciaka do szkoły powinno stać sie dyscypliną olimpijską. Przestałam je uprawiać w Berkeley. Tutaj Lula zrywa się pierwsza, zadowolona z czekającego ją dnia. I szkolnych obiadów – pizza, hamburgery.

W jej klasie jest chudziutki Brazylijczyk Philippi. Mniejszy o głowę od reszty. Zawarł niemy sojusz z Lulą. Ona mówi źle, on w ogóle. W swoim języku chyba też nie. Pytany na lekcji, wydaje rozpaczliwe dźwięki. Groźne, gdy ktoś dokucza Luli.

– Amerykanie z nami się nie zadają – powiedziała po pierwszym dniu. – Uważają nas za małpy. Philippi jest z dżungli, nie umie jeść widelcem ani łyżką. Na stołówce nałożył sobie sałatkę palcami i jadł prosto z tacy. Mnie też tak nakładał. Ale wolę go od reszty, przynajmniej miły. Pytali, czy jesteśmy rodzeństwem, ślepi są?

– Przyrodnim.

– Aaa.

– Panią mamy fajną, Miss Rathwell. Lubi Elvisa Presleya. W klasie powiesiła zegar, wskazówki są jego nogami.

W mojej szkole dostałam się do innej klasy. Prowadzi ją dwudziestoparoletnia Gabriela.

– Rozumiem wasz problem; moja rodzina przyjechała z Rumunii, miałam czternaście lat – przedstawia swoją historię. – Musiałam zmienić język. Wygraliśmy zieloną kartę. Przylecieliśmy do Los Angeles. Pierwsza noc w motelu przepłakana w poduszki. Nie było odwrotu, mieszkanie sprzedane, została nam Ameryka. Dwa pierwsze lata szkolny koszmar. Póki się nie nauczyłam angielskiego. Mów albo zgiń. Podnoszę rękę.

– Znam to, mam córkę w szkole.

– Współczuję. – Gabriela odsuwa okulary spod długiej grzywki.

– Ja też. – Siedzący koło mnie Hiro, ojciec dwójki absolwentów tokijskiego uniwersytetu, składa grzecznie ręce, imitując współczucie.

Japoński profesor ekonomii świetnie zna angielski. Ambitnie chce się doszkolić.

Emerytowany kolumbijski ksiądz Mario i Abdul, maturzysta z Arabii Saudyjskiej, przytakują, chociaż nie mają dzieci. Ksiądz głaszcze cudze po główkach. Arab będzie swoje tłukł. Tak robił jego ojciec, teraz już nie bije, Abdul dorósł i zastanawia się nad małżeństwem. Niecierpliwie oczekuje przyjazdu matki. Ona oceni, czy poznana w Berkeley Saudyjka nadaje się na żonę.

– No co? – odpiera buńczucznie nasze zdumienie. – W USA pięćdziesiąt procent małżeństw się rozwodzi. A wiecie, ile w Arabii Saudyjskiej zaaranżowanych przez rodziców?

– Dwa procent. – Mario zna statystyki unieważnień katolickich ślubów.

– Też pięćdziesiąt – cieszy się Abdul. – Widzicie? Nie ma znaczenia, sam wybierzesz czy rodzice. Matka zna mnie lepiej...

Jeden zero dla dżihadu. Jedenastoletnia Lula zaprzeczyłaby, że w ogóle coś o niej wiem, a tu dziewiętnastoletni pustynny amant przekonany o wszechwiedzy matki.

Koniec lekcji, idę Telegraph Avenue do domu. Ta ulica legenda jest skansenem lat sześćdziesiątych. Łącząc kampus z Oakland, była tętnicą buntu. Murale opowiadają monumentalną historię starć z policją, walki o prawa obywatelskie i Park Ludu. Minęło pół wieku – hipisowski park zamienił się w obozowisko bezdomnych. Ćpają, śpią pod billboardem „Módl się, żeby twoje dziecko nie zostało deweloperem". Chodniki zapchane straganami wyprzedającymi wspomnienia po Janis Joplin, Hendriksie. Przy jednym ze skrzyżowań stolik rozłożył tarocista. Kiedyś zbierał tu podpisy przeciw wojnie w Wietnamie, podejrzewam, i tak został. Niszczone karty poborowe podmienił na wróżebne; do jakiej kategorii losu się wcielisz. Emerytowani hipisi handlują nadal koralikami. Młodzi polegują w ubraniach koloru ziemi. Żywe pomniki pokrytej kurzem przeszłości. Chodnikowa muzyka ogłusza kawałkami z Woodstock.

Skręcam w cichą Chilton Way, moją ulubioną. Dziesięć domów po każdej stronie między bajkowymi ogródkami. Sąsiedzi, siwowłosi, ale młodzieńczo wysportowani, siadają na przyzbie i zamiast piwka ćmią skręty. Z ogrodu Rona ani z otwartych szeroko dzień i noc okien jego drewnianego domu nigdy nie pachnie trawą. Lula, chora od smrodu marihuany, nie lubiłaby naszego sąsiada.

– Ron! – Zastaję go przy zawalonym płocie. – Co ty palisz, elektroniczne skręty?

– Jaaa? – Przypomniał sobie o sobie samym. Zebrał energię zasilającą od rana aplikacje jego umysłu. – Palę sałatę. – Pokazał zaniedbaną grządkę.

– Żartujesz.

– Nie. Naprawię płot. – Podniósł deski, dopasował je w powietrzu, nie wiadomo do czego.

– Sałatę?

– Indianie palą dziką sałatę, domowa nie jest gorsza. – Zerwał nadgniły liść. – Wyciskasz sok i białe mleczko suszysz w słońcu, masz opium. Opium dla ludu, chcesz?

– Nie, wracam z Telegraph, nawdychałam się.

– Na rogu Telegraph i Channing jest dobry sklep Happy Herbs, mają dziką sałatę. Nie lubię tamtych okolic. Trupiarnia. Wiesz dlaczego, Janis Joplin, Hendrix, Amy Winehouse, Kurt Cobain.

– Co Cobain? Wiek śmierci, dwadzieścia siedem? – Domyśliłam się.

– Umarli w wieku Chrystusa.

– Chrystus miał trzydzieści trzy lata.

– Policz. – Wyginał długie palce. – Dwa dodać siedem jest dziewięć. Dziewięć to trzy razy trzy. Albo lepiej trzy razy trzy, razy trzy, czyli trzy do trzeciej potęgi. Rozumiesz, dwadzieścia siedem to trzy do trzeciej potęgi, wiek Chrystusa zapisany trzy i trzy do potęgi. Muzycy są kapłanami. Gwiazdy muzyki giną za swoich fanów, trzydzieści trzy, wiek chrystusowy, ale mała trójeczka dla odróżnienia. Cholerna susza. – Kopnął grudę rozpadającą się w pył. – Gwiazdy uschną i zaczną spadać, zobaczysz.

Wiadomo, co roku spadają w sierpniu meteoryty. Nie potrzeba do tego suszy ani obliczeń. Potaknęłam ugodowo. Jakiekolwiek słowo rozerwałby na liczby i znaczenia. Obrosłoby fraktalami skojarzeń, zatrzymując nas przy ruinie płotu.

Nie mogę się skupić. Przez dziurę w drzwiach wpadają listy i płoszą koty. Rachunki za wodę, prąd. Siadam znowu przy stole. Ronowi za oknem sypią się sztachety. Nie ma mu kto pomóc. Nie widuję jego znajomych, przyjaciół.

Oczywiście mógłby wyjść i w berkelejowskim stylu zaczepić przechodniów. Ale walczy sam.

Samotny mężczyzna jest gotowy na szaleństwo albo kobietę. Mężczyźni, ci mityczni, wydestylowani z przeciętności, występują parami. Don Kichot i Sancho Pansa, Sherlock Holmes i Doktor Watson, Don Giovanni i Leporello. Ego z głupszym, niedorozwiniętym libido podążającym za swym panem. W *Californication* pisarz jebaka, Hank Moody, wspiera się przyjaźnią swojego agenta, jeszcze większego erotomana. Łysy, wiecznie napalony przyjaciel, wyrzucony z agencji literackiej za onanizowanie się podczas pracy, wygląda jak penis na viagrze. Nie może być lepszej ilustracji schematu: bohater i jego zaprzyjaźnione libido. Żywy straszak, w co się może osunąć facet, jeżeli nie pokona przeszkód na drodze do ideału. Do nieosiągalnego superego bez wad, przydzielającego ordery oraz szczytne cele.

Wyjątkową parę stanowią Wokulski ze starym Rzeckim. Trzymający się ziemi i realiów Wokulski jest ego. Idealizujący młodszego od siebie przyjaciela Rzecki – superego. Walczy o swojego Stacha tracącego rozum dla zmysłów. Superego Rzecki przegrywa, gdy Wokulski nocą, wyskakując z pociągu, rozpuszcza się na zawsze w ciemnościach libido.

Mężczyzna jest zawieszony między swoim niższym stopniem rozwoju a skamieniałą wersją idealną, pozbawioną zmysłowości. Skala pomiędzy rozpustą a depresją. Don Giovanni, podając rękę Komandorowi, podaje ją pomnikowemu mężczyźnie i śmierci. Jeżeli nie chcesz być libidojebaką ani zramolałym starcem superego, co zostaje? Smuga cienia, sens i smutek?

Ty gdzie się miotasz? Kamienujesz mnie przykazaniami i myślisz: „Nie stać cię na mój uśmiech, suko".

Nie masz przyjaciół. Licealny kumpel, z którym obejrzałeś wszystkie filmy, przedyskutowałeś prozę iberoamerykańską, ośmielił się pocałować cię w usta. Nie byłeś zniesmaczony, raczej oszukany. Następny przyjaciel, też okulista, był twoim ojcem – zdolnym pijakiem i lekomanem. Kryłeś go do czasu, gdy ktoś doniósł, co wygaduje o tobie u ordynatora. Trząsł się o swoją posadę, więc oczerniał zdolniejszego. Po twoim odejściu na prywatną praktykę przestał u nas bywać. Dzwonił. Powstrzymywałam się przed syceniem do słuchawki. Ty spokojnie rozmawiałeś. „Świnia, ale inteligentny, ma zawsze coś ciekawego do powiedzenia". Mężczyznom łatwiej zachować pozory przyjaźni. Nie odróżniają jej od własnych interesów.

Luter przełożył Biblię, starając się, „żeby Mojżesz nie przypominał w niczym Żyda". Ty przez lata postarałeś się nie przypominać tego, kogo kochałam. Jesteś Mojżeszem błądzących do ziemi obiecanej normalności. I jak Mojżesz do niej nie wejdziesz. Lula ze mną tak, uratujemy się, ty będziesz warował w swoim DDA. Dorosłe dziecko alkoholika, dorosłe dziecko z poziomu libido domagające się od życia ciuciusia. Z drugiej strony zrzędzący starzec superego. W twoim głosie, gdy obrażony wołałeś: „Za kogo się masz?!", było rozkapryszenie gnojka i dorosły gniew. Cenna mieszanka, za którą płaciło się kiedyś obcięciem jaj. Kastraci mieli dziecięcą czystość tonu i siłę męskich płuc. Beze mnie jesteś wykastrowany, zostało ci szaleństwo. Drży w twoim głosie, walcząc o siebie.

Nie dzwonisz już tydzień. Przeszłość nie dzwoni, jej nie ma. Nie ma też przyszłości, jest teraz i nie teraz. Popijam meksykańską damianę, ziółka ze sklepu Happy Herbs. Mają podnieść nastrój, podkręcając libido. Szoruje mnie w waginie, jakby ktoś w niej strugał tępe pożądanie i leciały z niego drażniące opiłki.

Lula też nie jest szczęśliwa. Trzyma moją stronę, martwiąc się o ciebie. W szkole same zgryzoty – nazywają ją Meksykanką.

– Przez wąsy. – Szarpie ciemny meszek nad ładnie zarysowaną, nadąsaną wargą.

– Jakie wąsy? – pocieszam ją. – Masz ciemną karnację.

– Śmieją się ze mnie.

– Idioci. Nie masz wąsów pod nosem, masz tam brwi.
Dostaję w głowę poduszką.

– Okej, okej, pójdziemy wyrwać – zgadzam się.

Zakład kosmetyczny przypomina cukiernię. Różowy,
lepki od uprzejmości obsługujących dziewczyn. Siadamy
przy pustym stoliku. Proponują Luli mniej bolesną metodę
indiańskich kobiet – hokus-pokus patyczkami nad mesz-
kiem. Woli tradycyjne polewanie gorącym woskiem. Nie
krzyczy z bólu. Szok dopada ją po wyjściu z salonu piękno-
ści. Ociera kropelki krwi i siada na chodniku, płacząc. Jest
znowu dzieckiem, raczkującym ku kobiecości.

– Nie chcę, więcej nie chcę. – Rozmazuje łzy zakurzony-
mi dłońmi.

W drodze powrotnej zapłacę za prąd. Mijamy liceum
rozbudowane do wielkości miasteczka. Basen, sala teatral-
na, profesjonalny stadion z gorylami we mgle – tak nazywa-
my zamaskowanych i powypychanych w ramionach graczy
baseballu.

Na skrzynce rozdzielczej wymalowani słynni absolwenci – jazzman, sportowiec. W 1947 skończyła tutejszą
High School pisarka sciencefiction Ursula K. Le Guin. I ten
sam rocznik – Philip K. Dick, „Autor powieści, na podstawie których zrealizowano *Raport mniejszości, Pamięć abso-
lutną, Łowcę androidów*" – czytam z pomalowanego transformatora.

Mam ochotę uklęknąć przed elektryczną kapliczką.
Philip K. Dick jest moim wielotomowym bogiem. Geniusz,
nowoczesny gnostyk szukający w przypadkach dowodu
istnienia innej rzeczywistości. Pojawił się z twarzą wymalo-
waną zielenią na ulicznym transformatorze właśnie, gdy
szłam zapłacić pierwszy rachunek za prąd? Przebicie świadomości typowe dla prozy Dicka. Zgadzam się z nim, świat
jest psychiczny. Na drugim piętrze budynku, gdzie płacę
rachunek, jest również Psychic Institute. Udzielają porad
wróżebnych, bioenergetycznych i duchowych.

Sprawdzam ścieżki Dicka w Berkeley. Mieszkał na tej samej ulicy, gdzie jest liceum. Pod koniec lat pięćdziesiątych, głodując, kupował słodkawe końskie mięso z Lucky Dog Pet Shop. Tam kupuję karmę kotom. Pracował na Telegraph, w Rasputinie – istniejącym nadal sklepie z płytami. Był Hendriksem, Jimem Morrisonem literatury. Talent, desperacja, samozniszczenie, typowa mieszanka lat sześćdziesiątych. Nie doczekał hollywoodzkiej sławy i kasy. Zmarł w 1982, kilka miesięcy przed premierą *Łowcy androidów*, swojego pierwszego hitu kinowego. Doceniam Dicka coraz bardziej. Obawiam się, że w pełni pojmę po śmierci, z wymiaru, skąd oceniał doczesność. Niedostępny mi punkt widzenia napędzany narkotykami i geniuszem.

Parting is all we know of Heaven, and all we need of Hell – przepisuję w szkole cytat z Emily Dickinson. Wychodzę wcześniej zdać dziś egzamin na prawo jazdy. Hiro ma to już za sobą, udziela mi ostatnich rad.

– Zdasz, wszyscy zdają – zapewnia.

Po zaliczeniu pisemnego staję przed tablicą okulistyczną. W Polsce wzrok bada lekarz, tutaj urzędnik wydziału komunikacji. Zakrywam jedno oko – mgła, drugie – nie odróżniam tablicy od portretu Obamy. Mam złe soczewki. Razem dają radę, osobno ślepota. Przyznam się i czeka mnie męka nowej pielgrzymki po okienkach. Sfotografowałam więc tablicę pamięcią. Krótka pamięć działa u mnie pół minuty. Starczyło na wyrecytowanie niewidocznych znaków. Ostatni etap – jazda.

Śmiesznie łatwa w porównaniu z przejażdżką po Warszawie. Nie zapominam o poradzie Hiro:

– Natychmiast przyspieszaj do pięćdziesiątki, nie trać prędkości. – Wziął dodatkowe lekcje przed egzaminem.

Japończyk. Nie może stracić twarzy przez najmniejszy błąd.

Obwożę egzaminatorkę spokojnymi uliczkami wokół urzędu komunikacji. Trzymam prędkość, trochę nas wciska w fotele, gdy ruszam ze skrzyżowania. Egzaminatorka na kolanach wypisuje protokół. Zawracam i bezbłędnie parkuję, praktyka kilkunastu lat.

– Nie wolno tak przyspieszać w strefie zabudowanej. Wariatka! – Rzuca mi kartki pomazane wykrzyknikami. – Zanieś papiery do okienka, dostaniesz następny termin. – Trzaska za sobą drzwiami.

Zostaję sama z klęską i tymczasowym prawem jazdy. Przede mną jeszcze dwie szanse. Nie przyznam się Luli do porażki. Powtórzy ci i będziesz triumfował. Bulgotał z uciechy w swoim piekle złorzeczeń: „Ameryki ci się zachciało, niebezpieczna jesteś dla siebie i dziecka".

Hiro czuje się winny. Przychodzi z żoną, paczką czekoladek, papierem do origami.

– Złożymy żurawia, kwiatek. – Rozkłada przed Lulą bajeczne kartki.

Źle trafił. Lula, upraszczając sobie życie, nazywa jedną stronę prawą, a lewą drugą prawą. Nigdy nie złożyła według instrukcji najprostszej papierowej łódki. Nieświadomy tego Hiro, profesor ekonomii, doradca premiera, tłumaczy jej wytrwale, gdzie zginać kolorowe kartoniki w dziób żurawia, skrzydło motyla.

Malutka japońska żona opatulona wełnianą suknią nie mówi po angielsku. Uśmiech starannie pomalowanych ust odsłania masywny, srebrny aparat korekcyjny pobrudzony czerwoną szminką. Po bokach brakuje paru zębów.

– Implant, implant – wyjaśnia, wsadzając palec między brakujące trzonowe.

Przyniosła ze sobą świeżą rybę i ryż w porcelanowym termosie. Uczy mnie jeść pałeczkami. Coś zrobiłam nie tak. Szarpie rękaw mężowskiej marynarki.

– U nas wbija się pionowo pałeczki w ryż zmarłym na grobach. – Hiro kładzie je obok talerza i dalej składa motyla.

– Dlaczego? – Nie wiedziałam o cmentarnym menu.

– Bo kadzidełka też ustawia się im w pionie...

Po wizycie Lula nadrabia lata bez origami. Składa coraz szybciej motyle, motyle.

– Nie przekrocz pięćdziesięciu kilometrów na godzinę – radzę.

– Co? – Wokół niej furkoczą skrzydła.

Zlatują ze stołu w naostrzone czatowaniem kocie pazury.

Zaproszenie od Naomi na piątkową kolację. Kupuję koszerne wino. Nie jedzą koszernie, ale to jedyne, z czym kojarzy mi się szabas. Jessica przynosi kwiaty. Ron kawałek wszechświata.

– Kosmos składa się w dwudziestu sześciu procentach z ciemnej materii. – Przebiera nerwowo palcami na niewidocznej klawiaturze komputera. – Dwadzieścia sześć. – Zaznacza ważność informacji ginącej wśród rozmów o niczym.

Opiera się o drzwi tarasu przykrytego hinduskim baldachimem. Stoły zastawione talerzami i świecami w meksykańsko jaskrawych misach wypełnionych białym piaskiem.

– Taaak? – Skierowane do wszystkich zainteresowanie Huvita podchwytuje Ron.

– Spójrz, Bóg po hebrajsku ma wartość dwadzieścia sześć. – Pisze palcem w piachu wokół zapalonej świecy: Je Ho.

Naomi doniosła na jednej ręce tacę z pieczywem, drugą zakrywa usta Ronowi.

– Nie wymawia, nie wymawia się imienia Boga.

– Jesteś wierząca? – mówi przez jej palce.

– W szabas tradycyjna. – Ze śmiechem zapycha go kawałkiem słodkiej chałki.

Przychodzi Jessica, jacyś ludzie pracujący w paleolitycznej restauracji Trzy Kamienie. Huvit czyta błogosławieństwo z kartki.

– Nie mogę zapamiętać – kończy i bierze gitarę.

Gra swoją melodię, drepcząc w miejscu dla podtrzymania rytmu. Dzielimy się chałką, pijemy z jednego kieliszka wino. Lula, najmłodsza, dostaje ostatni łyk.

– Zaraz, zaraz. – Ze skrzyni, na której siedzimy, Naomi wyciąga pozłoconą tekturową koronę. – Twój pierwszy szabas, będziesz królową szabasu.

Lula unosi ostrożnie kieliszek. Nie może uwierzyć w swoje szczęście – wolno jej pić, jest koronowana.

Wino zabarwiło pod nosem plaster zakrywający podrażnienie po depilacji.

– Postawcie moje butelki. – Przyjechał Ruben, ojciec Huvita.

– Z twojej winnicy? – Ron ogląda nalepki.

– Nie w tym roku. A... my się nie znamy. – Podaje mi dziarsko dłoń.

Jest rozwiedzionym wdowcem. Ciężej przeżył rozwód niż śmierć matki Huvita. Był prawnikiem. Nie wolno mu było brać używek. Na imprezie w Nowym Jorku zjadł ciastko z marihuaną.

– To było zaraz po rozwodzie, początek lat siedemdziesiątych. Zjadłem ciasteczko i musiałem wyjść do pokoju obok. Położyłem się na płaszczach. Godzinę wisiałem nad swoim ciałem i... nie rzuciłem pracy. Rzuciłem racjonalne poglądy. Bóg istnieje. – Zaczął płakać.

– Tata tak ma. – Huvit z szacunkiem podał mu chusteczkę. – Wzrusza go religia.

– Nie mogę opisać Boga... to się nie da. – Rubin otarł oczy.

Przeczekaliśmy przypływ jego wzruszenia, podając sobie ostrożnie z rąk do rąk podziurawione pudełko szabasowych ziół.

– Nimi pachnie raj – pouczyła nas Naomi.

Nie zdążyłam przetłumaczyć skomplikowanej kwestii bliskości w mózgu ośrodków węchu i pamięci. Stąd siła zapachowych wspomnień, czemu nie raju... Zanim się odezwałam, dyskutowano już o paleolitycznych potrawach z Trzech Kamieni.

– Nieprawda, że mięso jest szkodliwe i podnosi cholesterol – udowadniał brodaty chłopak w wełnianej czapce. –

Nasze mięso obniża, jest od szczęśliwych krów, dlatego. Nasze masło jest nieszkodliwe.

– Zły i dobry cholestreol, ale szczęśliwy? – zadziwił się Huvit. – *Happy Cholesterol* – zagrał melodię podobną do *Happy Birthday.*

Naomi podjęła piosenkę, patrząc mu zalotnie w oczy. Po latach są znowu pod ślubnym baldachimem. Jedwabne płachty łopoczą od wieczornej bryzy, lepią się do belek. Płomienie świec kładą się z wiatrem. Spojrzenie zakochanych jest nagie, nie przesłania go duma, złość. Bez tajemnic i cudzych bogów. Ty masz ich tylu, żałosnych bożków krzątających się wokół twojego psychicznego gówna. Podcierają ci duszę po wyrzygu na mnie.

Komuś upadł talerz. Brzdęk szkła przypomina tłuczenie kieliszka na żydowskim ślubie.

Czuję się podwójnie samotna. Osamotniona wśród szczęśliwych. I brakuje mi ciebie. Dodawanie samotności do nieskończoności nie ma sensu. Nie mogę podwójnie, potrójnie licytować nieszczęścia, każda z kart jest znaczona własną winą. Gdybym nie wyjechała... byłoby jeszcze gorzej.

W domu Lula podpytuje o judaizm. Zasmakował jej winem zlizywanym spod nosa z mokrego plastra.

– Dopiero po bar micwie jest się prawdziwym Żydem? – Coś usłyszała na dzisiejszym szabasie. – Wcześniej sztucznym?

Wyrzucam z sypialni koty ukryte za telewizorem, pod kołdrą.

– Nie masz szans na bar micwę, *sorry*, dziewczynki przechodzą bat micwę. Najpierw musiałabyś się dużo uczyć, bo jest egzamin – mówię spod łóżka.

– O nie, tylko nie to. Zdałaś prawo jazdy?

– Mhm. Śpij. – Kładę się obok niej.

– A ja nie będę miała dzieci, wiesz? – Rozmarzyła się.

– Taaak?

– Nie umiałabym im wytłumaczyć matematyki.

Powstrzymuję śmiech, matematyka środkiem antykoncepcyjnym. Macierzyństwo dla biednej dyslektyczki oznacza odrabianie lekcji. Całuję rozgrzany łebek.

– Pachniesz winem. – Próbuję paznokciem ściągnąć przemokły, ledwo trzymający się plaster.

– Zajrzałam do pudełka, tego, wiesz, z rajem. Suszone goździki i stary cynamon.

– A czego się spodziewałaś? – Zakrywam ją kołdrą.

– Lubię wanilię.

– Większość ludzi lubi wanilię, niebieski, mruczenie kotów – powtarzam jakąś ankietę.

– Przemalujmy Pilu akwarelą, zmyje się. I pokropimy wanilią do ciast. Naprawdę, w raju przestaniesz być smutna. – Kładzie mi rękę na czole.

Sprawdza, czy mam gorączkę? W jej wieku smutek wydaje się chorobą.

Kot usłyszał swoje imię, służalczo zamiauczał zza drzwi i wbił się w nie z drugiej strony pazurami. Wali łapami. Nie odpuszcza straszony pohukiwaniem, rzucaniem kapci, książek. Jego kocia duma rozciąga się na pół godziny. Po tym czasie zwija ją razem z ogonem. Sczłapuje ciężko po drewnianych schodach na swoje legowisko.

Nie mogę spać. Powstrzymuję się, żeby do ciebie nie zadzwonić. Sprawdzam, czy jesteś podłączony do Skype'a. Mój nocny, zmiękczony nastrój nie ma nic wspólnego z twoją różniącą się o dziewięć godzin brutalną jawą. Wolę wyjść na ganek. Biorę ciepły szal. Piątkowy wieczór pachnie hinduskimi kadzidłami. Z daleka słychać policyjne syreny. Szmer między bluszczem może oznaczać oposa, żmiję, cofam się do drzwi. W oknach u Naomi ciemno. Przy moim odbudowanym płocie ognik i chrzęst gałęzi.

– Ron?

– Ron. – Zaciąga się papierosem.

– Niedługo pełnia.

– Nie wybieram się. – Usiadł na trawie po swojej stronie zawalonego płotu.

– Gdzie?

– Na Moonlight Party, do Frisco. Trzyma cię *jet lag*?

– Wino, szabas. Nie wiem.

– Dam ci sałaty, usypia.

– Poczekaj.

Zapaliło się światło w jego kuchni. Ron przyniósł kubek herbaty.

– Zadziała za kwadrans. – Wciągnął z przyjemnością opary.

Wypiłam sianowaty wywar. Wróciłam po skrzypiących schodach. Miały dźwięk poluzowanej deski w moim domu. Położyłam się przy głęboko śpiącej Luli. Gałęzie dębu sunęły z wiatrem po deskach ścian. Kaskada dźwięku naśladowała wartki strumień. Woda wchłonięta przez drzewo była nadal słyszalna w szmerze liści. W moim ciele płynęła roślinna dusza. To nie była chemiczna tabletka rozpuszczająca się w żołądku. Obca siła porastała ręce, nogi. Nie wiem, czy zasnęłam, czy straciłam świadomość. Pozwoliłam się skolonizować cudzej wyobraźni. Obrazy były wyraźniejsze od snu. Zniknęły z pamięci, kiedy rano wypoczęta otworzyłam oczy. W kącikach zebrała się ropa. Odpadła niby ochronne pakuły niepotrzebne po otwarciu cennej przesyłki. Resztki wydłubałam, szykując śniadanie.

Luli upiekłam placki, sobie gotowałam owsiankę na mleku migdałowym.

Mieszając w garnku, zastanawiam się nad magią roślin. Zwykła sałata potrafi zawładnąć ciałem i umysłem. Mleko migdałowe, płatki owsiane też mają ukryte moce? Kupiłam za dolara zwitek białej szałwii sprzedawanej na chodniku Telegraph. Zioła przewiązane czerwonym sznurkiem podpala się, by indiańskim sposobem oczyścić dom. Lula uwielbia smugi kopcącej szałwii. Biega z nią między sypialnią a salonem, strasząc dymem koty. Okadzenie komputera ci nie pomogło.

Posypuję owsiankę cynamonem. Wrzucam ziarna karda-
monu, próbując upodobnić ją do horchaty z meksykańskich
restauracji. Białego napoju o aromacie pierników, zostawia-
jącego pudrowy posmak sytości.

Niedaleko otworzono sklep rybny. Sprzedają najśwież-
szy towar z nocnego połowu. Codziennie biorę ostrygę.
Czasem zawracam po drugą. Wiem, narażam swoją duszę.
Za karę w następnym wcieleniu mogę być ostrygą. I to tylko poprawia ich zbawienny smak. Dostać w losowaniu koła
samsary wapienną skorupę. Dać się kołysać najczystszym
wodom i mieć za córkę perłę. W tym wcieleniu nie chroni
mnie pancerz. Charakteru, kasy, czegokolwiek. Raz powlok-
ło mnie cienką warstwą szczęścia, we wczesnym dzieciństwie. Byliśmy na wiejskich wakacjach. Drewniany dom
z malwami za oknem. Obrazy świętych pochylone nad wy-
krochmalonymi piernatami. Kibel za domem. Fascynował
mnie czeluścią wyrżniętą w desce. Zaglądałam do niego,
trzymając za żółte warkocze. Niewiele brakowało, dotknę-
łyby gównianej brei. Rzucałam w końskie muchy kwiatami
i patykami. Wychyliłam się, wpadłam. Mój krzyk usłyszała
na podwórku sąsiadka. Wyciągnęła z szamba. Ociekającą
sraczką zaniosła matce.

– Pani. – Nie raził jej smród. – To dziecko będzie miało
w życiu szczęście, i to jakie.

Miała rację. W porównaniu z utopieniem w gównie
wszystko wydaje się szczęściem. Czekanie na ciebie również.

Horchata, ostrygi pozwalają oddzielić się smakami, których nie znasz. To już mój świat, nie masz do niego wstępu,
nowe wrażenia uruchamiają nowe zmysły. Po nich przyjdą
nowe wspomnienia. Będę kimś innym.

Zjem jeszcze jedną ostrygę, przeciwko tobie.

Wysysam z niej smak oceanicznej fali. Słona świeżość
rozbryzguje się na podniebieniu. Razem z ostrygą przełykam szklany kolor Pacyfiku i posoloną mgłę. Pekluje się
w niej moja niewyraźna przyszłość, bez ciebie.

*

Po szkole idziemy z Lulą w nagrodę do cukierni ukrytej za popularnym pubem Jupiter. Bliskość piwoszy zobowiązuje – ciasto jest z dodatkiem guinnessa, śnieżny krem skropiony whisky. Właściciele kawiarni, nowojorczycy, mówią wyraźnie w porównaniu z Kalifornijczykami. Moja nauczycielka uważa, że kalifornijski wygra. Cały świat ogląda holywoodzkie filmy, więc wchłonie akcent i słownictwo. Typowo kalifornijskie *hela* wyprze popularne *awesome* – super, powtarzane z częstotliwością polskiego „kurwa".

Wylizujemy ciastka z pudełka, idziemy bocznymi ulicami, gdzie na płotach zamiast napisów „Huj", „Żydy" wiszą wiersze. Zdarzają się i uliczne biblioteczki – skrzynki, skąd każdy może wyjąć książkę albo włożyć jakąś godną polecenia.

Pół whiskowego ciastka – pół drogi do domu.

– To niesprawiedliwe. – Staje przed nami facet w garniturze i z urzędniczą teczką. Oskarżycielsko pokazuje skapujący krem. – Też chcę, gdzie kupiłyście?

Lula w odruchu dobroci daje mu spróbować odłamany kawałek.

– Boskie. – Całuje ją z wdzięczności w brudne od długopisu paznokcie.

Dajemy mu opakowanie odrukowane adresem cukierni.

Wybrałam się na seminarium z poezji. Prowadzący je profesor Hass, przyjaciel i tłumacz Miłosza, zachorował. Zastępuje go asystent, również poeta. Sala zapełnia się studentami.

Asystent przy tablicy jest potwornie nieśmiały. Uwagę od jego purpurowej ze zmieszania twarzy odciągają neonowo żółte adidasy. Widać ich jaskrawe podeszwy, kiedy zapisuje staroświecką kredą swoje typowo angielskie nazwisko. Nie oznacza ono anglosaskiego pochodzenia. Długa głowa antropologicznie pasuje do Skandynawii.

W XI wieku Normanowie podbili Wyspę. Wystarczył jeden skandynawski plemnik, by na tysiąc lat zostawić genetyczny odcisk.

Zmęczona tremą asystenta zagapiłam się na kasztanowce za oknem. Gdyby mężczyźni mieli jeden plemnik, nie miliony, ich jądra porastałyby kolcami jak owoce kasztanów. Kobiety wytryskiwałyby ikrą przedostającą się przez prącie do moszny. Zapłodniony plemnik zagnieżdżałby się w jądrach równie rozciągliwych jak macica. Odpadałyby z kopiącym je noworodkiem po dziewięciu miesiącach. W ten sposób naturalnie wykastrowany mężczyzna byłby prawie matką, wspaniałym ojcem. Nie takim jak ty.

W domu ciąg awarii.

– Normalne. – Jessica zna się na wymianie belek i wibracjach. – Zmiana właściciela zaburza obieg energetyczny i to, co miało się zepsuć, pada. – Daje mi wizytówki do zaufanych remonciarzy.

Od tygodnia obserwuję zamieranie zmywarki z lat sześćdziesiątych. Jakbym czekała na koniec sezonu *Mad Man*. W tamtych czasach nie wymyślono jeszcze kostek zmywarkowych, wsypywano proszek. Laura zostawiła mi w spadku ekologiczny przepis: dwie łyżki sody oczyszczonej, łyżka kwasku cytrynowego. Sodę sprzedaje się tu kilogramami: na wyrób pasty do zębów, ból żołądka, jako pochłaniacz lodówkowych zapachów, do szorowania podłóg. Tania sodka jest wróżkowym pyłem przemieniającym chore w zdrowe, brudne w czyste.

Zmywarka działała na sodzie od pół wieku. Ekscentryczna ze swoim stylem lat sześćdziesiątych. Bez obfitości tamtych czasów nie byłoby wydłużonej maski cadillaca, po której czołgała się w Dallas zakrwawiona Jacqueline Kennedy. Chociaż różowy toczek, kostium Chanel były za cienkim pancerzem przeciw kulom snajpera. Jacqueline nie uciekała, zostawiając męża z głową rozwaloną niby arbuz na strzelnicy. Ryzykując życie, błagała eskortę o ochronę prezydenta przed kolejnym strzałem. Policyjne syreny, krzyki, dławione wzruszeniem głosy komentatorów. Coraz cichsze i dalsze odgłosy lat sześćdziesiątych. W zmywarce ustaje kapanie rdzawych kropli na talerze. Przywożą nowoczesną.

Dzień później, o świcie, eksploduje spłuczka w kiblu. Pogotowie hydrauliczne może przyjechać nazajutrz. Kieruję potop do spływu pod prysznicem. Jaś przesyła namiar na hydraulika z przedszkola swoich córek. Mają stronę internetową rodziców, gdzie polecają sobie zaufanych fachowców.

Łazienkowy potop przeszkadza Luli w porannym strojeniu się przed lustrem. Zaparowane nie odbija całego piękna upiętego na czubku głowy koka. Wsiadając do wozu, prawie ukucnęła, by zachować fryzurę.

Nie zdążyłam wrócić przed przyjściem hydraulika. Z płóciennątorbą na ramieniu stoi pod dębem, opukując go kluczem francuskim.

– Dobre drzewo – ocenia. – Trzysta lat jak nic. A ja niecałe -siąt i już emerytura.

Obszedł dom, znalazł główny zawór.

– Za dużo luzu, ściśnij. Skróć przerwę na końcu słowa. – Majstrując przy zaworach, jednocześnie koryguje moją wymowę.

Naprawił krany, wziął się do śrub podtrzymujących meble przy ścianach. Dosięgnął najwyższej półki bez krzesła. Zaciekawiony starym wydaniem poradnika lekarskiego, nie różni się od emerytowanych profesorów przesiadujących w kawiarniach. Czyste dżinsy, drelichowa koszula, wyciszony głos kogoś, kto zna wagę swoich poglądów. W młodości służył na atomowej łodzi podwodnej.

– Hydraulika atomówki? – Podaję mu uszczelki do spłuczki.

– W Korei, wojna koreańska, pięćdziesiąt–pięćdziesiąt trzy, byłem inżynierem.

Zastanawiam się, ile będzie kosztować naprawa kibla przez inżyniera łodzi podwodnej.

– Drogie są części? – pytam po długim milczeniu.

– Nie, lubię pochodzić za tańszymi. Wyjście z domu po coś jest w moim wieku przyjemnością. Pracuję dla przyjemności.

Rodzina osiedliła się cztery pokolenia temu w Sacramento. Przygnała ich gorączka złota. Dorobili się winnic. Jego ciągnęło do mechaniki, lubi, kiedy wszystko działa. To go uspokaja. Dlatego nie odstawia fuszerki, nie mógłby zasnąć.

– Nie byłaś w San Francisco? – dziwi się. – Metrem pół godziny, warto zobaczyć, póki jest. Taki kalifornijski żart – dodaje niepewny, czy zrozumiałam.

– San Francisco? – Jaś dzwoni sprawdzić, czy jestem zadowolona z poleconego hydraulika. – Niegłupi pomysł. Mam dziś wolne popołudnie. O której odbierasz małą? Spotkamy się pod szkołą?

Lulę wyróżniał kok. Dodatkowa, włochata głowa pośród jednogłowych dzieci szalejących na chodniku po dzwonku kończącym lekcje. Szła ostrożnie, złapała za klamkę wozu, nie zaglądając do środka.

– Ooo. – Cofnęła się, widząc swoje miejsce zajęte przez Jasia.

Usiadła z tyłu, niezadowolona.

– Naprawdę? Frisco? – Próbowała nas zawrócić.

– Lulu. – Przygotowany na marudzenia swoich bliźniaczek, podetknął jej paczkę owocowych pianek. – Co byś chciała?

– Nie jechać pod oceanem.

– Tylko metro jechać tunelem.

– Zjeżdżam na bok! – Przyhamowałam. – Nie pojadę mostem.

Zapomniałam o moście Beach Gate, pochłonięta trzymaniem się pięciopasmowej autostrady z karkołomnymi zjazdami w dwie strony. Legendarne nazwy dla turystów: kawiarnia Triest, gdzie Coppola pisał *Ojca chrzestnego*, Ashby

Avenue – pierwsza hipisowska ulica – przesłoniły zagrożenie.

– Ty prowadzisz. – Zatrzymałam się pod wiaduktem. – Mosty nie są dla mnie.

– Europejskie fanaberie. – Jaś przyjrzał mi się rozbawiony. – Kierowca *my Lady*.

Lulę ucieszyła zamiana miejsc, miała mnie z tyłu, przy sobie.

– Pierwszy raz Amerykanie ze mną rozmawiali – zwierzyła się, napchana piankami. – Kok zadziałał, mówili do niego...

– Przepraszam. – Jaś poczuł się winny. – Amerykanie... izolacja budzi lęk.

– Ja się nie boję – zaprotestowała. – Dzisiaj uczyliśmy się trzymać kurczaka, żeby się nie bał. W ogrodzie są kurki. Zapisałam się na dyżur, bierzesz kurę od spodu.

– W Polsce rok szkolny zaczynał się od policjanta z wilczurem – przypomniałam.

– Mhm. Kładliśmy się i uczył nas bronić się przed psem, żeby nie zagryzł.

– To ważne, poczucie bezpieczeństwa. – Jaś użył automatycznego pilota formułek, musiał się skupić przy wjeździe do miasta.

– Ćwiczyliśmy dziś alarmy. – Dorosły kok Luli podskakiwał, przytakując z góry jej słowom. – Przeciwpożarowy – wyszliśmy na boisko, trzęsienie ziemi: pod ławki. A gdyby ktoś strzelał, zamykamy drzwi, dopiero potem pod ławki.

Zdałam sobie sprawę, że nikt nie pilnuje szkoły. Wejście na patio jest prosto z ulicy.

Jaś, obserwujący mnie w lusterku bladą i wystraszoną, postanowił nas zabawić. Wybrał największe górki San Francisco, niemal pionowe zjazdy. Złapałyśmy się za ręce, piszcząc. Mignął krystalicznie dzwoniący tramwaj, zadźwięczał widoczny przez moment szklany odłamek oceanu. Nasz rollercoaster zwolnił.

– Najważniejsze do zrozumienia Frisco były początki. –

Skręcił na Misję, dzielnicę wokół pierwszego kościoła. Założyli go meksykańscy misjonarze, idąc wzdłuż wybrzeża Kalifornii.

Lulę zaciekawiła makieta na kościelnym podwórku przypominającym koszary z *Zorro*. Rekonstrukcja osiemnastowiecznej osady. Fort i baraki Indian.

– Indianie pomarli od ciężkiej pracy dla misjonarzy. W Meksyk była rewolucja, kościoły przestały mieć pieniądze, San Francisco wyludniało. Wtedy najechała gorączka złota. Banki, duże domy i tysiąc dziewięćset piąty – wielkie trzęsienie ziemi. Ludzie musieli mieszkać w parku. Kto był zły dla innych: egzekucja. Więcej mężczyzn zginęło od egzekucje, mniej od trzęsienie ziemi i pożar. Trzeci raz miasto znikało w latach osiemdziesiątych, razem z AIDS. To tyle w skrócie, nie idąc w szczegóły. – Starał się mówić przystępnie dla Luli. – Castro – przeczytał nazwę mijanej dzielnicy.

Na ławce, przy nieczynnych torach tramwajowych, niezadowoleni faceci w samych majtkach wystawiają się do słońca.

– Niedawno zakazali im siedzieć goło. – Jaś podjechał i przeczytał oparty o ławkę transparent protestacyjny. – Ze względy higieniczne.

Mniej roznegliżowani przechadzali się wokół w obcisłych spodniach.

– Możemy zwiedzić muzeum dżinsów i chińską piekarnię? – Otworzyłam zaznaczone strony przewodnika.

– Dlaczego by nie. – Jaś uruchomił samochód. – Ale dlaczego? – zastanowił się.

– Bo to ważne.

Lula zlizuje lody zapatrzona w okno, zobojętniała na to, dokąd jedziemy. Pod kokiem zmienia się jej obraz świata. Inaczej wyobrażała sobie Amerykę. Dziewczynki nie tylko w Berkeley, ale i te w wielkomiejskim Frisco różnią się od polskich rówieśniczek. Bez makijażu, tandetnej patyny seksowności, wyglądają na swój wiek, młodziej.

– Wiecie, skąd wziął się dżins? – Znalazłam dziwne sploty okoliczności. – Z genueńskiego płótna włoskich marynarzy Levi Strauss uszył w San Francisco pierwszą parę dżinsów. Wytrzymałe robocze gacie dla poszukiwaczy złota. Genua wymawia się po amerykańsku „Dżenua". Dżins powinien być amerykańską flagą, bo Kolumb urodził się w Genui.

– A co to ma wspólne z chińskim piekarniem?

– Pierwszy raz upieczono ciasteczko z wróżbą we Frisco. Dżinsy, krótkie prorocze zdania wróżb, chińskie opium z whisky dały kulturę beatników.

– Zapomniałaś o Hitler. – Jaś z lubością użył niemieckiego akcentu. – Bez niemieckie uciekiniery z Reich nie ma gołość, kult ciała i swoboda. Oni dali Kalifornii nudyzm. Bez Adolf Hitler nie byłyby bitniki, a bez nich *hippies*. Niemcy *über alles*.

Wjechaliśmy do chińskiej dzielnicy. Znaleźliśmy historyczną fabrykę ciasteczek.

W ciasnym pokoju wróżebnymi Parkami są powyginany reumatyzmem dziadek z kozią bródką i stulatka z twarzą obwiązaną chustką. Albo bolą ją zęby, albo opada jej szczęka ze starości. Ona wybiera ze słoja wydrukowane paski wróżb. On zaciska maszyną opłatek. Kupuję jeszcze ciepły, chałupniczy los. Rozgryzam: „Szczęście, którego szukasz, jest w innym ciasteczku". Lula dostała przepowiednię: „Noc nie jest końcem dnia". Wydaję następnego dolara. Niech będzie coś o tobie. W moim nowym ciastku wróżba po chińsku. Proszę Chińczyków o przetłumaczenie. Nie odrywając rąk od pracy, wysuwają żółwie szyje. Mówią oboje naraz. Jaś prosi o powtórzenie, jeszcze raz. Kłania się i wychodzimy na podwórko. Słychać szczęk naczyń w pobliskiej restauracji. Klimatyzacja warczy, mieląc powietrze na zdatne kawałki.

– No i co? – Obydwie jesteśmy ciekawe.

– Nie wiem. Nie chciałem robić im przykro, ale nie rozumiem. Im się wydaje, że mówią po angielsku.

Jedziemy do Berkeley mostem. Lulę ukołysało miarowe dudnienie. Jaś włączył stację bez reklam, z balladową muzyką.

– Może lepiej nie wiedzieć wróżby? – powiedział przed siebie, do siebie.

– Nie ma znaczenia.

– Co chciałaś znać?

– Bo co? – Widziałam jego przekorny uśmiech.

– Czasem znam odpowiedź.

– Nie jestem twoją studentką, nie znasz odpowiedzi na moje pytanie.

– Wiesz, co napisał mi student w esej? „Ludzie są dobrzy, póki nie spotkają inne ludzie". Amerykański egzystencjalizm.

– To mi chciałeś powiedzieć? – Podejrzewałam, że wie, o czym myślę.

– Oceniłem studenta esej *remarquable*. Co można pisać Sartre'owi z jego „Piekło to inni"?!

Jechaliśmy na północny zachód w ciemnościach. Światła statków zapalały się na przemian z odległymi punktami gwiazd, szkicując geometrię nocy.

– Dlaczego przy mnie jesteś inna? Nie taka jak dawniej? – Ściszył głos, w którym było więcej troski niż pretensji.

Wzdłuż mostu wystawały rusztowania starego, naruszonego trzęsieniem ziemi. Rozbierany od środka przęsło po przęśle, wisiał urwany nad oceanem. Starałam się na to nie patrzeć. Na szyderczo obnażoną konstrukcję mojej fobii.

– Nie chciałabym być jak dawniej.

– Niewarta mnie lubić?

– Lubię ciebie, nie lubię siebie. Tego, co ze mną się dzieje, a jestem taka, bo kiedyś... Rozumiesz?

– Nie.

Zaprzeczyć, że się zmieniliśmy? Nie mieszkamy w jednym akademiku, dzieląc się kaszanką na kartki. Nie widzimy się przelotem w Europie po konferencji naukowej, nie paplamy o minionym roku, zanim podjedzie taksówka i zabierze go z hotelu na lotnisko. Jesteśmy w prawdziwych domach, z dziećmi. Oddzieleni jego uprzejmością.

– To, kim jestem teraz, jest ciągiem dalszym tego, kim byłam dawniej. Moich błędów.

– Zalety też masz. Żałujesz dawniej?

– Bardzo.

– Ja też. Ale trzeba umieć zrobić *deal*.

– Z kim?

– Zostawić dawniej, zacząć inaczej.

– Dziękuję, ty moje ciasteczko, za przepowiednię. – Klepnęłam go przyjacielsko w pochylone nad kierownicą plecy.

– Nie zawsze jest słodko ciasteczko. Byliśmy z Tabitą na terapii.

– Wy?

– Lekarz nam poradził, ona potrzebowała. Zaczęliśmy nowy *deal*.

– Jest lepiej?

– Zawsze było dobrze, ale inaczej.

Dotknęłam jego ramienia, przytrzymałam złudzenie, że znowu się rozumiemy.

– Będzie dobrze. – Przetarł szorstką brodą moją dłoń. – Przyjdziecie do nas na Thanksgiving?

Moje „oczywiście" zagłuszyło wycie psa. Mogłam tylko potakiwać, gdy ruszaliśmy ze skrzyżowania. Husky'emu z wystawionym za okno łbem znudziło się stanie na światłach. Uznał, że gdy zawyje, ciągnięty przez niego zaprzęg ruszy.

Lula, nie otwierając oczu, wdrapała się do sypialni. W kuchni zaparzyłam sałatę. Bałam się bezsenności. San Francisco, rozmowa z Jasiem. Nastawiony w telefonie budzik odliczał ziołom kwadrans. Czekając, usiadłam w ciemnościach na podłodze. Głęboki oddech wyciszał myśli. Pilu, zirytowany bezruchem, przewrócił mnie, skacząc z bibliotecznej półki. Potrącił źle odłożoną książkę przeglądaną przez hydraulika. Przeleciała tuż obok mojej głowy.

– Mamo! – Lula się obudziła. – Ktoś jest w domu!

– Pilu narobił hałasu. – Podniosłam ciężki atlas.

– Nie! Na pewno ktoś jest. W szafie!

– Śniło ci się. – Poszłam do niej z naparem.

Cisza jest najlepszą kołysanką, dotyk tłumaczem – zdążyłam pomyśleć, zanim usnęłam w sałacie.

– Znowu nie ma płotu. – Lula ze szkolną torbą była pierwsza na ganku.

Wybiegłam za nią, przełykając śniadanie.

– Hej. Nic wam się nie stało? – wyseplenił Ron z gwoździami w ustach.

Młotkiem wywijał młynka.

Kolibry latały w przód i tył, szukały swoich stratowanych kwiatów.

– Nie przytrzasnąłeś ich?

– Ja? – Puścił deskę. – Nie czułyście trzęsienia ziemi?

– A ty mówiłaś, że kot hałasuje – przypomniała z satysfakcją Lula.

– Wyczuł? – Ron przeskoczył do nas przez resztki płotu. – Zwierzęta mają nadwrażliwość, chowają się, wyją, miauczą, czują fale z głębi Ziemi znacznie wcześniej.

– Pilu na mnie skoczył i przewrócił.

– Cztery stopnie w skali Richtera mogą przewrócić, kociak nie da rady.

Skrzypnęło i konstrukcja z desek się zawaliła.

– Bez sensu. – Splunął ostatnim gwoździem.

– Zatrzęsie jeszcze raz? – Przedzierałam się do furtki.

Dziwne wrażenie, gdy z domu zamykanego na klucz mogą zostać same drzwi.

– Kto to wie? Albo rozładowało napięcie skorupy, albo to wstęp do godziny zero. – Ron młotkiem tłukł gałęzie na naszej drodze.

– Mamo, spóźnimy się.

– Naprawdę myślałaś, że Pilu cię przewrócił? Ratowałaś logikę kotem? – Ukucnął przy moim wozie. – Kot Schrödingera też ratuje nas przed dezercją rozumu wobec fizyki kwantowej. Nie może zdechnąć ani żyć uwięziony między kwantami. Obserwując go, decydujemy, czy dostanie truciznę. Przestrzeń między jądrem atomu a elektronem jest zbliżona do odległości między Słońcem i Plutonem. Pustka. – Zademonstrował ją, dźgając powietrze gwoździem.

– Ron, podwieźć cię gdzieś? – Miałam nadzieję, że zostanie na ulicy ze swoimi przemyśleniami. – Spieszymy się.

– Spróbuję naprawić, w końcu to tylko deski. – Zbierał rozrzucone gwoździe.

Układam pocztę. Listy Laury na osobną półkę. Otwieram naszą korespondencję: Szkoła imienia Martina Luthera Kinga do rodzica lub opiekuna ucznia. Znam to z Polski: „Informujemy o zagrożeniu Luli ocenami niedostatecznymi". List gończy za matołem. Ale tym razem same trójki i czwórki, niemożliwe. Po co więc w połowie semestru straszyć listami? Małym drukiem informacja: „Wyniki pierwszego ćwierćsemestru". Niżej objaśnienie: 3 – bardzo dobrze, 4 – doskonale. Z boku dopisek: „Przyjemnością jest mieć Lulę w klasie – wychowawczyni Miss Rathwell".

Trzepnęło mną mocniej od trzęsienia ziemi. Z dumy przypięłabym sobie ten list agrafką jak order. Pakuję go do torebki, pokażę każdemu. Amerykańskie zaświadczenie inteligencji mojej córki. Gdybyś to widział! Przywiezienie Luli tutaj wyszło na dobre, na doskonałe! Jadę po nią.

– Co byś chciała? – Po pięciu latach zawstydzających wywiadówek przychyliłabym nieba wzorowej uczennicy.

– Zjadłabym lody. – Rzuca torbę do bagażnika.

– Nic więcej?

– Co mogę? – Mości się, zapinając pasy.

– Co chcesz.

– Dawno nie widziałam dużej małpy. Zoo?

Metro, przesiadki, w San Francisco nadziemna linia. Coraz dalej od centrum biedniejsze dzielnice klockowych, jednakowych domków. Falują na wzgórzach, różniąc się tylko cieniami oślepiającego słońca. Bez zieleni, nieludzko. Zwierzęta za to mają ładne zoo. Znajdujemy wybieg szympansów. Trzymają się rodzinnie, razem. Iskają. Oprócz ponurego samca. Huśta się samotnie. Pokiereszowany psychicznie, co widać po tragicznej mordzie. Przypomina ciebie. Nie musisz niezasłużenie cierpieć, wystarczy puścić tę cholerną gałąź i zleźć na ziemię.

Lula dostała swoje lody. Spacerujemy wokół zoo, znajdujemy plażę. Przed nami ocean. Po lewej, w dół, Ziemia Ognista, po prawej, idąc wzdłuż wybrzeża, Alaska. Stoimy między dwiema stronami świata w zszywce otwartego atlasu.

Fale wyrzuciły oceaniczne śmieci. Podchodzimy ostrożnie. Kable czy brudne sznury, okazują się wielkimi glonami. Kopnięte, wypuściły z sykiem powietrze. Jeszcze się chwilę wiją, zostawiając w piasku wilgotne wyżłobienia. Kilkumetrowe witki zakończone pławną, skórzaną główką wielkości piłki. Gigantyczne plemniki wypłynęły z oceanu zapłodnić kuliste jajo Ziemi.

Niosę do swojej szkoły pudełko dyniowego ciasta. Przyniosła je w prezencie Naomi. Posypane cynamonem i przyprawami nie ustępuje soczystej szarlotce. Od tygodnia jemy dyniowe ciasteczka, pijemy dyniowe soki.

– Ale pachnie. – W szkole Gabriela zachwyca się ciastem. – Prawdziwe święta.

– Jakie? – Abdul nie obudził się jeszcze nad swoją kawą w papierowym kubku.

Niósł ją z domu parującą przez zimne ulice.

– Dziękczynienia. – Gabriela wypełnia swoją misję edukacyjną. – Rodziny spędzają je razem na pamiątkę ocalenia pierwszych osadników.

– Święto Indyka – dodaje Hiro.

– Może podziękujemy za to, że jesteśmy razem w Berkeley? – Mario wszedł do klasy ostatni. – Każdy po swojemu. Nie przeszkadza ci to, Abdul?

– Doleję sobie kawy. – Wyszedł.

Gabriela zamknęła drzwi. Robi to za każdym razem, gdy mówimy o drażliwych sprawach: seksie albo religii.

Przymknęliśmy oczy połączeni uściskiem dłoni.

– Dziękujemy za bycie dzisiaj razem – powiedział Mario modlitewnie. – Dziękujemy za to, że możemy się uczyć. – Potrząsnął dłońmi stojących koło niego Hiro i Gabrieli.

– Żeby następny rok był równie udany. – Japończyk pochylił głowę.

– I za naszych dalekich bliskich – dodałam.

Mario przymierzał się do pokrojenia dyniowego placka. W cywilu nadal był księdzem. Dyskretnie wykonał plastikowym nożem znak krzyża. Wyraźnie dłonią w powietrzu pobłogosławił zebranym wokół stołu: prawosławnej Gabrieli, szintoiście Hiro i mnie, chemicznej katoliczce.

Abdul przyniósł kawę dla wszystkich. Postawił kartonowy sześciopak. Chcąc się wkupić w święto, wyjął z portfela rodzinne zdjęcie.

– Mój ojciec, rodzeństwo, mama, wujkowie. – Przesuwał się między nami za krążącą fotografią.

W chuście na głowie i długiej, białej sukni wyglądał poważniej, mimo trzymanej pod ramieniem maskotki.

– Pamiątka z dzieciństwa? – żartował Mario, pstrykając w głowę tygryska. – U nas dzieci mają misie.

– To prawdziwy tygrys – oburzył się Abdul.

– W domu?! Nie gryzie?! – przekrzykiwaliśmy się pytaniami.

– Nie słyszałem, żeby najedzone kogoś atakowały. – Spojrzał czule na zdjęcie.

– Tygrysy? – Gabriela wyłapała liczbę mnogą.

Pożarłby ją nawet jeden. Nie stać jej było na ubezpieczenie zdrowotne, a co dopiero na drogą karmę. Sądząc po minie, zdążyła już to przeliczyć. Ze szczerej, wschodnioeuropejskiej pogawędki wiedziałam, że zarabia dwa tysiące dolarów miesięcznie, z czego tysiąc płaci za wynajęcie pokoju.

– Nasz apartament nie jest duży – przyznał Abdul. – Sąsiedzi trzymają więcej tygrysów.

– Po co ci tygrys? – Hiro sądził, że czegoś nie zrozumiał.

– Parę lat temu w naszym mieście ktoś wyprowadził tygrysa na smyczy. I zaczęła się moda. Fajnie mieć zwierzę.

– Skąd je bierzecie? – Gabriela z wrażenia użyła karpackiego akcentu naśladowanego w skeczach o Draculi.

– Można kupić za dwadzieścia tysięcy dolarów. – Abdul mlaskał ciastem.

– No tak. – Zgarnęła ze stołu okruszki. – Jutro święto, więc wolne. Macie pytania? Nie zrozumieliście czegoś na ulicy, w telewizji, radiu? – Zaczęła lekcję jak co dzień.

Berkelejowskie zwierzęta pojawiają się znienacka. Oprócz kolibrów wiszących ciągle wokół kwiatów i wiewiórek tupczących po dachu o świcie. Niedawno widziałyśmy szary peryskop szacujący czarnymi oczkami wieczorną zatokę. Krzyknęłyśmy jednocześnie z Lulą: „Foka!".

W lokalnych wiadomościach powtarzają nagranie surferów. Chłopak sfilmował ślizg dziewczyny unoszonej przez wypływającą nagle wyspę. Wpadła na wieloryba wynurzającego się dla nabrania powietrza.

Zaskakujące spotkania zdarzają się również w mieście. Niedawno musiałam przepuścić stado dzikich indyków idących przez skrzyżowanie. Te bezbarwne, zlewające się z szarością zmroku pomioty dinozaurów dreptały w kierunku słynnego studia animacji PIXAR. Zdecydowały się pokolorować? Boczne lusterka trąbiących wozów odbijały ironiczne spojrzenia drobiowych olbrzymów. O rozmiarach indyków przekonałam się u Jasia na świątecznej kolacji.

Trzymał rękę do łokcia w oskubanym tułowiu. Zawinięty rękaw marynarki poruszał się między udami niemal ludzkiej wielkości.

– Dawniej ginekolodzy nie zdejmowali fraków, badając księżne i hrabiny – szepnęłam mu na powitanie.

Nie zorientował się, o czym mówię, pochłonięty upychaniem wypadającego farszu.

Goście spacerowali między podestami trzypiętrowego domu. Z zewnątrz oświetlony choinkowymi lampkami wydawał się wąską wieżą. W środku amfiteatr trzech małych scen wyłożonych wzorzystymi dywanami. Kolorowe ściany były tłem dla czarnych marynarek, ciemnych sukien przechadzających się w górę i dół z kieliszkami wina.

– Miło cię wreszcie poznać. – Tabita owija się wokół moich ramion, trzymając otwartą butelkę wina.

Jej szal spływa po szczupłym, wydłużonym w proporcjach ciele. Jaskrawa, połyskliwa tunika nie pasuje do akademickiego Jasia i reszty towarzystwa. Jeszcze ten aktorski makijaż, jasny puder, z obrysowanymi czarnym ołówkiem oczami. Przedwojenna aktorka paradująca po domowej scenie w egzotycznym turbanie, spod którego wystaje rudy lok.

Przedstawia mnie bezbarwnie sympatycznym ludziom.

– Kochana, mogłabyś otworzyć cukiernię! – Okazywano jej autentyczną serdeczność i wdzięczność za przyjęcie.

– Uwielbiam cię, stęskniłem się. – Dostawała całusy od gości, którym dolewała wina.

Otoczyła ją grupka przyjaciół. Dalej idę sama, szukając schronienia przed towarzyskimi powinnościami. Kanapę okupuje stary, przysypiający profesor historii. Żona, elegancka siedemdziesięciolatka o klasycznym profilu greckiej bogini, donosi mu sałatki. Żurawinowym sokiem cuci do życia. Jaś zdążył mi powiedzieć – druga żona, z pierwszą się rozwiódł.

Gorliwa opiekuńczość profesorowej usprawiedliwiała chyba skandaliczne małżeństwo.

– Tabita! – zawołała. – Usiądź z nami. – Wyciągnęła dłoń z ostentacyjnie ciężką obrączką. Białe złoto, diamenty albo żartobliwy tombak.

– Nie możesz się męczyć. – Zrobiła jej miejsce, przesuwając profesora. – Tak się napracowałaś, pyszne jedzenie, a gdzie córeczki?

– Bawią się, Max śpi.

Bliźniaczki zabrały Lulę do swojego pokoju.

– Podziwiam Johna. – Na oparciu kanapy przysiadł rozbawiony chłopak podobny do Jasia. Mógłby być jego młodszym bratem, bardziej bezczelnym i sepleniącym. – Umie piec indyka? Nie podejrzewałem.

– Umie już więcej ode mnie. – Tabita dolała sobie wina.

– Siadamy do stołu! – Bliźniaczki biegały po piętrach, potrząsając mosiężnymi dzwonkami. – Jeeemyyy!

Posadzono mnie obok dawnej podopiecznej Tabity. Dziewczyna wpadła w narkotyki po śmierci matki. Tabita, pracując dla opieki socjalnej, zabrała ją z Parku Ludu, znalazła rodzinę zastępczą i pracę w salonie paznokci. Nastolatka przebierała na blacie wachlarz tipsów pokrytych misternymi wzorami.

Ponad białym obrusem razem ze spojrzeniami i żartami powstawała druga warstwa utkana z coraz bardziej zrozumiałych dla mnie powiązań kilkunastu zaproszonych. Byli naukowymi dziwakami, samotnikami. Przez autystyczny intelekt, rozwody albo inne perypetie pozbawionymi rodzinnego wsparcia. Sycili się domowym nastrojem. Mnie Thanksgiving nie kojarzy się z tkliwością wigilijnych wspomnień. Obserwowałam ożywienie Jasia, jego gospodarskie zakrzątanie.

– Ile osób obchodzi pierwsze Dziękczynienie w Ameryce? – Siedział między Tabitą i żoną profesora.

Oprócz mnie rękę podniósł przylizany blondyn w czarnej koszuli i czarnym jedwabnym krawacie. Jego zaczerwienione oczy krótkowidza pociągnięte były czarną konturówką, delikatniej niż u Tabity, ale równie groteskowo. Przymykał je z udręką widoczną na depresyjnie zastygłej twarzy. Podobnie nieruchomą miewają alkoholicy. Ale ich depresja jest znieczulona. Zamęcza tylko ciało.

119

– Miesiąc temu przyjechałem z Niemiec, wykładam historię.

– Świetnie. A co? – Zachęcono go do wygłoszenia kilku zdawkowych zdań o sobie i zaletach Berkeley.

– Historię nazizmu.

– Bardzo ciekawe. Zawsze się zastanawiałam, dlaczego Niemcy... – Sąsiadka w wydekoltowanej sukni energicznie odwróciła się do niego. Wino rozluźniło napięte rysy jej inteligentnej twarzy. Zamilkła, zdając sobie sprawę z nietaktu pytania o więcej. Zamiast ust poruszyło się oko, drgając nerwicowym tikiem podkreślonej wieczorowym makijażem powieki.

Stary profesor nieoczekiwanie odezwał się donośnym głosem z drugiego końca stołu:

– Można się naczytać Woltera, Hegla. I co? W skrajnych sytuacjach wychodzi z ludzi zwierzę i kultura idzie się jebać.

Nie było w tym teoretycznej suchości formułki. Brzmiał cyniczną pewnością siebie człowieka doświadczonego prawdą o sobie samym.

– Kultura? – prychnęła tęga dziewczyna w drucianych okularach. Blade usta, mały nos ledwie się wynurzały z twarzy powleczonej folią przezroczystej skóry. – Technika jest kulturą, bez niej nie przeżyjesz. Zgadnijcie, ile kół ma samochód? Cztery? Trzy? – Wskazywała gości jak zbierający oferty na licytacji. – W moim trzyletnim fordzie wyświetliła się lampka z niedopompowaną oponą. Mechanik sprawdził, wszystko okej, ale lampka nadal świeci. Kazał mi otworzyć bagażnik, tam było piąte, zapasowe, podłączone do komputera.

Zajęta jedzeniem, wolałam słuchać. Godzinę, dwie. Moja obecność tutaj była przypadkowa, więc prawdopodobnie absurdalna. Odzywając się, wyłuskałabym własną śmieszność. Wśród obcych poczułabym się z tobą. Ty mnie ośmieszałeś, moje uczucia sprowadzając do parteru absurdu. Wyrywając słuchawkę i krzycząc, że nie mam prawa opowiadać znajomym o naszych sprawach.

Milcząc, pozbywam się ciebie? Czy ja zwariowałam? Musiałam się w końcu odezwać. Porozmawiać z żoną Jasia. Skomplementować żurawinowy kisiel i dyniowe ciasto nasączone ponczem.

Nie było jej, poszła do dziecięcego pokoju. Przedłużająca się nieobecność Tabity przyspieszyła koniec imprezy. Jaś obdzielał wychodzących indykiem.

– Weźmiesz? – Pakował porcje w kartonowe pudełka.

Poszłam po Lulę. Pomyliłam pokoje, otworzyłam drzwi małżeńskiej sypialni.

– O, przepraszam. – Usłyszałam kwilenie uciszane kołysanką.

– Wejdź.

Usiadłam na łóżku. Żarówka ledwie rozświetlała zarys poduszki, o którą opierała się Tabita z dzieckiem ssącym pierś. Duży cyc przymocowany do mlecznego ciała okablowaniem prześwitujących żył. Dziecko, pragnąc więcej matczynej bliskości i pokarmu, niecierpliwie skopnęło szal. Odsłonił się pień drugiej – wyciętej piersi. Zabliźnione, płaskie miejsce poruszane oddechem. Krótkim, nabierającym powietrza między zatykającymi głos łzami.

– Nie mam mleka – przyznała.

Turban zaczepiony o poręcz łóżka wisiał nad nią, odsłaniając łysą głowę. Do niego doczepiony rudy lok, chyba prawdziwy.

Z mroku wyjęła butelkę mleka. Odsunęła zassanego na jej zaskorupiałym sutku synka. Tabita była po drugiej chemioterapii. Oczekiwała następnych. Nie chciała odzwyczajać dziecka od piersi, siebie od prawdziwego życia.

– Nie czuję już smaku, mam zniszczone w ustach.

Przez moment zastanawiałam się, kto udaje, ona czy Jaś. Jej choroba zaczęła się bólem gardła. Odjęta pierś była późniejszym przerzutem. Bardzo rzadki rodzaj agresywnego nowotworu. Podwójnie pechowy, bo kobiety prawie w ogóle nie chorują na raka gardła. Jej przypadł w udziale promil odprysku prawdopodobieństwa. Guz, na którego w Ameryce zapadło pięć osób.

– W świecie nie wiadomo, ile jest podobnych przypadków, pewnie nie diagnozują. Mam szczęście tu żyć i umrzeć. – Odstawiła butelkę mleka, wyjęła zza poduszki na wpół opróżnioną wina.

Przyszłam pogawędką z nią zagłuszyć moje poczucie absurdu. Teraz słowa byłyby żałosnym jego potwierdzeniem.

– Tabita.

– Tabita – powtórzyła.

Nie było w tym pijanego szyderstwa naśladującego moją troskę. Przemawiała do siebie, stawiając się na chwilę poza sobą, swoim chorym ciałem.

Pod drzwiami przetoczył się tumult zabawy dziewczynek. Rozdzieliłam Lulę od bliźniaczek. Jaś nadal pakował przy wyjściu indyka w pudełka.

– Trzymaj się, ona jest taka dzielna – mówili goście.

– Spotkajmy się. – Przytuliłam go.

– Pojutrze?

Przytrzymał mnie za długo, jeśli odmierzać zwyczajność rytmem rutyny. Tkwienie przy drzwiach w ramionach Jasia, z nosem w jego marynarce, zaburzało płynny takt przyjaźni i korowodu opuszczających dom.

– Nie przez proga? – wytłumaczył sobie moje gwałtowne odsunięcie.

Znał polskie obyczaje. Kilka szklanek whisky i piwo nie wymazały ich z pamięci. Rozmawialiśmy o przesądach, chodząc w wakacje po Kotlinie Kłodzkiej.

– Niemcy nie mają tego zwyczaju. – Był pewien. – Podają rękę przez próg.

– Słowianie grzebali pod progiem prochy zmarłych. Na granicy dwóch światów.

– Po co?

– Do opieki nad domem.

– Nad czy pod? – Żartami wybijał mnie z tonu przewodnika.

Wyszłyśmy pospiesznie. Zanim do Jasia dotarł trzeźwiejszy przebłysk, że Tabita na progu śmierci jest obok, w sypialni.

Umawiając się z Jasiem, nie myślałam o przyjmowaniu gości. Propozycja rozmowy w kawiarni sam na sam zamieniła się w halloweenowe przyjęcie. Jaś opowiadał Tabicie o polskich pierogach.

– Na pewno jej zasmakują.

Zmusił mnie do ulepienia siedemdziesięciu. Licząc średnio – dziesięć na osobę. Będą oni, bliźniaczki, Lula, ja i jeszcze dwóch jego znajomych.

– Miły człowiek z psychologii, Maria, polubisz go, tęskni pierogi, oj, bardzo tęskni. Rok mieszkał w Czechi. Drugi osób, mój student, Amerykanin, ciekawi go Polska. Ktoś mu powiedział: „Jesteś tak smutny, może jesteś Polak?". Przyszedł sprawdzić na moje seminarium i został.

Przez telefon nie zamieniliśmy słowa o Tabicie. Nie wolno odmówić chorej. Ulepię pierogi. Nie kupi się ich w okolicznych sklepach ani w San Francisco. Jest tam bar z *Polish pirogi* na Mission. Meksykanie widzieli je w polskiej książce kucharskiej. Skopiowali, faszerując swoimi wyobrażeniami o tym, co równie katolicki naród może jeść. I sprzedają meksykański zajzajer po pięć dolców od sztuki pod portretem Jana Pawła w sombrero.

Pierrr...dologi, nie pierogi. Przy dwudziestym ruskim tłukę wałkiem o blat. Miga mi w oczach ze zmęczenia. Kocie plamy cieknąbielą. Szare się kurczą, im więcej Pilu wypija mleka. Zwinnie odchodzi od miski. Ja nie mogę się ruszyć. Dawny ból pleców stwardniał w ostrze wbite gdzieś obok kręgów szyjnych. Stygmat starości. Pojawią się następne, aż po błogosławioną śmierć. Odwracam głowę już tylko do pewnego miejsca, póki nie trafię na bolesną granicę. Nie da się jej przesunąć. Ani odmłodnieć.

W dodatku przeziębienie, mam stan podgorączkowy. Lula przywlokła ze szkoły jesienną infekcję. Leży na górze i mi nie pomoże. Dostała kataru od wieczornych spacerów bez czapki. W lodowatym wietrze podziwiała halloweenowe dekoracje: ogrodowe pająki wielkości człowieka, odrąbane ręce dyndające z drzew, demony na fotokomórkę.

Sklejam ostatnie pierogi. Wpada Jessica ostrzec przed wtorkowym czyszczeniem ulicy. Trzeba wtedy przestawić samochód. Dzisiaj komunalna polewaczka szoruje asfalt po jej nieparzystej stronie. Jessica zaparkowała pod płotem.

– Nie przeszkadza ci? – Zagląda przez uchylone drzwi. – Pizza? – Widzi zbite w kulę ciasto.

– Pierogi ruskie, znaczy *Polish pirogi*. Nie mam siły.

– Aaa. Kiepska jestem w kuchni – stwierdza obronnie. – Nie gotowałam dzieciom.

Czego się można spodziewać po kimś z nalepką na wozie widoczną nawet przez okno: „Zajmij się własną macicą, jeżeli ją masz". Mój feminizm gotuje i sprząta. Oczywiście kosztem opłacalnej pracy, pisania książek. No, ale nie oddam Luli do przytułku.

– Kto gotował twoim dzieciom? – Obejmuję bolącą szyję utytłanymi mąką rękami.

– Głodne nie chodziły. Kobiety w latach sześćdziesiątych poświęcały dzieciom dwa razy mniej czasu.

– Jak wy to robiłyście? – Zostawiam wałek w cieście, na później.

– Myślałyśmy. Przede wszystkim o sobie. Pomogę ci, odpocznij. Będę za godzinę.

Wróciła z orzeszkami koki. Legalny speed rozpuszczalny pod językiem. Lula bez mojej wiedzy poczęstowała się prezentem.

– Mały okruszek – usprawiedliwia swój nagły przypływ siły.

Skacze w miejscu, dwoma susami przebiega salon. Zatrzymuję ją w kuchni, daję wałek. Zagniatamy pierdologi.

Coraz szybciej, bach, bach na płask ciasto. Łyżka farszu łup, widelcem ząbkuję brzegi, następny. Kwadrans i ręce zawisają nad pustym blatem – zabrakło ciasta.

– Nudne są. – Lula przygląda się trzem półkom w lodówce zawalonym równiutkimi pierogami.

– Pomalować? – Przypomniałam sobie o tubkach z organicznym barwnikiem.

– Zróbmy dla siebie kolorowe.

Nie odmierza szklankami. Kokainowe gesty są szerokie, niemierzone w dekach. Przeniosłybyśmy tony. Wysypuje kilogram mąki z torebki.

– Będzie na zapas.

Po przymiarkach, którego barwnika użyć, decydujemy: czerwone ciasto – zielony farsz, niebieskie ciasto – różowy środek. Kropelka farby i blady pieróg staje się neonowo kolorowy. Ziemniaczano-serowe nadzienie ruskich łatwo przyjmuje barwnik. Zieleń zalatuje nowalijkami, różowy plastikiem. Ale to złudzenie, nie zmieniły smaku. Mózg nie potrafi oddzielić skojarzeń od barwy. Lepiej zamknąć oczy. Przymykamy je na dłużej, bo i złudzeniem była nasza siła. Po półgodzinie ubywa kokainowej mocy. Siadam na krześle podstawionym do zamrażarki. Nie domyka się od nadmiaru psychodelicznych wyrobów.

Idę spać, niedomyte ręce są tęczowe.

Skóra wchłania organiczny barwnik w sny wreszcie bez ciebie. Nosiłam w sobie twoją spermę. Najpiękniejsze perfumy dla kobiet od kochającego mężczyzny. Rozkładały się drażniącym zapachem. Parowały spod bielizny do pierwszego podmycia. Nie powinnam o tobie myśleć, powinnam zaschnąć.

Ostatnie przymiarki przed halloweenowym wyjściem Luli na ulicę. Pójdzie z bliźniaczkami. Jedna przebrana za dzidziusia zombi, druga wampiryczną Myszkę Miki. W ten wieczór uszy disnejowskiej myszy przestają być zabawne. Stają się wytrzeszczonymi oczodołami czaszki.

Lula w stroju demonicy dodaje sobie zakrzepłej krwi wokół ust. Dziewczynki pobrzękują przy drzwiach wiadrami na cukierki. Spodziewają się kilogramowych łupów. Ludzie wystawiają miski słodyczy dla halloweenowych kolędników. Dzień Dziecka nie jest równie wesoły. Zastąpiło go Święto Śmierci? Co my hodujemy w podświadomości? Nienawidzimy upiornych dzieciątek przyssanych do naszych genów i portfeli? Składamy je w ofierze naszym kredytom, nałogom.

Boję się odwrócić, spojrzeć na Tabitę. Halloweenowy wieczór musi być dla niej upiornym memento mori. Jej czas się skurczył, jest stężeniem wrażeń. Tabita docenia każdy swobodny oddech. Kęs pierogów, chociaż nie odzyskała smaku.

– Bardzo dobre – chwali.

Turban był patetyczny. Kwiecista chustka daje twarzy beztroskę. Przyklejone rzęsy na łysych powiekach nie zakrywają prawdziwych, wydają się więc naturalnie długie i gęste.

Niepotrzebnie Jaś przyszedł za mną do kuchni. Wodą z kranu nalewaną do czajnika zagłusza naszą rozmowę. Tabita i Kevin, jego znajomy psycholog, nie znają polskiego. Student „smutny jak Polak" mógłby coś rozumieć, ale rozchorował się w ostatniej chwili i nie przyszedł. Nie zakręciłam jednak kranu. Szum wody maskował intensywność naszych słów.

– Dlaczego mi nie powiedziałeś?

– Mam większe zmartwienie. – Jaś oparł się o ścianę nad zlewem.

Zapraszając mnie na Thanksgiving, wpuścił do siebie i bez słowa pokazał prawdę.

– Większe? – Nie wierzyłam. – Co może być większego? – Znałam męskie tchórzostwo, twoje. Uciekać w urojone choroby, pracę, teorie spiskowe.

– Tabita nie chce więcej chemia.

– Jak to?

– Lekarz ją namawia. Lepiej coś niż nic próbować.

– Bez chemii...

– Dwa miesiące. Zaprosiłem Kevina. Ona cię bardzo lubi i zgodziła się przyjść. Kevin jest najlepszy, umie przekonać. U nas w domu... Tabita nie chce więcej o tym mówić.

Z pokoju doszedł ich śmiech. Herbata gotowa, filiżanki na tacy. Tamtych dwoje powinno się zaprzyjaźniać, bez nas. To był plan Jasia. A my tutaj?

– Kiedy Tabita zdecydowała? Po Thanksgiving?

– Mhm.

Załomotały dzieci. Kevin miał bliżej do werandy. Otworzył... Huvitowi.

– Jessica mówiła o pierogowym przyjęciu. – Przyniósł butelkę z winnicy Coppoli, średnio drogie, uniwersalne chardonnay, nadpite.

– Wchodź. Czekaliśmy na ciebie – skłamałam.

Przy wjeździe do Kalifornii powinien wisieć napis „Welcome w stanie przesuniętej granicy obciachu". Plakaty z flejowatym Bigiem Lebovskim, wzorem kalifornijskiej elegancji, są tutaj do kupienia wszędzie. Łapcie, opadające gacie w pszczółki i bezczelna naiwność.

– Ooo? Naprawdę dla mnie? – Huvit klapnął obok Tabity przy pustym nakryciu studenta.

Entuzjastycznie opowiadał podpytującemu go Kevinowi, czym się zajmuje:

– Gram. Dobry stary jazz dla nowej depresji. W knajpach. Przyjmuję uczniów. Trzeba przeżyć ten cholerny kryzys. – Poluzował na brzuchu gumkę kolorowych kalesonów.

Wysoki, opalony Kevin z ciemnoblond włosami zaczesanymi do tyłu przejął zabawianie towarzystwa. Bez wodzirejstwa, dorzucając czasem słowo, pytanie jak podpałkę do ognia. Był dobry w swojej technice. Ludzie podpuszczani zainteresowaniem pozwalają sobie na szczerość. Fachowiec wyciąga ją z nich, wprowadzając w letarg ufności jak kobrę.

Wie, gdzie nacisnąć, i z rozwartych szczęk popłynie jad do nadstawionej fiolki. Lekarstwo przeciwko ukąszeniom. Terapia skończona. Pacjent przestaje być groźny dla innych i siebie.

– Meksykańskie pierogi? – Huvit zjadł najwięcej. – Nieee? A takie kolorowe.

– Póki nie ma dzieci. – Tabita wyjęła skręta. – Czy lepiej wyjść do ogrodu?

– Ile ma THC? – Kevina zainteresowała moc marihuany. Skubnął wystający z papierosa brązowy skrawek, polizał.

– Daje minimalny haj. – Wyjęła z torebki blaszaną zapalniczkę. – Nie wiem ile, ile to w skali... – Kliknięcie uwolniło iskry i płomień. – Zależy od sklepu, w Oakland mają siedemdziesiąt rodzajów od halucynogennej po znieczulającą.

Rzęsy sztywno zwisały z przymrużonych powiek Tabity. Regularnie przechodziła przez nie fala nerwowego tiku albo bólu.

Otworzyłam Huvitowi nową butelkę, zatrzymując go z nami w pokoju. Kevin i Tabita wyszli do ogrodu. Za ich plecami dyndał na drzewie halloweenowy dekor pomysłu Rona. Wisielec z fosforyzującymi gałami. Podpity Huvit uparł się tańczyć bluesa.

– Dobre na Halloween. – Odsunął krzesła pod ściany. – Czarni niewolnicy z plantacji śpiewali przy pracy. Indianie nauczyli ich swoich duchów. Bez tej opieki by nie przeżyli. Tak powstał blues, najbardziej amerykańska muzyka. Dwa ludy, jedno cierpienie, jedno bicie serca. – Uderzał pięścią w stół. – Czujecie? – Poprowadził mnie, kołysząc wystającym znad gaci, owłosionym brzuchem.

– John, serce bije. – Pociągnął go do nas, chwilę pobujał i zostawił.

Kręciliśmy się po pokoju. Mogliśmy z różnych miejsc podglądać rozmawiających w ogrodzie. Byli słabo widoczni. Rozświetlone okno przecinało odblaskami czarny ogród i nachylone do siebie sylwetki. Gdyby nie byli tak bardzo zajęci sobą, zobaczyliby nas ściśniętych przez Huvita w parę tancerzy. Klaskał do żałosnych jęków bezzębnego śpiewaka. Zrzucił łapcie, rytmicznie klepał pulchną stopą o podłogę.

Dziewczynki przyniosły pełne wiadra i opowieści:

– Na rogu, w garażu, już na nas czekali. Pani w lekarskim fartuchu, a jej mąż dentysta w masce Frankensteina. Kazali przed jedzeniem słodyczy wyleczyć zęby, mieli zakrwawione obcęgi i wiertła, ale fajnie było!

– Mama, tyle cukierków byś mi w rok nie kupiła. – Sztywnymi od chłodu palcami Lula przesypywała szeleszczące skarby.

Chłód, zmierzch z rozciągniętą po niebie blizną zachodu. Widywałam jesienią podobną przez okno bałuckiego mieszkania. Czerwoną, podrażnioną szkarłatem. Jedyny cud natury w zadymionym, szarym mieście na nudnej wyżynie z gliny, piachu i brzóz. Podobne światło, ten sam wilgotny ziąb. Podniosły nastrój Wszystkich Świętych, cmentarnego święta.

W Polsce po przyjściu z grobów, ubrudzeni stearyną zniczy, słuchaliśmy o wyjątkowości tego dnia. Wieczorem nie ma mszy. Nieuprzątnięty ołtarz zostaje dla duchów księży. Odprawiają nabożeństwo po zmroku. Żywi są wtedy na grobach, tłumy zmarłych w kościelnych ławkach. Nie wolno im przeszkadzać. Ani podglądać.

Bardzo chciałam zajrzeć, zobaczyć, kim są, usłyszeć, o czym mówią. Dlatego zostałam pisarzem historii? Wyobraźnią, nie faktami, przywracam duchom ich miejsce przy ołtarzu. Niech jedzą ciało, Chrystusa, piją krew, moją. Tyle kosztuje ożywianie zmarłych.

„Ten, który nie ma, może dać temu, który ma?" – zadawano zagadkę w jezuickiej szkole Ignacego Loyoli. Pytano o Jana Chrzciciela dającego chrzest Jezusowi.

Ignacy Loyola, założyciel zakonu Jezuitów, kazał rozwijać dociekliwy rozum, niezbędny w walce o doczesność. Spisał też reguły ćwiczeń duchowych prowadzących do świętości. Jemu, synowi hiszpańskiego szlachcica, świętości nie brakowało. Opadała na niego z niebios, otaczając chmurą wizji. Zobaczył anioła księżniczki d'Alba, obarczonego skrzydłami w kształcie maryjnej litery M. Jedno wielkości góry zamglonej na szczycie. Drugie potężniejsze od katedry w Sewilli.

Święty Ignacy objaśnił wizję: „Przeznaczeniem rodu Alba jest odkrywanie dalekich lądów i budowanie tam kościołów". Dokonają tego potomkowie księżniczki otulonej skrzydłami potężnego anioła. I tu święty się zawahał. Bluźnierstwem byłoby przepowiedzieć narodziny syna niezamężnej arystokratki. A zobaczył już dziecko w jej łonie. Dziecko pochodzenia anielskiego. Na dowód kazał chirurgom wyciąć nienaruszoną błonę dziewiczą księżniczki Alby. Przezroczysty płatek skóry naciągnięto na złote ramki i wywieziono do Escorialu, pałacu, gdzie ciała zmarłych królów hiszpańskich oglądali żywi. Wystarczyło zajrzeć do specjalnego gnilnika.

Błona Alby nie zgniła. Pojawił się na niej znak wodny: fale i zarys lądu. Ignacy Loyola pod wpływem nowej wizji kazał ją pokruszyć, wymieszać z piaskiem. Piasek przetopiono na szkło. Nie byle jakie, grube, kolorowe, z którego zrobiono witraż kościelnej kaplicy. „Na wyższą chwałę Boga" – powtórzył swoje ulubione zawołanie, z biegiem czasu dewizę jezuitów.

Tylko światło może przebić witraż, nie naruszając jego dziewictwa – objaśnił z jezuicką zręcznością łączącą wiarę i rozum. Poradził księżniczce opuścić Hiszpanię, gdzie nikt nie był jej godzien. Pamiętaj, powiedział przed podróżą swoją słynną maksymę: „Ufaj tak, jakby wszystko zależało od Boga, a działaj tak, jakby wszystko zależało od ciebie". Na statku, zamknięta w swojej kajucie, cierpiała ciążowe mdłości. Uznano je za chorobę morską. Marynarze widywali bladą księżniczkę nocą. Przechadzała się w swojej półkolistej sukni po falach. Niektórzy twierdzili, że to wielka meduza. Ktoś widział Albę w dzień frunącą nad pokładem.

Złudzenie unoszenia się dawała suknia podbita futrem z delikatnego owłosienia łonowego dziewic, ofiarowanym księżniczce przez hiszpańskie zakony w posagu. Alba jednak nie wyszła za mąż. Nie znalazła godnego siebie męża. Jej ochrzczone wodą morską dziecko umarło, urodzone przedwcześnie w podróży. Złoto kolonii przeznaczyła na budowę katedry. Kazała Indianom wykuć ją w najwyższej górze Santa Cruz, przykrytej tropikalnymi mgłami. W dolnej kaplicy złożyła relikwie zmarłego dzieciątka Jezus. „Ufaj tak, jakby wszystko zależało od Boga, a działaj tak, jakby wszystko zależało od ciebie" – słowa świętego Ignacego Loyoli wykuto nad sarkofagiem. Bóg sprawił, że przed ukończeniem na wpół wyrzeźbiona góra katedry się zapadła. Księżniczka zginęła przysypana. Nie wydobyto ciała spod rumowiska. Okoliczni Indianie modlili się do Matki Boskiej i jej dzieciątka. Żadne z nich nie wniebowstąpiło. Woleli zostać ze swym nawróconym ludem „na wyższą chwałę Boga".

Napisane na sałacie.

Po Halloween drugie podejście do prawa jazdy. Te same rytualne gesty, zanim ruszę: lewa ręka wystawiona przez szybę i zgięta – skręt w prawo, wyprostowana – stop. Instruktor, tym razem drągowaty służbista, zanotował wyniki testu. Do mojej małej hondy wsiadł prawie na baczność. Odchylił się, potem złamał i przejechał niedogolonym zarostem przednią szybę. Zostawił tłusty ślad z osypką łupieżu wzdłuż deski rozdzielczej.

– Wyjedziemy na bulwar – rozkazał.

Potoczyłam się wolno do skrzyżowania. Stanęłam w korku.

– Proszę zająć prawy pas – zdecydował.

Zajęłam. Przede mną furgonetka migała reflektorem na dachu. Rozglądam się po ulicy. Ogrody jeszcze oplecione syntetyczną pajęczyną, tablice nagrobne zwisają z furtek. Samochody po lewej już dawno wjechały na bulwar.

Cierpliwie czekam za rozmigotaną furgonetką. Trupy zza płota szczerzą zęby. Ich szyderstwo wyrywa mnie z otępienia. Wychylam się, sprawdzam drogę. Furgonetka zasłoniła kilka wozów z wyłączonymi światłami. Martwy pas ruchu. Zmyliły mnie jej migoczące pomarańczowo światła, najwidoczniej postojowe. Co z tego, że na dachu...

– Przepraszam. – Gwałtownie wykręcam.

– Nie ma za co. Nie odróżniasz parkingu od ulicy. Zawracaj, nie zdałaś.

Idę prosić w okienku o łaskę. Ostatni, trzeci termin egzaminu. Nad urzędnikiem tablica okulistyczna. Może mnie przepytać z liter, z cyfr, jest władcą mego zmotoryzowanego losu.

– Kiedy chcesz? – Czyta wyniki oblanego testu.

Musi mieć ubaw, nie widział jeszcze kierowcy parkingowego.

– Czerwiec? – Ryzykuję, w lipcu wylatuję ze Stanów. Według przepisów zostały mi trzy miesiące na powtórkę klęski.

– Niech no popatrzę, brak miejsc, brak miejsc. – Uśmiecha się, gryząc ołówek. – *Well, well, well.* – Widzi moją wizę. – Ile lat masz europejskie prawo jazdy?

– Kilkanaście.

– Odpowiada? – Podaje mi komputerowy wydruk, stawia pieczątkę, przedłużając tymczasowe prawo jazdy.

– Baaardzo.

Nie pomyliłam się. Utwierdza mnie w tym porozumiewawczy uśmiech urzędnika: sierpień, czyli nigdy.

Mieszam się rano z tłumem w kampusie. Pustawe zazwyczaj ścieżki między sekwojami są o tej porze nie do przejścia. Truchtam za wielojęzycznym tłumem. Kierunek wskazuje uniwersytecka wieża, latarnia wiedzy. Horyzont oklejony paskiem oceanu.

Przeskakuję chodnik. Przejście zajmuje leżący chłopak w rozpiętym prochowcu. Obojętnie mijany, spisuje notatki, opierając zeszyt o krawężnik. Trafiło go natchnienie albo ostry atak ego. Studenci rozstępują się przed ludzką przeszkodą i suną do swoich instytutów. Poranny kampus jest organizmem z przeciskającymi się przez arterie ścieżek krwinkami. Młodą krwią zdolnych dzieciaków pochłanianych przez Instytuty Biologii, Chemii, Fizyki jednej z najlepszych uczelni świata.

Poezja wydaje się reliktowym narządem ludzkości. Czymś w rodzaju niepotrzebnych zębów mądrości. Wyrzynają się od razu spróchniałe, jak przeszłość ze swoimi radami. Po co one, komu i do czego? Poezja też nie wydaje się przydatna. Zainteresowani nią studenci są neurotyczni. To nie młodzi naukowcy idący prężnie do swoich instytutów, fabryk wiedzy i huczących laboratoriów.

Słuchacze literackich wykładów zakryci płachtami gazet studenckich ukrywają, póki się da, swoje dziwactwa. Oczekiwanie na profesora Hassa, słynnego poetę, wzmaga natężenie neurozy. Sapanie zza papierowych parawanów i tabletów. Gruźlicze pokasływania, w których hipochondryk wyłapałby odgłosy ptasiej grypy, SARS, eboli, AIDS-owego zapalenia płuc. Przeciągłe wycieranie nosa albo wysmarkiwanie go w palce. Czyjaś noga w sandałach nerwowo podskakuje i przebiera palcami wzdłuż niewidocznej klawiatury ukrytej pod podłogą. Obok mnie siada roznegliżowana dziewczyna, stanik i króciutka spódnica. Sztuczne futro osuwa się z oparcia krzesła, odsłaniając kościste ramiona. Dziewczyna żuje gumę, patrząc na pustą tablicę. Za nią sadowi się muzułmanka otulona po czubek głowy białymi szmatami. Pożycza półnagiej tomik wierszy.

Obserwując je, przeoczyłam nadejście profesora.

Dobrotliwy, siedemdziesięcioparoletni poeta. Dżinsowa koszula, sztruksowe spodnie,wygodne zamszowe buty. Łagodność twarzy ożywiona bystrym, niebieskim spojrzeniem. Twarzy niezmuszanej życiem do obronnych grymasów ironii. W jego rysach nie ma też frajerskiej naiwności kogoś, kto, chroniąc delikatność, stracił kontakt z realem. Wykład o Szekspirze zaczyna od spraw praktycznych.

– Pamiętajcie, po zrobieniu siusiu nie spuszczamy wody. Od pół roku nie spadł deszcz, rezerwuary w górach wysychają. Musimy oszczędzać. Nie namawiam do sikania w krzakach, ale spuszczać po sobie należy rzadziej, dość raz dziennie. Tyle organizacyjnych wiadomości. – Szuka wzrokiem swojego asystenta we fluorescencyjnych adidasach. – Ważne dzieje się między poezją a wami, nie mną. Po to tu jesteśmy. – Rozpoczyna wykład. – Kiedyś odwiedziłem szpital, burmistrz Seattle przeznaczył pieniądze na kulturę. Miałem opowiadać pacjentom o poezji. W pierwszym odwiedzonym pokoju była młodziutka Afroamerykanka podłączona do aparatury. Uchyliła maskę tlenową i zapytała: „To ty jesteś poezją?". W pewnym sensie miała rację. Jesteśmy poezją, recytując wiersze. Chyba że ktoś wierzy w świat idei, gdzie poemat czeka na objawienie.

Krzesła zaskrzypiały. Moment, gdy słuchacze przestają kontrolować swoje pozy. Owijają kończyny wokół nóg krzesła, pozwalają zwisać bezwładnie ciałom. Chłopak w przetartych, niemal siatkowych spodniach usiadł w kucki, z głową między kolanami i sieroco się kiwa.

Profesor stoi skromnie pod tablicą, dobrodusznie łypiąc na poetycznych dziwaków.

Większość pisze wiersze. Po to tu przyszli, po szansę olśnienia Hassa. W pracy zaliczeniowej dadzą mu swoje poematy. Zazdroszczę im. W Polsce malarze uczą malarstwa, muzycy muzyki. Polskie filologie kształcą belfrów, nie artystów. Nie uczą pisania. Pisarze często nie mają matury, więc nie mogą należeć do profesorów. Za wydane powieści nie dostają stopni naukowych. W rezultacie brak zajęć twórczego pisania, z którego byłaby obopólna korzyść. Studenci poznawaliby warsztat, dziesiątki pisarzy znalazłoby godziwy zarobek. Ale nie, u nas wybitny poeta jest wieszczem i jeśli miałby otworzyć szkołę, to prorocką.

– Im głębiej jesteście w poemacie czytanym na głos –

Hass dotknął przepony nad paskiem z kowbojską klamrą – tym oddech staje się bardziej zgodny z melodią słów. Oddech jest architekturą wiersza. Na nim opierają się dźwięki, sens, jak w jodze czy medytacji – mówi z młodzieńczym zapałem.

Objaśnia techniczne szczegóły. Kieruje poezję z powrotem do jej początków. Słowa oblekają oddech, są organiczne.

Przyspieszony oddech Tabity tulącej w Halloween bliźniaczki. Powolny i głęboko zaczerpnięty Jasia mówiącego dzisiejszej nocy przez telefon:

– Zgodziła się! Kevin ją przekonał!

Mój oddech ulgi. Koniec paranoicznej myśli, że oceniła mnie na Thanksgiving i powiedziała Jasiowi: „Maria jest sama z dzieckiem, ty zostaniesz z dziewczynkami, lubicie się, będziecie razem, to najlepsze rozwiązanie".

Na halloweenowym przyjęciu Kevin nie był pewien, czy namówił Tabitę na życie. Ociągając się z wyjściem, przeglądał kupione przeze mnie książki.

– Gramatyka dla cudzoziemców. Spędziłem rok w Pradze. Chyba lepiej nauczyłem się czeskiej mowy ciała, ni w ząb nie rozumiałem, co mówią. Domyślałem się.

– Nie znam na tyle angielskiego, żeby się domyślać.

– Powoli – pocieszał Kevin. – Język kolonizuje ci mózg. Widziałem badania komputerowe. Zupełnie inaczej reaguje u dwujęzycznych. Jeżeli nie opanowałaś obcego języka, mózg szuka nowych słów w zupełnie innych rejonach, przypasowuje je do obrazów, dźwięków, a nie sensu.

– Gdzie mam sobie wetknąć flagę amerykańską? – Jaś potargał włosy. – Gdzie na mojej głowie jest amerykańska, gdzie polska, niemiecka, czeska kolonia?

– Przyjdź do mnie do laboratorium, to ci pokażę.

– Też mogę? – wprosiłam się.

– Przyjdźcie wszyscy. Spotkajmy się przedtem u mnie, w następną sobotę. Co tydzień jemy kolację ze studentami, od osiemnastej.

*

Turkot słyszalny z kampusowego wzgórza. Wieczorny powrót na rowerach, deskach, rolkach. Paralitycy na inwalidzkich wózkach podłączeni do tlenu i komputerów przyciskanych nosem są najniebezpieczniejsi. U nas leżeliby na OIOM-ie, tutaj pędzą bezszelestnie z zawrotną prędkością elektrycznych silników.

W drodze z wykładu Hassa przestraszył mnie śpiew. Nagle tuż nad moją głową rozległa się barytonowa aria. Rozśpiewał się rowerzysta w rozwianej pelerynie. Nie wariat, wariaci krzyczą.

Lula narzeka po szkole na meksykańskie koleżanki.

– Zepsuły mi sushi. Była lekcja gotowania po japońsku. Dostaliśmy glony, ryż, rybę i awokado. Mówiłam im: „Kroimy małe kawałki", pani nam pokazała. Ale znasz Meksykanki, wiedzą lepiej. Ugniotły awokado widelcem. „Tak się robi", powiedziały. „Guacamole tak się robi, błagałam, żeby przestały, nie sushi!". – Lula poczęstowała mnie bardzo apetyczną szkolną japońszczyzną. – U nas na angielskim jest mały chłopiec z Meksyku. Pani Rathwell napisała mu wołami „Ronaldo", a on i tak podpisuje się flagą meksykańską. Ronaldo jest bratem Marixy. – Lula wprowadza mnie w tajniki telenoweli pokrewieństw, łez i radości.

Matka tydzień temu obiecała kupić Mariksie buty. Nic z tego. Wydała pieniądze na młodszego meksykańskiego kochanka. On ją rzucił dla bogatszej. Zabrała dzieci i wyjechała do Los Angeles. Wrócili po dwóch tygodniach. Marixa nic nie umie, sprząta z matką po domach, zamiast się uczyć. Muszą mieć pieniądze, nie chcą wrócić do Meksyku.

– Wiesz, oni uciekli tunelem, są nielegalni i nauczyciele ich za to lubią. Za odwagę, i bardzo im pomagają. Ja też ją lubię, dałabym jej moje buty... przymierzała, ma dwa numery większą nogę. A, i jutro jest zebranie, możesz nie iść, nie mam jedynek.

Poszłam. Usiadłam w ławce obok matki Marixy. Hardej

kobiety o zapuchniętych z niewyspania oczach pod zrośniętymi brwiami. Dała mi kuksańca pulchnym łokciem, sadowiąc się w za ciasnym foteliku. Obok *visting scholars* z Francji, Izraela i skromni Azjaci. Reszta rodziców rozwalona na ławkach. Dreadloki, irokezy, powiewne suknie, ogrodniczki. Jedyne eleganckie szpilki i rewelacyjnie seksowne nogi należały do gustownie wymalowanego transwestyty.

Wychowawczynię rozpoznałam po skarpetach. Lula o nich opowiadała. Miss Rathwell robi je sama. Wełniane, do kolan, w kolorowe paski. Zsuwały się z patykowatych, piegowatych nóg. Chciałabym być jej uczennicą. Nobliwa twarz starszej damy nauczającej w szkółce niedzielnej. Pełen entuzjazm i doświadczenie. Dla Luli musi być książkową postacią, emerytowaną Anią z Zielonego Wzgórza.

Spojrzała na zegarek, sprawdziła drugi ścienny, za sobą, gdzie wskazówki nóg Elvisa Presleya rozciągnęły się w szpagat – między szóstą a dwunastą. Z sufitu powiewały buddyjskie chorągiewki. Miss Rathwell rozdała kartki po hiszpańsku i angielsku. Rodzice szeleścili, czytając punkty zebrania:

1. Oceniamy dzieci na podstawie ich zaangażowania. Stopnie z prac domowych mają tę samą wartość co ze sprawdzianów.

2. Nauka powinna być zabawą. Tylko w takich warunkach rozwija się kreatywność.

3. Dopóki wszyscy biegle nie opanują materiału, nie przechodzimy do nowego tematu. Uczeń musi czuć się pewnie i bezpiecznie – patrz punkt 2. kreatywność.

4. Wiedza jest związana z codziennością dziecka. Dlatego abstrakcje typu algebra, geometria będą dopiero w liceum.

5. Szkoła ma poziom dziecka, nie rodziców.

Pojęłam genialność Luli. Uczy się na swoim poziomie, nie ministra. Dorośli najwidoczniej dają dzieciom taką szkołę, jak wyobrażają sobie życie. W Kalifornii masz być twórczy i pewny siebie.

Spadł deszcz, pierwszy od pół roku. Najpierw delikatne krople rozwiewane wiatrem, rozcierane w mżawkę. Potem krótka ulewa, jakby ktoś włączył program „przedpranie". Później godzinami jednostajny szum pralki. Na ulicach smród. Woda spływająca chodnikami podmyła ogrodowe komposty. Wieczorem rynsztokowe strumienie płyną już czyste.

W mieście trochę szacownych miejscowych parasoli i festiwal przyjezdnych nakryć głowy. Turbany, kaski motocyklowe, kolonialne. Przemknęła mi też pruska pikielhauba z wypucowanym czubem. Każdy zakłada, co ma. Nie opłaca się kupować parasola na jeden dzień. Nocą deszcz ucichł. Czytałam słówka do następnej lekcji. Moją uwagę przyciągnął pomarańczowy pióropusz za płotem. Powiewał na rzymskim hełmie Rona, który wracał z domu matki, brodząc boso pod prąd ciepłego strumienia. Pomachałam mu, bujając się między gankiem a schodami.

– Co mówisz? – Zdjął hełm.

– Nie, nic. Cześć, Ron. *Ave*, Ron?

– Przydałaby się wełniana czapka pod spód, w metal wali, nie słychać. – Przeskoczył kałuże i stopnie.

– Myślisz, że będzie padać?

– Nie sądzę. Zapowiadają koniec deszczu. Poprzednia zima była ciepła, w Nevadzie spadło mało śniegu, nie spłynie do nas z gór. Idzie wielka, wielka susza.

– Nie tęsknię za śniegiem. – Moje przemarznięte jeszcze kości pamiętają ciemne poranki, pękanie tafli dnia, gdy trzeba wyjść z domu w mróz.

– A ja lubię śnieg. Gdyby temperatura spadła, krople deszczu skrystalizowałyby się wokół pustynnego pyłu w piękne płatki. Wiesz, dlaczego są różne? – Pióropuszem oczyścił stopy z błota. – Odkryłem to w podstawówce. Pojechaliśmy w Góry Skaliste, w Nevadzie, dwie godziny stąd.

Śniegu po kolana, mój pierwszy śnieg. Oglądałem każdy płatek osobno, musiałem sobie potwierdzić, że nie ma dwóch identycznych.

– Nie było? – Wiedziałam, nie mogło być.

Pytając, wędrowałam w przeszłość, do domu, mojej własnej dziecięcej naiwności. Ulica Sporna, gdzie dorastałam, drewniane domy nad brukiem z kocich łbów. Przeskakiwałam je, bojąc się dotknąć kociej czaszki. Wiele lat później, idąc ulicami Pompei, zdałam sobie sprawę, że kocie łby Bałut są ślepą ulicą Imperium Rzymskiego. Jego upadkiem z bazaltowych płyt poprzecinanych kanałami w kocie łby i rynsztoki. Cywilizacja, zachodnia cywilizacja nie dotarła do Polski. Ominęła mój świat. Rynsztoki płynęły dziko, rozlewając się kałużami. Rzymski hełm Rona był mniej teatralny tutaj w Berkeley niż obrzędy Kościoła rzymskokatolickiego w Polsce.

– Jeżeli znajdziesz dwa identyczne... – Rozłożył palce, naśladując nimi kształt płatków – ...nadejdzie apokalipsa. Są dowodem na istnienie świata z jego prawami fizyki. Dwa płatki śniegu. – Klasnął, składając dłonie. – Nie mogą być identyczne, tak jak nie ma dwóch identycznych miejsc w przestrzeni i czasie. Różnią się minimalnie, ciśnieniem, nachyleniem, wszystkim. Płatki śniegu krystalizują przestrzeń w czasie, są porostem wokół dostępnych nam wymiarów.

– I to odkryłeś w podstawówce?

– Aha, na zimowych feriach. Tak poznałem Kevina, matka zawiozła mnie do niego po powrocie. Huvit mówił, że spotkał go u ciebie w zeszłym tygodniu.

– Kevin psycholog? – Berkelejowskie powiązania towarzyskie nie przestaną mnie zadziwiać. – Zgadza się.

– Wybierzemy się do niego w sobotę?

– Zaprosił mnie.

– W sobotę przychodzi każdy. Świetny gość, dawno go nie widziałem. Bez niego Jessica by mi nie odpuściła. Kevin zabrał mnie na letni obóz malarski, żebym zrozumiał, że nie

jestem artystą. Ona kazała mi rysować moje myśli. Wiesz,
miałem kłopoty w szkole, więc musiałem być artystą. Kevin
poszedł do dyrektora podstawówki i znalazłem się w gim-
nazjum, od razu w drugiej klasie. Przestałem się nudzić,
studia skończyłem szybciej.

– Zanim przestałeś się nudzić?

– Nie zastanowiło cię, że nigdy nie mówię do ciebie
Maria?

– A powinno?

– Ile razy się widzimy, nie myślę: „O, Maria". Zawsze jesteś kimś nowym, bez definicji. Teraz masz inne ubranie...
sukienkę... inaczej mówisz.

– Mam chrypę od deszczu.

– Nie ograniczam cię.

– Wolałbyś, żebym nie używała twojego imienia?

– Naomi zakazała wymawiać imię Boga. Nie jesteśmy bogami, ale szanujmy naszą boskość. Ludzkość jest
nudna.

– I śpiąca. Idę spać.

– Wpadnę po ciebie w sobotę.

Pogoda skłoniła Miss Rathwell do zadania dzieciom desz-
czowych obliczeń.

Ile kropli zmieści się na ćwierćdolarówce?

Lula zna odpowiedź – dwadzieścia cztery!

– A wiesz, ile jest po drugiej stronie, na głowie prezydenta? – Zbiera resztę wypłaconą w kasie kina. – Szesnaście!

Kupiłyśmy bilety na przedpremierową *Grawitację*.

– Lula, powiedziałaś Ronowi o kroplach? – W kinie bierzemy po kubku lemoniady.

– Dlaczego?

– Cyfry, to w jego stylu.

– Przecież chodził do szkoły, umie liczyć krople deszczu.

Pchamy ciężkie drzwi sali kinowej. Nad nimi tabliczka:
„Zakazuje się głośnych rozmów".

Po pierwszym amerykańskim seansie zrozumiałam, dlaczego kino nazywa się tu *movie theater*. Nie jest martwym ekranem i cieniami aktorów. Widzowie rozmawiają z filmowymi postaciami. Krzyczą do nich jak dzieci ostrzegające w teatrze swoich bohaterów przed wilkiem albo czarownicą. Oklaski, złorzeczenia podczas seansu są normą. Nawiązane tam sympatie przenoszą się poza salę. Można dalej kulturalnie dyskutować bez wydzierania się: „Dowal mu! Brawo!".

Lula ciągnie mnie do pierwszego rzędu. Nie chce widzieć ani słyszeć nikogo poza Sandrą Bullock i George'em Clooneyem. Sala wyjątkowo cicha. Pustka kosmosu nie wyzwala emocji. Losy dwójki zagubionych w niej bohaterów nie wywołują głośnych komentarzy. Bullock wkrótce zostaje sama. Clooney, wzór faceta, zostawia ją na kosmicznym lodzie. Znika, oczywiście dla jej dobra. Ona, jak to kobieta, spada z obłoków na Ziemię. W samych majtkach i podkoszulku, ale da sobie radę.

Lula nie zgadza się z moją interpretacją.

– Ty wszędzie widzisz tatę i siebie. – Stawia wielkie kroki na swoich platfusowatych stópkach.

– Tata żyje i nas nie zostawił.

– Naprawdę? Nie zauważyłam.

Pozwoliłam jej na niskie koturny, w których nie wykrzywia nóg. Wyższa o parę centymetrów, próbuje dorosnąć do swojego wzrostu, przybierając tony nadąsanej nastolatki.

Tabita poczuła się gorzej, nie przyjechali więc z Jasiem do Kevina. Ron znał drogę. Stanęliśmy przed betonowym przedwojennym domem na przedmieściach. Jednym z seryjnych w tej okolicy, naśladującym meksykańskie ranczo i europejską willę. Ganek pod cementowymi kolumnami, niskie pokoje. O wiele rozleglejsze, niż to wygląda z ulicy.

W kuchni wielkości salonu już rozsiadło się przy ławach kilkanaście osób w różnym wieku. Od alternatywnych staruszków po dwudziestoletnich komputerowych freaków. Lula nie przyszła, wolała piżamowe przyjęcie u Shiry, koleżanki z Izraela.

Zachwyciłaby ją olbrzymia papuga trzymana w ocynkowanej brytfannie. Przez moment podejrzewałam, że ptak będzie daniem. Brytfanna stała na piecu. Brzuch papugi zakrywała filcowa kamizelka.

– Ze stresu wydziobuje pióra. – Kevin podał jej pokruszone tabletki.

– Witaminy?

– Prozac. Wziąłem ją ze schroniska, dostała tam depresji.

W Berkeley kupowanie kotów i psów jest niemoralne, trzeba pomagać bezdomnym. Z papugą nie mogło być inaczej, przyleciała albo wzięta z przytułku.

– Wyzdrowieje? – Pogłaskałam zwisający smętnie czubaty łebek.

– Zapytaj ją. *How are you, Peroki?*

– *Fine* – wyterkotała. – *How arrre you?* – Spojrzała na mnie, wyciągając nagą szyję.

– Nie za dobrze – odpowiedziałam. – Dzieci i zwierząt się nie okłamie, prawda? – szepnęłam Kevinowi. – Masz jeszcze jedną kamizelkę ratunkową?

– Zostań dłużej, pogadamy.

Wokół nas zebrali się wielbiciele Peroki dreptącej w brytfannie.

– Zajmuję się fokami – wysapała stojąca przy mnie zażywna gospodyni.

Rumiana, jakby dopiero co odeszła od pieczenia ciasteczek. Brak makijażu, najpraktyczniejsza z krótkich fryzur kobiety pozbawionej kokieterii. Podała wizytówkę: doktor weterynarii. Dowiedziałam się od niej o morskim instytucie po drugiej stronie zatoki w Sausalito. Nad otwartym oceanem ratują foki. Leczą i odkarmiają przed uwolnieniem. Dała mi wizytówkę z obrazkiem wieloryba wypuszczającego fontannę wody.

– Jest jedna zasada – powiedziała, głaszcząc wdzięczną

papugę. – Nie wolno fokom patrzeć w oczy. To dla nich niebezpieczne, mogłyby na wolności zaufać człowiekowi.

Ty też odwracasz głowę, nie patrzysz mi w oczy. Nie nauczyli cię ufać w dzieciństwie. Okulista – przyjmując pacjentów, umiesz udawać. Żenujesz ich wytrwałym spojrzeniem. Prywatnie spoglądasz w bok, zasłaniasz dłonią usta, mówiąc do kelnera. Zasłoniłbyś oczy i twarz. Zrobiłeś to, ucinając rozmowy ze mną. Ciemny ekran. Klisza rentgenowska twojej samotności.

– Ja nie szanuję kobiet?! – Chłopak przerywa dyskusję przy stole. – Jestem feministą! – Stoi w rozkroku. Dżinsy wiszą mu na tyłku.

– A czym zmywasz podłogę? – Roześmiana dziewczyna rozchlapuje drinka. – Mamusia czy służąca to za ciebie robi?

– To nie ma nic wspólnego z feminizmem. Zwykły podział klasowy.

– Eee! Czym zmywasz podłogę jest najlepszym testem na feminizm. – Zabulgotała przez słomkę. – Nie znasz nawet nazw środków czyszczących.

Ron zajął kanapę. Słucha muzyki, przysypiając. Ulotnił się gdzieś wcześniej na pół godziny.

– Byłem w pokoju ziół. – Wziął moją rękę, pokołysał nią i odłożył.

– Paliłeś trawę?

– Szałwię – westchnął.

Jego sałata działała następnym razem o wiele słabiej, prawie w ogóle. Uśpiła mnie bez pączkowania w świadomości. On pali ją nadal. Nocami kołysze się w fotelu na werandzie swojego domu w sierocej chorobie transowej.

Z salonu Kevina studenci przechodzą do pokojów, znikają. Uśmiechnięci, przyjaźnie wyczekujący, otwarci na doświadczenia. Mam wrażenie, że mogę wdepnąć w ich wnętrze.

– Kevin, czym ty się właściwie zajmujesz? – Łapię go w przedpokoju.

– Empatią. Które substancje ją pobudzają. Poczekaj, zrobi się luźniej. – Uprzedził moją chęć wyjścia. – Idź tam. – Wepchnął mnie do pokoju w końcu korytarza. – Może ci się przydać.

Uchylenie pomazanych niebiesko drzwi odemknęło jednocześnie wielkie, ciemne oczy kobiety siedzącej naprzeciwko nich w kwiecie lotosu.

– Christina. – Wstała wysoka, szczupła liana o urodzie Indianek z westernów.

Nie prawdziwych Indianek. Te miały bardziej azjatyckie rysy i okrągłe kształty. Widziałam je w parku na folklorystycznych tańcach plemiennych. Indiańska księżniczka ze skórką wydry przerzuconą przez ramię nie wyróżniała się urodą. O jej randze świadczyła szarfa z napisem „Berkeley's Princess" wypuczona na obfitym biuście i fałdach brzucha.

– Kevin... – Zawahałam się, czy powiedzieć: „Przysłał mnie".

– Jestem jego żoną. – Uśmiechnęła się wyrozumiale.

Naszywane paciorkami frędzle jej skórzanej sukienki zawirowały wokół szczupłego nadgarstka.

Wskazała mi starodawny fotel z podnóżkiem. Dlaczego nie pomyślałam, że jest żonaty? Nikt o tym nie wspomniał. Kevin nie miał cyrkowej biegłości wygłaszania gładkich formułek żyjącego samotnie guru czy kapłana. Oddzielonego od ludzi i bogów zadufaniem.

On, przemieniając zatwardziałe w swoich decyzjach serca Tabity i innych, nie naśladował księży. Ani typowej dla Watykanu patetycznej histerii włoskiej opery pomieszanej z machinacjami Kremla. Brak inscenizacji, brak podstępnej taktyki. Psychologiczne rzemiosło i ludzkie współczucie. „Pogadamy, zostań" – albo rzucone w przelocie: „Może ci się przydać".

Więc jestem w pokoju z Christiną, jego żoną. Gotowa na coś, co się przyda przeciwko tobie. Otoczona ciemną ciszą. Nie dociera tu rozdzierające, słyszalne zewsząd papuzie: *How arrre you?*

– Ładny dom. – Siadam we wskazanym fotelu.

– Wygodny. – Żona Kevina zapala świecę. – Tu jest moja pracownia.

– Czym się zajmujesz? – Niewiele widać w oświetlonym płomieniem pokoju.

Podłoga wyłożona czymś miękkim. Ze ścian majaczą abstrakcyjne obrazy.

– Hipnozą kliniczną. – Uklękła przy mnie.

– To znaczy?

– Hipnotyzuję w szpitalu, przy porodzie albo ludzi po traumach. W domu stosuję głębszą technikę, regresyjną. Pomaga wrócić do poprzednich wcieleń, do tego, czego z nich potrzebujesz. Jesteś podatna na hipnozę?

– Tak, bardzo.

I na autohipnozę. Tylko tym mogę wytłumaczyć kilkanaście lat z tobą. Maria, Ma- jak masochizm.

– Najpierw wydostaniesz się z psychicznej strefy ziemi. – W jej głosie była łagodna perswazja.

Poddaję się hipnozie, nie szukam kontrargumentów.

– Przejdziesz przez energetyczne ślady swoich wcieleń – mówi jednostajnie Christina, nie nadając słowom wyjątkowego znaczenia, chociaż oferuje wycieczkę w zaświaty. – Znajdziesz swoje dawne życia.

– Jestem pisarką, piszę powieści historyczne, do tego potrzeba wyobraźni. Odróżnię ją od... prawdy?

– Nie będziesz miała wątpliwości. Wyobraźnią sterujesz. Tym, co zobaczysz, nie da się kierować. Wyświetli się wyraźniej od filmu.

Nacisnęła oparcie fotela. Miękko rozłożył się pode mną w leżankę.

– Wolisz morskie czy górskie krajobrazy? – Wybierała muzykę.

Przeniosłam się w myślach na wąski pas kalifornijskiej równiny. Z jednej strony ocean, z drugiej zamglone góry.

– Obojętne. – Nie chciałam już podejmować decyzji cięższych od mojego ciała porzuconego na fotelu.

Postępowałam za głosem Christiny. Szykowałam się do opuszczenia siebie. Byłam coraz mniejsza i lżejsza. Miałam dwadzieścia lat, piętnaście, pięć. W pomniejszonym rozmiarze nadal ja. Przerastało mnie jedynie szczęście. Beztroska cztero-, trzylatka. Znalazłam zagubione w dzieciństwie pokrętło projektora. Bez niego nie dawało się już wyświetlać bajek na prześcieradle. Ściany były wtedy kolorowe w srebrne i złote wzory malowane wałkiem. Z dziećmi z sąsiedztwa siadaliśmy zimowymi wieczorami przy czarnym, ebonitowym projektorze. Miał zaokrąglony kształt kaptura, spod którego błyszczała soczewka. Pokrętło przesuwało kliszę. Oglądana za długo, żeby przesylabizować podpisy pod obrazkami, przypalała się i mogła spłonąć razem z bajką o dzielnych rycerzach, czarodziejskim kwiecie paproci. Na ostatnim seansie zginęło pokrętło. Nie mogliśmy go znaleźć, potoczyło się pod deskę podłogi. Widziałam je teraz wyraźnie po kilkudziesięciu latach. Było tam nadal, ukryte, niepotrzebne. Kurczyłam się, wchodząc z powrotem w kanał rodny. Zanurkowałam w wodach płodowych pod prąd czasu.

– Gdzie jesteś? – Nawigowała mną Christina.

– Nie wiem, mgła.

Dryfowałam w dziwnym świecie bez uczuć, zawieszona w bezmiłości jak w bezdechu, między życiem a śmiercią.

– Jesteś już? – dopytywała. – Spójrz w dół, na swoje stopy, jesteś mężczyzną czy kobietą? – nalegała. – Przyjrzyj się dokładnie.

– Moje nogi i ręce są spalone. Chwytam się muru z winoroślą, wszystko płonie, zawala się. Trzęsienie ziemi i wulkan. Nie, to nie Pompeje – uprzedzam jej pytanie. – Starożytność, ale nie Pompeje. Mała, biedna wyspa, jesteśmy sami.

– Kto?

– Dwójka dzieci, to Lula i mój ojciec. Jestem ich matką, w łachmanach. Mój mąż wypłynął na morze łowić ryby.

– Kim jest twój mąż?

– Ten sam co teraz. Straciłam moje dzieci, umieram.

Dlaczego muszę przeżywać ten koszmar drugi raz? Po co wyświetla go moja wyobraźnia? Strach przed utratą najbliższych. Poczucie porzucenia przez ciebie. Nie chcę tego widzieć. Szamoczę się. Christina otula mnie kocem, mocno przytrzymuje.

– Już dobrze, już dobrze. Jesteś bezpieczna – pociesza.

Mgła opada. Wchodzę w realność. Wyraźniejszą od codziennej. Na krześle siedzi kobieta, bokiem. Poznaję ją ze zdjęcia sprzed prawie stu lat – moja babcia. Jest młoda, w białej bluzce zapiętej pod szyję, długiej spódnicy. Macha zegarkiem zawieszonym na łańcuszku. Odwraca się do mnie. Nie widziałam nigdy jej młodej twarzy na wprost. Tak jak nie zna się twarzy karcianych figur, rysowanych zawsze profilem. Mówi powoli, wyraźnie, żebym nie miała wątpliwości po wyjściu z hipnotycznego transu:

– Bóg jest udowodniony chemicznie.

Absolutnie przytomna, zrywam się, pociągając za sobą fotel. Składa się ze mną wpół.

– Gdzie ona jest?! – Odpycham koc.

Gdzie jest ta młoda kobieta w dziewiętnastowiecznym stroju i fryzurze? Jej policzki były różowe, bez cienia sepii starych zdjęć. Podświadomość? Duch? Mój genetyczny ślad z echem w genach: Bóg jest udowodniony chemicznie. Gdzie? W białku chromosomów?

Ciurka muzyka imitująca morskie fale. Christina zapala lampę, papuga powtarza *How arrre you?* Nie umiałabym jej odpowiedzieć jak. Tego oczekiwał Kevin, posyłając mnie do swojej żony? Dziwaczne słowa babci: „Bóg jest udowodniony chemicznie". Obiecała przyśnić się po śmierci mojemu ojcu i przekazać numery totolotka. Szyfr do lepszego życia. Nie dotrzymała obietnicy, zrobiła to teraz? Gdybym znała ją za życia, wyglądałoby inaczej? Odchowała pięcioro dzieci, trójka zmarła po narodzinach. Dwie ciężkie, zakaźne wojny, na które zapadła ludzkość w pełni życia mojej babci. Pamiętałam ją starą, z krzywymi, szeroko rozstawionymi nogami. Chodziła szybkim krokiem robaka przebierającego odnóżami. Była w niej pewność insekta, gdzie bez marnowania sił przyssać się do życia. Całując główki wnucząt, pierścień biskupa w kościele i gwoździe Krzyża Pańskiego na Wielkanoc.

Prowadzała mnie do pierwszej klasy. Niosłam tornister, ona wdowi garb. Trochę jak wielbłąd wodę dźwigała w nim swój spryt przydatny na starość. Nie rozchorować się, nie być ciężarem ani nie zostać oddanym do domu starców, nazywanym przez jej prawnuczkę Lulę domem starej starości. Nie doczekała mojej pierwszej komunii. Umarła w domu, odwrócona do ściany obitej cepeliowską słomianką. Wymodliła śmierć, nie gwałtowną ani nie bolesną, starcze zapalenie płuc. Straciła przytomność, zanim zaczęła się agonia. Dostała do rąk różaniec, obrazek z Matką Boską Bolesną. Nie znała meksykańskiej Santa Muerte, dziewuszki-śmierciuszki litościwie zbierającej życia do trumiennego koszyka. Poznała pośmiertny chemiczny skład Boga, recepturę opium dla ludu. Opium w sałacie palonej przez Rona, kokainy przemycanej z Meksyku, czegoś jeszcze?

Ruben, ojciec Huvita, został u nich po szabasie.

– Maria, wpadnij do nas, przywiozłem coś specjalnego. – Zgarnął mnie z ulicy.

Na stole czekał poczęstunek: pełnoziarnisty chleb i miód.

– Grejpfrutowy. – Ruben zanurzył kromkę w słoiku.

Wiedział o wczorajszej imprezie u Kevina. Chciał usłyszeć więcej.

– Ron dzisiaj na plaży wspominał o hipnozie. – Daszek jego niezdejmowalnej czapeczki kibica drużyny futbolowej „Go Bears!" stuknął w słoik miodu.

– Dał radę iść nad ocean? – Zdziwiłam się. – Wróciliśmy po trzeciej rano.

– Joga jest najlepsza na sen. Umiem zasnąć w pozycji.

– Byle nie na głowie. – Naomi podśmiewywała się z przechwałek teścia, jego kontaktów z nadrzeczywistością.

Szacunek okazywany napadom pobożnego płaczu Rubena był bardziej szacunkiem dla berkelejowskiego folkloru niż duchowych przeżyć.

– Opowiedz, opowiedz. – Smarował mi chleb.

– Nie ma o czym. Koszmary.

– Nie daj się prosić.

– Może sama wymyśliłam, nie sprawdzisz snu. Ruben, mówienie o sobie jest... znasz większy ego trip niż analizowanie poprzednich wcieleń?

Podparł starczą brodę pięściami, gotowy słuchać.

Mój opis śmierci w płomieniach antycznej wioski był przygnębiający również na jawie. Końcówka z babcią jeszcze bardziej absurdalna. Wyjaśniłam, czego naprawdę spodziewała się po niej rodzina przed laty. Pomocy w grze na loterii.

Ron przyszedł, zanim skończyłam.

– Dziękuję, że podzieliłaś się swoją opowieścią. – Ruben z szacunkiem uchylił czapki. – Nie miałbym babci za złe totolotka. Śmierć jest zagadką. W jej królestwie mówi się zagadkami.

– Zaraz, zaraz. „Bóg jest udowodniony chemicznie"? – Ron był w swoim żywiole. – Wzory chemiczne zapisuje się cyframi. Miałyście ulubiony?

– Obstawiać H_2O, bo kazała mi myć ręce przed jedzeniem? Lubiła wypić kieliszek polskiej wódki po obiedzie C_2H_5 i coś tam?

– Nie przejmuj się. – Rubena ominęły nasze bosko chemiczne kalkulacje. Nie dosłyszał na lewe ucho, to, przy którym siedział Ron. – Za pierwszym razem jest nieprzyjemnie, przypominają się najgorsze wcielenia. Zostawiają najtrwalszy ślad.

– Tata ma niezłą historię. – Huvit stroił gitarę przed wieczornym koncertem w kawiarni. – Opowiedz. Brzdąkał, stwarzając nastrój.

– Był mały. – Ruben pokazał wzrost syna, niewiele ponad stół. – Woziłem go do szkoły. To były inne czasy we Frisco. – Przymknięte oczy zapadły mu się w chudej twarzy,

149

jakby wędrówka w czasie była cofaniem się w głąb czaszki. Zeskrobywaniem z jej sklepienia osadów wspomnień.

Huvit zagrał głośniej, przywracając ojca teraźniejszości.

– Pewnego dnia sąsiedzi wsadzili mi do wozu swoje dzieci. Patrzę w lusterko i... trudno uwierzyć, ale znam tę cztero-, pięcioletnią dziewczynkę, i to nie z widzenia, znam lepiej od własnego syna. Nie rozumiałem, co się dzieje, oczywiście przypadki nie istnieją. Trochę później miałem sesję regresyjną. Wracam do poprzednich wcieleń i co widzę? – Ruben otarł łzę. – Jestem chińskim rolnikiem z gromadą dzieciaków. Najbardziej kocham córkę, tę malutką z samochodu, Sophię. Po sesji zapytałem jej matkę, czy mogę powiedzieć dziewczynce o mojej wizji. Matka powiedziała, że Sophie zrozumie, pamięta swoje poprzednie wcielenia. Przy następnej okazji mówię: „Wiesz, w poprzednim życiu byłem twoim ojcem". „Wiem", odpowiedziała. – Ruben skończył, łkając.

Nie wiadomo, czy rozczulił go nadprzyrodzony dar dziewczynki, czy powrót do Frisco końca lat sześćdziesiątych. Rewolucja, ukochana żona i mały synek. Teraźniejszość rozwinęła się ze szpulki czasu serpentynami minionego święta. Można je było zmieść, wyrzucić albo zbierać utytłane przeszłością, by wspominać dawną świetność.

– Nie powiedziałeś, kim jest ojciec Sophii w tym wcieleniu. – Huvit nadal grał cicho, naśladując hinduskie ragi.

– Aaa, Coppola – dodał Ruben.

– Ten Coppola? – Tylko ja nie znałam całej historii.

Ron musiał już ją słyszeć wiele razy. Huvit w odpowiedzi zmienił melodię na kawałek z *Ojca chrzestnego*.

Poprzednią noc spędziłam w hipnotycznym śnie wyczarowanym przez Christinę. Lula poznała inny wymiar świata. Shira z Izraela, u której spała, zwierzyła jej się ze swoich nocnych lęków.

– Tutaj nie mamy *panic rooms* ani schronów. Nie wiadomo, gdzie się schować – powiedziała przed zaśnięciem.

Leżały w dziecięcym pokoju. Za otwartym oknem zatoka migająca światłami Golden Gate Bridge.

– Mamo. – Lula współczuła najlepszej koleżance. – Dlaczego wszyscy chcą zabić Żydów?

– Kto tak mówi?

– Shira.

– Ha, nie wie jeszcze, że wszyscy chcą zabić wszystkich. – Jessica nie ma wątpliwości. Weszła do nas z głową owiniętą lnianym ręcznikiem. Przyszła po prośbie. – Ron się nie nadaje. Lula ma takie małe paluszki, trzeba pasmami wyczesać włosy od cebulek po końce. Nie chcę wam robić tutaj kłopotu, chodźmy do mnie na taras.

Pilu otarł się o jej opalone nogi.

– Kot zostaje! – Lula pogroziła mu palcem. – Jesteś *indoor cat*. – Pociągnęła za obróżkę z medalikiem, gdzie było to wygrawerowane razem z numerem telefonu. – Kot wewnętrzny – przetłumaczyła mu.

Eskortowałyśmy Jessicę środkiem ulicy.

Dała nam gęsty, metalowy grzebień do wyczesywania gnid.

– Nie łatwiej wytruć specjalnym szamponem? – Osłabił mnie widok długich, gęstych włosów Jessiki.

Wyszukanie na posiwiałych pasmach białych jajeczek wielkości pyłku musiało być wielogodzinną mordęgą.

– Chemia? Nigdy – oburzyła się. – Są specjalne salony wyczesywania wszy... Nie przyjemniej w ogrodzie? Upiekłam wam ciasto.

Słowo „chemia" przywróciło mi obraz młodej babci z jej dowodem na istnienie Boga. Mówiła widocznie o chemii, nie chemikaliach zdolnych zabić wszawe życie. Bóg jest życiem. Włosy są martwe. Karma podsunęła mi Jessicę, żebym mogła o tym medytować przy żmudnym wyczesywaniu gnid. Włosy babci upięte na starym zdjęciu w potężny czarny kok były równie zdrowe. Myte ziołami, bez fabrycznych chemikaliów.

Czyściłam grzebień nad rozłożonym przy krześle papierze pakowym. Sto lat temu pomagałabym w ten sposób babci. Była silną kobietą jak Jessica. Lula odziedziczyła po niej żywotność i logiczne myślenie. Bez niego, ze swoją dysleksją, wylądowałaby na marginesie rozumu razem z Ronem.

– Poproszę wydruk z internetu – zażądała.

Nie widziała nigdy wszy ani gnid. Porównywała zdjęcie z tym, co spadało na papier.

– Nie ma, nie ma. – Sprawdzała po moim dokładnym wyczesaniu nie pasm, ale kosmyków.

Zostałam wszową. W salonie zarobiłabym za to sto dolarów. Nad głową Jessiki wdychałam jej kokosowe perfumy. Z bardzo bliska przyglądałam się mlecznej skórze głowy. Tłuszcz tworzył cienki, chroniący kożuch. Spod niego wydostawały się długaśne do pasa elektrody grubości włosa. Siwe i czarne na przemian.

Wszy Jessica złapała w Parku Ludu. Uczyła bezdomnych jogi.

– Inaczej nie mogę im pomóc. – Czuła się w obowiązku zrobienia czegoś dla biednych.

Mieszkali na ulicy, ona samotnie w wielkim domu. Pokłóciły się z Kate. Ron nie wiedział o co. Trzaśnięcie drzwiami słyszalne u nas, kilka ogrodów dalej, wstrząsnęło domem wybudowanym dla nich przez Jessicę. Wszystkim, co zbudowała latami z Kate. Przyjaciółka przeniosła się na wzgórza Berkeley, kupiła willę. Jessica wychodziła tylko do Parku Ludu. Po jodze paliła z bezdomnymi marihuanę. Paliła też w samotności, pogłębiając smutek. Doktor przepisał jej antydepresanty.

Z prześcieradłem zsuwającym się z niej na wyłożoną papierem podłogę była królową w remoncie. Ukoronowaniem nieszczęścia miały być wszy.

Po trzech godzinach nie znalazłam żadnej. Znudzona Lula buszowała w ogrodzie. Z trudem się wyprostowałam.

– Przegibłaś się, mama – oceniła spod płotu.

– Strasznie mi przykro. – Jessica zerwała się z krzesła. –

Siadaj, pomasuję cię. – Poklepała moje zesztywniałe ramię. – Lepiej?

– Mmm. – Nadwerężona ręka została w bolesnym przykurczu.

– Musisz iść do Green Doktora.

– Nie palę trawy.

– Nie po to. Dostaniesz legitymację. Pokażesz ją w Oakland. Mają za darmo masaże i akupunkturę. Żadnych ćpunów, przekonasz się, najnowocześniejsze dyspensarium. Dobry adres, wierz mi, inaczej nie mogę ci się odwdzięczyć. – Schowała srebrny grzebień do foliowej, zasuwanej torebki.

Pilu jeszcze dobijał się z drugiej strony nocnej barykady, zza poszarpanej i pogryzionej tektury, zasłaniającej wejście do sypialni. W telewizorze przemawiał Obama.

– Jedyny czarny niemówiący slangiem. – Lula przed zaśnięciem uniosła zdziwiona głowę.

W sąsiednim Oakland naście lat temu mieli pomysł uczyć slangiem w szkołach. Bałam się, że nie zrozumiem tamtejszego Green Doktora. Ale nie był czarny ani biały. Był szary, z przekrwionymi oczami. Przyjmował w zrujnowanym teatrze albo na parkingu. Nie było widać ścian przestronnej sali. Tylko on na krześle i biurko z małą lampką, wokół ciemność. Usiadłam naprzeciwko i nic, milczenie. W końcu tonem, jakby kontynuował diagnozę tej ciszy, powiedział zmęczony:

– Jaki jest twój problem?

Bez dodatkowych pytań, w rytm mojej skargi: „Boli ramię i trudno zasnąć", wypisał kartę uprawniającą do kupowania leczniczej marihuany. Zapłaciłam czterdzieści dolarów pielęgniarce czekającej przed gabinetem. Znalazłam za rogiem zachwalane przez Jessicę dyspensarium. Wzorowy ośrodek zdrowia ze szkła i marmuru, pełen naprawdę szczęśliwych ludzi. Delikatność, uśmiech, cierpliwość zwolnionego upływu czasu. Nie interesował mnie żaden z marihuanowych leków. Czekałam na masaż. Przechadzając się po piętrze, znalazłam tablicę ogłoszeń: „Jeżeli nie możesz osobiście odebrać lekarstwa, zadzwoń, dostawa gratis". „Weteranom wojennym przysługuje dwudziestoprocentowa zniżka". Ręczny dopisek na karteluszku: „Do jogi tantrycznej używajcie więcej THC".

Wymasowana zasypiałam przy Luli, nie myśląc o tobie, co zrobisz, z kim. Obudziło mnie kołysanie. Dom przesuwał się na rolkach. Zastanowiłam się nad opóźnionym efektem wdychania trawy w przesyconym nią dyspensarium. Koty szalały, to rozwiało wątpliwości. Przebudzona Lula złapała mnie za rękę.

– Liczymy do pięciu. – Odrywałam jej palce ściskające moje obolałe jednak ramię. – Dwa, trzy, zerwiemy się z łóżka i wybiegniemy na ulicę, jak najdalej od drutów i szyb.

– Cztery, cztery i jeszcze raz cztery. – Lula nie mogła uwierzyć. – Koniec? Ale rozdygot. – Znowu zasnęła.

Zapaliłam lampkę. Obrazy przekrzywione, żadnych pęknięć. Czwarta trzydzieści, za oknem kilka oświetlonych okien. Internet działał – epicentrum, siedem stopni, było pięćdziesiąt kilometrów stąd, w oceanie. Gdyby bliżej, może byś nas szukał. Zainteresował się nami. Gruzy od San Francisco do Sacramento. Reportaże na żywo, z telewizji, z wyobraźni: zawalona wieża w Berkeley, poszukiwania zaginionych. Cudowne ocalenie matki z dzieckiem dzięki wykastrowanemu kotu. Pilu miauczy na stosie domu płonącego po wybuchu gazu.

Wstałam go pogłaskać. Trzęsienie ziemi osypało kocią niezależność, ujawniając psią naturę. Krzyczała, domagając się ludzkiej obecności. Mezzo stała sztywno przy stole kuchennym. Najwidoczniej uznała bezruch za najlepszą obronę przed atakiem ścian i podłogi. Skamieniała nieruchomość instynktu. Zanikłego w naszych rozmiękczonych inteligencją mózgach. Nie przeczuwałam trzęsień ziemi. Nie wybierałam instynktownie ojca mojego dziecka. W rezultacie siedziałam sama kilka tysięcy kilometrów od ciebie, oczekując następnych wstrząsów. Zawsze nadchodzi powrotna fala. Piekło pod nami, wzburzona magma wraca. Daje szansę, drugą szansę. Wyleczyć się z traumy pierwszego uderzenia. Przy drugim, lżejszym, zrobimy, co trzeba, żeby się uratować. Nie my, ja z Lulą. Ty ciągle tkwisz w piekle.

– Hej, hej. To ja! – zawołał Jaś z ogrodu.

Przyjechał na rowerze sprawdzić, czy nic nam się nie stało, czy się nie boimy.

– Zadzwoniłbym, ale pomyślałem, że śpicie może... Zobaczyłem światło. Najmocniejszy wstrząs od wielu lat. – Nie zsiadł z roweru.

– Wejdź.

Światła w oknach gasły, daleko ulicą jechał ambulans.

– Ja przejazdem.

– Jak Tabita?

– Nie obudziła się, jest na proszkach.

– Nasennych?

– Jedno z drugim, przeciwbólowe tumaniom. – Zdjął rękawice kolarskie. – Macie *emergency kit*? Woda za domem?

– Cały zestaw przeciw Apokalipsie.

– Pieniądze też trzymać skopane w ogrodzie. Najgorsze jest... – Przeszedł na angielski, mówienie po polsku o tej porze wymagało skupienia. – Najgorsze jest czterdzieści osiem godzin po. – Zmienił przerzutkę, szykując się do powrotnej jazdy pod górę. – Jadąc tu, rozmyślałem... o tobie. Nie ma związków idealnych, są związki radzące sobie z kryzysem. Ziemia ci się trzęsie pod nogami, dach się trzęsie i myślisz o najważniejszym, Maria.

– Myślę już tylko o sobie. Nie o nim. Nie porównuj was z nami. Tabita chce żyć dla was. On nie chce dla nikogo.

– Kevin – opuścił głowę zajęty czymś przy kierownicy – żałował, że nie przyszliśmy, zaprosił nas na prywatny wykład, masz ochotę? Gdyby nie on... widzisz, to nie takie proste.

Uskoczył na chodnik przed sportowym samochodem jadącym bez świateł. Kabriolet nie wyminął roweru łukiem, ale zwalniał. Jaś ruszył, naciskając wściekle dzwonek. Pobiegłam za nim do skrzyżowania, gdzie samochód stanął, blokując przejazd. W środku nikogo. Spuszczony czarny, płócienny dach, ciemna karoseria.

– Ciekawe, skąd zjechał. – Jaś zaciągnął mu ręczny hamulec, zajrzał do schowka. – Po trzęsieniu się zdarza. Rozpędził się ze wzgórza.

Nocny karawan – pomyślałam.

Przyjechałam za wcześnie po Lulę do szkoły. Poszłam na spacer. Wspinałam się pod górę. Placyk, fontanna przy Marin Circle Fountain. Kamienny mostek nad wyschłym od miesięcy strumieniem. Zabytkowa tablica z 1920, wmurowana przez pierwszych mieszkańców tej okolicy. Dopadła mnie nostalgia. W Europie domy się gnieżdżą, jedne na drugich warstwami. Nie wiadomo, kto pierwszy się sprowadził, kto wybudował. Chyba że jest to pałac albo zabytek.

Tutaj ogrody, wille są sprzed stu lat. Oglądając krajobraz, przejmuje się spojrzenie osadników, czuje ich entuzjazm dla tego miejsca. Też wybrałabym widok na zatokę, działkę wokół starego klonu. Elegancja detali, wiktoriański gust i nowoczesność dwudziestolecia. Mogliby żyć tu wiecznie, bez wojen i rewolucji. Chciałoby się z nimi pogadać zza płotu czasu.

Lula wyszła ze szkoły blada. W drodze powrotnej milczała. Nie przywitała się z rzężącym radością Pilu. Poszła prosto do toalety.

– Co się stało? – Zajrzałam bez pukania.

Stała rozkraczona ze spuszczonymi majtkami.

– Dostałam okres.

– Fantastycznie. – Nie zobaczyłam śladów krwi. – Jesteś pewna? Kiedy?

– W szkole. Nie miałam podpaski.

– Biedulko. – Przytuliłam ją. – Byłaś u pielęgniarki?

– Tutaj nie ma pielęgniarek ani gabinetu. Od razu wzy-

156

wają ambulans. Nie chciałam, żeby cała szkoła się dowiedziała. Na sygnale przez miasto... mama! – Odepchnęła mnie.

– To co zrobiłaś? Papier toaletowy? Pożyczyłaś podpaskę od koleżanek?

– Od Marixy? W życiu, powiedziałaby wszystkim, Shira była w innej klasie. Przykleiłam sobie. – Dłubała palcami w kroczu. – Scotch, i nie mogę zerwać, boli – płakała.

– Lula... – Nie wiedziałam: podziwiać jej heroizm czy pomysłowość.

– Musiałam doczekać końca lekcji.

– Wejdź pod prysznic, rozkleisz gorącą wodą.

W kabinie krew pociekła na kafelki. Taśma klejąca trzymała się boleśnie włosków nazywanych przez Lulę łonowcami. Razem z nimi odcięła przezroczysty plaster. Nie potrzebowała aspiryny. Ból brzucha przepłoszyła wściekłość i wstyd. Poszłyśmy kupić podpaski. W nagrodę za dzielność obżarła się cukierkami. Żałośnie dumna dziecinna panienka. Moja dorosła kobieta zaklejona przylepcem. Coś niby wypadek otoczony policyjnymi taśmami, żeby się nie zbliżać do krwawiącej kobiecości.

– Co to jest? – Obchodzę metaliczny sarkofag.

Jaś też nie wie.

– Tomograf komputerowy – wyjaśnia Kevin, oprowadzając nas po prywatnym instytucie psychologii. – Najdroższy sprzęt.

– Znam. – Tabita dotyka obudowy. – Tylko na filmach z doktorem House'em to diabelstwo wygląda niewinnie. Huk, jakby głowę włożyć do garnka pod lawiną. Nie wolno się ruszać, zimno, grób.

– Grobowiec faraona, bo ręce musisz trzymać w pozycji „mumia". – Kevin skrzyżował je na piersiach, przyciskając poły wełnianej marynarki. – I zamiast berła nadajnik z alarmem. Ekipa siedzi za szybą.

– Wiem. Dokładnie tak – potwierdziła smutno.

W pustym wieczorem instytucie było kilka sal konferencyjnych, laboratoriów z leżankami. Wnętrza jednolicie urządzone, ciemnofioletowe tapety, kremowa wykładzina. Na ścianach dyplomy, ryciny czaszek ze starych ksiąg medycznych. Nad recepcją cytat z Philipa Dicka oprawiony w złote ramki: „Gdy rozwiążemy zagadkę mózgu, rozwiążemy zagadkę wszechświata".

Jestem chyba w dobrym miejscu. Dick wysłał list do ludzkości, polecony do mnie.

– Znałeś go? – pytam Kevina rozstawiającego nam krzesła przy owalnym stole.

– Żałuję, nie. Z naszą aparaturą dzisiaj moglibyśmy mu pomóc.

– W czym? – zainteresował się Jaś.

Usiadł przy Tabicie. Laboratoryjna naukowość miejsca nadawała ich czułości kliniczny chłód. Zwykłe muśnięcie dłoni, zetknięcie się na chwilę ramionami sprawiało wrażenie pomyślnie przebiegającego eksperymentu.

Było w ich bliskości coś sztucznego, na pokaz. Dwie nakręcone poczuciem małżeńskiego obowiązku zabawki dopasowujące swoje ciała do teorii miłości. Ona śmiertelnie chora, on ratujący ją za wszelką cenę.

W zdrowieniu Tabity była zasługa Kevina, pół zasługi. Pozostała jej część należała do Jasia. „To nie jest takie proste" – o tym mówił? O nagich, bezrzęsnych oczach wpatrujących się w swojego psychologicznego wybawcę? Wdzięczność Jasia i upokorzenie. Sam nie przekonał żony. Nie przehandlował jej śmierci za obietnicę sensu życia. Dzieci, one znaczą mniej niż kuszący pod drzewem żywota specjalista od rozdwojonego języka: zwykłego i psychologicznego. Profesjonalny hochsztapler umiejący opchnąć ból w zamian za złudną obietnicę pokonania choroby.

Przestaję porównywać innych z nami. Nie ma nas, ciebie nie ma. Jaś i Tabita są, kochankami, przerażonymi ludźmi niepewnymi jutra. Stąd przesadność ich gestów, nie sztuczność. Już wszystko wraca na miejsce. Tabita ospale pociąga błyszczykiem wyschnięte wargi, szepcze coś Jasiowi. Kevin spokojnie nam tłumaczy:

– Dick cierpiał na padaczkę skroniową, rodzaj bezobjawowej padaczki. Ze wszystkimi konsekwencjami. Wydawało mu się, że widzi przyszłość.

Znałam tę historię. Dick zerwał w nocy żonę i kazał natychmiast jechać z niemowlęciem do szpitala. Posłuchała go, zabrali spokojnie śpiące dziecko. Gdyby przyjechali godzinę później, nie dałoby się uratować chłopca. Umarłby na skręt kiszek.

– Przewidywał zdarzenia – potwierdziłam.

– Oczywiście. – Gładkość Kevina w przyznawaniu racji rozmówcy była irytująca.

– Co oczywiście? – Jaś, coniedzielny katolik, miał ograniczone zaufanie do cudów.

– Dickowi wydawało się, że widział przyszłość. – Kevin zakręcił długopisem zostawionym na stole. – Przepraszam, na pewno widział. Pytanie: co?

Obok leżał arkusz do notowania badań. Długopis zatrzymał się, celując między mnie a Jasia.

– Czy przyszłość istnieje? – Kevin znowu zakręcił długopisem. – Czy Dick w ataku padaczki, kiedy elektryczność zaburza pracę płata skroniowego, zajrzał do archiwum pamięci? Wspomnienia są w hipokampie, blisko płata skroniowego.

– A co to za różnica, czy przyszłość istnieje, czy jest w archiwum mózgu? – włączyła się do rozmowy Tabita, pokonując chemiczne znużenie dawką otumaniających leków.

Znałam już jej nagłe odpłynięcia w głąb siebie. Lekarstwa musiały zadziałać wcześniej, dając objawy spowolnienia. A ja wzięłam je za mechaniczne, pozbawione czułości gesty.

– W hipokampie stykającym się z płatem skroniowym są nasze pliki pamięci. – Kevin podkręcił długopis zatrzymujący się uparcie w tym samym miejscu co poprzednio. – Przyszłość nie istnieje albo jest zakodowana w naszym mózgu. Dlatego powiedziałem, że moglibyśmy pomóc Dickowi z naszą techniką. Za jego czasów nie było tomografów. Zobaczyłby nieprawidłowe wyładowania elektryczne swojego mózgu i zdecydował: choroba czy dar prorokowania.

– Czyli nie wiadomo? – zaniepokoił się Jaś, przyzwyczajony do naukowej precyzji.

– Co robicie w instytucie? – przerwałam początek dyskusji.

Za kwadrans, pół godziny rozmowy o przewidywaniu przyszłości będziemy w niej, bez sensownych wniosków.

– Ochotnicy dostają różne substancje. Sprawdzamy ich wpływ na uspołecznienie.

– Ludzie ćpają, a wy patrzycie, czy się całują, czy dają sobie w ryja? – Tabita uniosła z trudem ciężkie powieki.

Bez doklejonych rzęs jej spojrzenie miało gadzią nieruchomość.

– Amfetamina daje najlepsze rezultaty – z wdziękiem dealera oferującego towar zapewnił nas Kevin.

– Pracujecie dla CIA?

Pytanie Jasia nie było żartem. Znałam jego poczucie humoru i praworządności.

– Dla agencji żywienia, medycznych, ale nie sądzę, żeby akurat CIA.

– Muszę coś wam powiedzieć. – Świadomość uczepionej stołu Tabity chybotała się jeszcze między zagadką przyszłości i czasu. Wzmianka o CIA pchnęła do wyznania tajemnicy. – Byłam w Indiach.

– Dziesięć lat temu – sprecyzował Jaś.

– Po studiach nie wiedziałam, co ze sobą zrobić. Przed pracą w opiece społecznej chciałam zobaczyć prawdziwą biedę, kontynentalny ogrom. W Madrasie biedni chodzili po pomoc do Matki Amali. Wiejskiej dziewczyny obdarzonej nadprzyrodzoną mocą. Chciałam zobaczyć to z bliska. Łaziłam za jej dworem, zostałam asystentką. Wstawanie o czwartej rano, byle jakie jedzenie, obsługiwanie Amali na każde zawołanie. Byłam dobrze traktowana. Gorzej miała hinduska służąca. Przy ludziach Matka Amala była święta. Jej uścisk sprowadzał błogostan, czasem sypała na głowy złoty pył. Skąd? Z rękawa chyba. Stać ją było, zebrała miliony dolarów. Nie twierdzę, że nie była święta. Ale prywatnie, w ukryciu, wyżywała swoją prostacką złość na biednej dziewczynie, służącej jej wierniej niż pies. Szarpała ją za włosy, kopała. Napatrzyłam się i po trzech latach postanowiłam wrócić do Stanów. Była okazja, Amala odwiedzała San Francisco. Powiedziałam jej o tym na statku.

Moja mama bała się, że utknę w Indiach. Nie wierzyła w cuda i joginów. Mój ojciec, syn pastora, zakochał się w niej z powodu ateizmu. Poznali się na uniwersyteckim zebraniu racjonalistów. Ojciec nienawidzący sekciarskiego ograniczenia swojej rodziny, pastorzy od czterech pokoleń, szukał podobnej sobie dziewczyny. Znalazł ideał. Najatrakcyjniejszą studentkę wydziału elektronicznego na Uniwersytecie Stanforda, i najinteligentniejszą. Wielokrotna zwyciężczyni radiowych teleturniejów dla dzieci. Krzyżówka Shirley Temple z Albertem Einsteinem. Pobrali się, skończyli studia. Miałam dziesięć lat, rozwiedli się. Ojciec znalazł pocieszenie w protestanckich psalmach, matka w małżeństwie z maklerem giełdowym. Wierzyła w swoje kostiumy Chanel. Torba od Vuittona jest jej wyznaniem wiary. W coś wierzyć trzeba. Była już wdową, kiedy wracałam z Indii. Obudziła się przekonana, że tego ranka mnie zobaczy. Statek dopłynął dwa dni później. Nieważne, prosto z łóżka wyszła przed swoją willę w San Francisco. I posypały się na nią płatki róż. Nie wiadomo skąd. Zgubił je helikopter? Przeniosła wichura? Obsypały ganek, schody, kolumny. Nie spadły nigdzie indziej, tylko u niej. Zabrała ich trochę do koperty. Rozstając się z Matką Amalą po jej pobycie we Frisco, przekazałam kopertę od mamy. Nie otwierając jej, Amala wyjęła z rękawa identyczne płatki róż. – Tabita wzięła Jasia za rękę.

Kiwał potwierdzająco głową. Historia musiała być praw-

161

dziwa. Nie wiedziałam, co myśleć, płatki róż przed domem ateistki. Opad absurdu. Kevin nie dał się zwieść cudowności.

– Dlatego nie chciałaś chemioterapii? Czekałaś na pomoc świętej? – zapytał rzeczowo.

– Nie mam z nią kontaktu od lat.

– Ze świętymi kontaktujemy się inaczej... – Nie odpuszczał.

– Przecież zgodziłam się na leczenie.

Po dzisiejszej opowieści jej halloweenowy turban z czerwonym kamieniem i złotym łańcuchem wydał się bardziej hinduski niż hollywoodzki.

Kevin poczęstował nas speedem. Nie miałam ochoty. W domu czekała na mnie Lula. Poprosiłam o sesję w tomografie.

– Nie umiem go obsługiwać. Ale jeżeli potrzebujesz czegoś podobnego...

– Tak, chcę zobaczyć, co mam w głowie. – Spodziewałam się znowu spotkać babcię. W jej dziewiętnastowiecznym koku, długiej sukni. Dokopać się do ciebie i wyrwać z pamięci.

– Za górami, w Lafayette, mieszka geniusz – Kevin zaczął jak bajkę. – Produkuje substancje, legalne, póki ich nie zbada agencja żywności. Wydają wyrok, on zmienia jedną cząsteczkę i następne trzy miesiące jego towar jest legalny, do następnej inspekcji.

– Coś mi się kojarzy... – O Shulginie mówił w Krakowie Profesor. Nie zmyślał.

– Shulgin. Jane Campion nakręciła o nim serial, ludzie dowiedzieli się, kim jest, Prometeusz, zabiera bogom oświecenie.

– Możemy go odwiedzić? – Wgląd w szamańskie malarstwo Chagalla zawdzięczałam jego meskalinowej mieszance.

Kevin nie odpowiedział, zajęty Tabitą i Jasiem. Wydzielał im minimalną dawkę amfy.

– Weźcie w domu. A to dla ciebie. – Podał mi zwitek, na którym napisał coś tym cholernym, kręcącym się długopisem: „Shulgin umiera na raka wątroby. Żona chroni go przed wizytami. Przyjdź w następną sobotę".

Tydzień przede mną był biegiem z przeszkodami. Przeskoczyć środę, czwartek. Piątek – koniec szkoły językowej. Gabriela w nagrodę za wyniki uczyła nas słownictwa hazardzistów. Zamknęliśmy drzwi na klucz. Mówiliśmy ściszonymi głosami. Nie dało się stłumić przekleństw, gdy ksiądz znowu zgarniał pulę pokera. Obcykany za kratami konfesjonału z szulerką odgrywaną przez swoich wiernych, ogrywał nas. Stawialiśmy centy i czekoladowe groszki. Próbowałam nauczyć się systemu blackjacka czyli oczka. Gabriela rozdała nam tekturki z obliczeniami, kiedy obstawiać, a kiedy spasować. Według ściągi powinnam wycofać się przy szesnastu punktach. Następna karta z prawdopodobieństwem jeden do pięciu przekroczy dwadzieścia jeden i przegram. Nie wierzyłam. Dla mnie to prawdopodobieństwo wynosi jeden do jednego, wygram albo stracę. Nikt nie zna następnej karty, a gramy w karty, nie w prawdopodobieństwo.

– Ty jesteś nienormalna – z uznaniem powiedział Hiro.

Wygrałam jego górkę centów.

– Szczęście debiutanta. – Gabriela po moich pytaniach domyśliła się, że nie mam pojęcia o hazardzie.

– Oj, wreszcie piątek. Do poniedziałku jej przejdzie. – Lula walnęła drzwiami samochodu.

– Nie tak mocno. – Ruszyłam spod szkoły.

W trzaśnięcie włożyła całą siłę nastoletnich, przydługich ramion. Normalnie pałętały się niezbornie jak łapy rosnącego z dnia na dzień szczeniaka.

– Komu przejdzie? – Wjechałam na bulwar prowadzący prosto do domu.

– Miss Rathwell. Wściekła się, że skarpety jej spadły.

Tupnęła i zjechały. Ma śmieszne, chude nóżki, też piegowate. Zjemy cynamonowe bułeczki? – kusiła.

Ciepłe, lepkie bułki polane bitą śmietaną.

– Co się stało?

– Przyszedł nowy chłopak, Olaf, z Norwegii. Inny jest, spokojny, śliczny, niebieskie oczy, włosy jaśniejsze od twoich. Meksykanki się w nim zakochały. Gadały na lekcji. Miss Rathwell powiedziała Mariksie, żeby przestały, bo dzieci uczą się hiszpańskiego zamiast amerykańskiego. – Lula naciągnęła rękawy swetra. Palcami przebiła w nich dziury. Pomalowane pazury wystawały ze swetrowych mitenek.

– Nie dziwię się Miss Rathwell, uczycie się angielskiego.

– Eee. Ją zdenerwowało co innego.

Parkując przed cukiernią, spojrzałam do tyłu przez ramię. Zadarty nos Luli widziany z profilu podniósł się dumnie.

– Wstałam i powiedziałam: *Si, Marixa, no me gusta.*

– Znasz hiszpański?

– Meksykański, od dziewczyn.

– Ale po co to zrobiłaś? – Wyobraziłam sobie zabawne skarpety, które, opadając, odsłoniły tupiącą nóżkę. – Lubisz Miss Rathwell.

Zaparkowałam równo tuż przed cukiernią, w piątkowym tłoku. Wóz natychmiast stał się częścią weekendowej imprezy. Ktoś postawił na masce torebkę z piskliwie szczekającą chihuahua, chipsy, piwo.

– Olaf też mi się podoba. – Lula weszła do cukierni.

Chciałabym usłyszeć w tym łakomstwo. Nie dorosłe pożądanie. Miała piersi, okres. Stałam za nią w kolejce, przypatrując się przedziałkowi między rano umytymi włosami. Z tyłu łupież, z przodu pryszcze. Wyższa ode mnie, była nadal dzieckiem. Przepychała się do nowego życia. Już nie prostym kanałem rodnym, gdzie mogłam jej pomóc, krzycząc z wysiłku. Teraz poród przebiegał w labiryncie. Słyszała moje pouczenia, decydowała sama. Musiała błądzić i próbować. Dawniej wybrałaby sympatię nauczycielki.

*

164

Nie przypuszczałam, że następnego dnia zrównam się z Lulą. Moje stopy dotykały jej główki na zjeżdżalni. Byłyśmy ostatnie w kolejce. Przed nami tłum kobiet, dziewczyn. Wpadały do basenu, chichocząc.

– Wiesz, kim one są? – pytała Christina.

Wprowadziła mnie w hipnozę. Godzinę wcześniej wzięłam LSD.

– To mitochondria. – Przyglądałam się komórce mojej skóry poszerzonej przez LSD.

Jądro komórkowe było niedostępne. Odbijało spojrzenie kryształowymi tarczami. Głębiej miękło w błony skrywające kulistą tajemnicę. Jądro – wyłupione oko Boga dopatrujące porządku świata. Co komu się należy z kasy Opatrzności.

Stelaż komórki pękał, musiałam przenikać szybciej. Gnałam przez obcy krajobraz zaokrąglony horyzontem. W dole buzowały wysepki mitochondriów produkujące energię. U kobiet przechowują DNA kobiecej linii rodu, od pramatki. Spadałam na nieznaną, matczyną ziemię w biologicznym roztworze oceanu. Genetyczny przekaz mitochondriów nie był nanizany na białkowy sznur. Trzymał się za ręce. Nagi korowód dziewczynek, młodych kobiet, staruszek. Kilka miało bezzębne usta, w nich rozmiękłe dziąsła jak wnętrze waginy. Ustawione szeregiem na zjeżdżalni wskakiwały po kolei do oceanu życia. Siwe, kruczoczarne, rude, jasnoskóre, ciemne.

– Jestem każdą z nich, w różnym wieku – opowiadałam Christinie. – Ale...

– Ale co? – Spokojnie wzięła moje słowa na kolana, ukoiła i podała mi je znowu.

– Te kobiety są mną, ale... one były naprawdę. Moja mama, babcia i ta owłosiona... nie małpa, ma smutne, zwierzęce oczy. Przytulają się do siebie, nakładają warstwami. Są białkiem DNA w mitochondriach. Czuję ich drżenie.

– Rozumiesz teraz, dlaczego poprzednio rozmawiałaś z babcią?

– To naprawdę jest... i nie zniknie? – Przestraszyłam się utraty samej siebie powielonej tysiącami istnień.

– Nie wiem. – Christina była gdzieś obok.

Jej głos przestał uderzać falą o moją głowę. Rozbił się na strumienie. Coraz węższe cieki grubości naczyń krwionośnych. Przez ucho wplatały się w moje ciało. Krew Christiny wymieszała się z moją. Miałyśmy część tych samych mitochondrialnych wibracji.

– Jesteśmy spokrewnione, wiesz? – powiedziałam do siebie.

– Od pramatki dzieli nas osiem tysięcy pokoleń, kuzynko.

Dawka LSD była minimalna. Eksperymentalnie połączona z hipnozą. Kevin przewidział działanie na trzy godziny. Rozdał gościom ponumerowane koperty, od 1 do 14. Przypadła mi trzecia, z kolorowym papierkiem nasączonym dietyloamidem kwasu D-lizergowego. Do tego krótki opis efektu i prośba o raport z tripu w ciągu dwudziestu czterech godzin. Żadnych maili, SMS-ów, karteczek. Ustne przekazywanie wiedzy, tradycji psychodelicznej.

Kevin nie miał pozwolenia na LSD ani na żaden z dwustu trzydziestu halucynogenów wynalezionych przez umierającego Shulgina. Legalna była wyłącznie amfetamina w jego laboratorium.

Nie wiedziałam, co dostali inni. Popijaliśmy ciepłą wodę. Dwudziestolatkowie wokół nie przypominali dzieci kwiatów. Porządnie ubrani w ciemne marynarki, swetry z sieciówek, nudne jak maszynowy ścieg. Popatrywali na zegar nad brytfanną papugi albo swoje telefony, czekając na trip. Jedynym urozmaiceniem były ich kolorowe tatuaże wystające spod kołnierzy i mankietów. Znali dom Kevina. Co pewien czas ktoś szedł do jednego z pokojów wzdłuż korytarza. Tam opiekowała się nimi Christina. Bransoletki na jej bosych nogach brzęczały, zapowiadając nadejście opiekuńczego ducha. We włosy wplotła ptasie pióra. Powieki miała pomalowane błyszczącym szmaragdowym cieniem. Nadawało to spojrzeniu połysk bizantyńskich mozaik.

Christina nie była przebrana. Nie należała do kobiet strojących się, by pokazać innym wizję samej siebie albo to, jak chciałyby wyglądać – młodziej, szczuplej, profesjonalnie. Dobór kolorów, dodatków miał inny cel. Czarodziejka umysłów podążała za swoimi gośćmi w wymiary, do których przechodzili, przekraczając próg jej domu.

Papuga owinięta kaftanikiem bezpieczeństwa, podekscytowana obecnością kilkunastu osób, terkotała z brytfanny. Po półgodzinie zostaliśmy we czwórkę. Kevin, dziewczyna o pofarbowanych na biało gęstych brwiach i zamyślony chłopak zezujący za szkłami drucianych okularów. Zdejmował je do zrobienia selfie oka. Pstrykał w parominutowych odstępach, porównując zwężanie źrenicy. Wreszcie odmeldował się Kevinowi, przykładając palce do wyimaginowanego daszka wojskowej czapki.

– Dlaczego Timothy Leary zajął się LSD? Dlaczego nie został przy ekologicznych grzybkach? – Dziewczyna udająca Fridę Kahlo w wersji blond, z jednym paskiem białych brwi i wieńcem odbarwionych warkoczy, niemal przezroczystych, kontynuowała rozmowę, której początek umknął mi w gwarze spotkania.

– Trudno określić porcję psylocybiny w grzybkach. Stężenie LSD łatwo wyliczyć i kontrolować. – Kevin rozsiadł się wygodnie na opustoszałej ławie. – Leary w tysiąc dziewięćset sześćdziesiątym poczęstował meksykańskimi grzybkami Allena Ginsberga. Ginsberg przyjechał do Leary'ego, do Berkeley, razem z Orlovskym, młodym kochankiem. O północy pojawili się w salonie nadzy. Ginsberg absolutnie chciał dodzwonić się do prezydenta, Gandhiego i chyba samego Boga. Objawiło mu się rozwiązanie światowych konfliktów i własna przyszłość. Widział w niej siebie w związku z kobietą. Huxley był przeciwny popularyzowaniu halucynogenów. Inne wymiary są elitarne. Poeci, uczeni, artyści – owszem. Leary nie zgadzał się z Huxleyem.

– Amerykanin i Anglik? Demokracja i królewskie fochy? – Dziewczyna nabierała kolorów.

Przezroczyste żyłki włosów splecione w warkocz zaczynały przepuszczać barwy. Chciałam to powstrzymać, zostać dłużej przy stole i dowiedzieć się od Kevina więcej.

– Jest ciekawy zapis rozmowy Huxleya z Learym. Dochodzą do wniosku, że Biblia zaczyna się od zakazu spożywania halucynogenów. Owoców dających wgląd w inną naturę świata. Poznanie pozazmysłowe ściąga gniew boży. Represjonowanie psychodelików jest u podłoża naszej kultury. „I nie będziecie próbować owocu...". Bóg był pierwszym szefem agencji zwalczania narkotyków, Shulgin dotąd przed nim ucieka.

Zaparkowałam przy największym skrzyżowaniu pod kampusem. Czekam na Rona, chcemy kupić choinkę. Niespodzianka dla Luli.

Nie pytam, czy odwiedzał swój instytut, czy bibliotekę. Obładowany książkami, usiadł z tyłu. Chuchnął w zziębnięte dłonie, równie czerwone jak czubek jego zakatarzonego nosa.

– Gdzie pan sobie życzy? – spytałam tonem taksówkarza.

Paski dwóch wypchanych toreb przełożonych przez ramiona zaciskały mu kurtkę pozbawioną guzików.

– Centrum handlowe? W Emeryville – poprosił.

Przyspieszyłam, nie lubię prowadzić po ciemku. Nie dowierzam wyobraźni. Z sekundowym wyprzedzeniem tworzy własną rzeczywistość przekraczającą kodeks drogowy. Słonie, rzucające się pod koła jelenie, samobójcy i nieprzewidziane zakręty zostają wymiecione światłami. I nie ma to nic wspólnego z seansami u Kevina. Halucynogeny tylko podkręcają wizje snujące się po jaskini czaszki.

Na miejscu, w centrum handlowym, Ron poruszał się zadziwiająco sprawnie pośród świątecznego tripu błyskotek.

– Wiem, co gdzie jest. – Doprowadził mnie do głównego placu centrum handlowego. – Patrz. – Stanął za mną.

Wbił palce w kołnierz mojej kurtki. Jednocześnie zapłonęły światełka oplatające gigantyczną choinkę. Rozległy się brawa, huknęło *Jingle bells, Jingle bells*.

– Świat rozbłysnął. – Ron mówił w moją wełnianą czapkę, dotykając jej ustami. Pomyślałam, że recytuje wiersz. – Bez tego światła nie byłoby nas. – Z przejęcia pociągał zakatarzonym nosem. – Trzynaście miliardów lat temu wszechświat był gorącą, ciemną plazmą po Wielkim Wybuchu. Dopiero kiedy temperatura spadła, powstały fotony, wiesz, paczuszki światła, i w jednej chwili kosmos zabłysnął. Jak teraz. Powstały gwiazdy. Choinka z gwiazdkami jest pamiątką tamtego światła, trzynaście miliardów lat tradycji, czternaście – poprawił się. – Mój ojciec nie znał najnowszych wyników. Trzynaście miliardów siedemset osiemdziesiąt milionów. Postęp nauki i techniki jest algorytmiczny. Przyjeżdżaliśmy tu co roku.

– Z Jessicą i ojcem?

– Opowiadał mi tę samą prawdziwą legendę o drzewku. Był inżynierem. Jessica namówiła go na obsługiwanie koncertów. Obdarzony słuchem absolutnym. O mało nie został pianistą. W latach sześćdziesiątych rock był filozofią, inne czasy. Przy montażu stanął za blisko kolumn. Poleciały infradźwięki. Płuca mu oberwało, znaczy najpierw eksplodowały, a potem się skurczyły do wielkości – podniósł bombkę ze straganu – o, czegoś takiego. W mieście zdążyliby do szpitala. Na wsi... przedrzeć się przez tłum... to był Woodstock.

Z ekranów wokół placu mrugały świąteczne reklamy. Przejechał Święty Mikołaj. Szczęśliwe rodziny otwierały prezenty i recytowały formułki handlowej miłości do opiekacza, magicznej karty kredytowej. Młoda para wylegiwała się przed kominkiem, popijając szampana.

Dopadł mnie lęk. Musiał być cały czas, namnażał się we mnie, aż osiągnął przewagę i zaatakował. Napad paniki jest przebiciem się nieszczęścia.

– Ron, masz coś na uspokojenie?

Obmacuje kieszenie kurtki, spodnie. Wyciąga papierową torebkę po herbacie. W środku trochę esencji albo pokruszonych ziół.

– Przyniosę wody. – Idzie do McDonalda.

Nie mogę zostać sama, wlokę się za nim przez roziskrzone centrum handlowe.

– Na miejscu czy na wynos? – Sprzedawcy pakują hamburgera.

– Martwy czy żywy? – Słyszę swój strach.

Mięso jest świeże, przynajmniej tak pachnie dla mnie, wegetarianki. Mdląco.

Ron wsadza do kubka wrzątku swoją torebkę.

– Sałata? – Wącham.

– Nie wiem. Na pewno nic groźnego. – Bierze ode mnie i smakuje. – Rumianek z trawą.

– Nie będę mogła prowadzić.

– Z trawą cytrynową, nie czujesz?

Jestem odrętwiała. Gdybym pozwoliła sobie czuć, trzęsłabym się, osunęła i waliła pięściami w podłogę. To przez reklamy. Pod szczęściem rodzinnym, pod zakochaną parą brakuje ostrzeżenia: „Ze względu na bezpieczeństwo prosimy nie naśladować tych scen w życiu realnym". Nie skakać z dachu, nie wierzyć w miłosną parę karmiącą się karmelizowanym cyjankiem. Lover zniknie, ona będzie się zwijać ze strachu pod opieką autystycznego sąsiada, półsieroty z Woodstock. Dla Rona jestem interesującym robalem. Czy z oczu wypłynie mi śluz i w którym kierunku popełznę.

– Lepiej? Jedziemy? Mogę kierować. – Dopił z mojego kubka. – Ile razy jadę samochodem, myślę, że jadę krową.

Jego szaleństwo przegłosowało moje. Musiałam odholować nas do domu. Dałam już radę iść, parking był niedaleko. Ron nie przestawał mówić:

– McDonald's jest ostatnim ogniwem ciągu. – Zgniótł pusty kubek i wyrzucił. – W dziewiętnastym wieku krowy wchodziły do rzeźni w Chicago i opuszczały ją pocięte na części. Ford postanowił odwrócić ten proces. Części wjeżdżały do fabryki, a wyjeżdżał poskładany z nich samochód.

Na parkingu zorientowaliśmy się, że wracamy z niczym. Ron sam poszedł po choinkę. Przyniósł drzewko mieszczące się obok niego w samochodzie. Kupił też brokatowe gwiazdki i złoty łańcuch.

– Lula będzie miała rodzinne święta. – Obejmował choinkę na zakrętach.

Ucieszyła się z drzewka. Przybiegła od Jessiki, powiewając dyplomem przyznawanym prymusom w połowie roku.

– Widzisz? – Rozprostowała niebieską kartę z nadrukiem „Honor Roll". – Miałam same piątki, czwórki, po naszemu. Fajna choinka. – Przymierzyła do niej swój dyplom opieczętowany błyszczącą gwiazdką. – Mogę powiesić? Nie mamy dużo bombek. – Zrobiła w nim dziurkę igłą i przewlekła nitkę.

Niebieski, prawie szmaragdowy Honor Roll rozdawany uroczyście w sali teatralnej dyndał na gałązce między łańcuchami.

– Tata dzwonił? – Chciałam uprzedzić nostalgiczne wspomnienia czymś realnym.

Cokolwiek byś jej mówił przez Skype'a, jej czy komukolwiek: „Córeczka jest dla tatusia najważniejsza", kłamiesz. Najważniejsza? Kto to mówi, bo nie widzę, gdzie jesteś. Nie odzywasz się od trzech miesięcy. Nie można abdykować z bycia ojcem. Po co komu dom, gdzie rodzice chowają się przed sobą i nie rozmawiają? „Dzieci są najważniejsze", zakłamany refren tchórzy. Spieprzyłem sprawę, ratuję co się da. Maminsynki biegnące z usprawiedliwieniem do szkoły, pani, sądu, każdego, kto wysłucha, bo dzieci są najważniejsze. Dorośnij w swojej internetowej szklarni. Zastukaj w szybkę komputera z drugiej strony. Daj znać, że już masz siłę. Nie jestem Babą-Jagą sprawdzającą co rano przeglądarkę. Nie pożrę cię. Po prostu czekam.

– Rozmawiałam z tatą. – Lula użyła tonu twojej urazy. Naśladując ją, sprowadziła kawałek ciebie. Chociaż w ten sposób byłeś z nami. – Pytał, co robimy w święta. Co robimy?

– Jedziemy w góry. – Chciałam to zachować na koniec, pod choinkę.

– Naprawdę?

– Zależy, czy będziesz grzeczna.

– No to muszę ci coś powiedzieć. – Poszła za drzewko poprawić opadający łańcuch. – Byłam w *detention*. – Podgląda mnie spoza gałązek.

– Gdzie?

– W kozie.

– Nie w krowie? – Roześmiałam się, wspominając mięsno-motoryzacyjne przemyślenia Rona.

Lula stanęła na palcach, wsadzając głowę między igły. Dżinsy sięgały dużo ponad kostki. Trzy miesiące i urosła.

– Za karę idzie się do kozy, do *detention*.

– Macie coś takiego? – Nie podejrzewałam luzackiej szkoły o wymierzanie archaicznych kar. – Siedzicie na grochu?

– Czytamy książki. Nic innego nie wolno. Nie wolno mówić, chodzić, patrzeć przez okno. Jest zaklejone papierem. Pilnuje nas pani. Nakręca zegar przy każdej ławce. Można wyjść dopiero po dzwonku.

– Za co cię zapuszkowali?

– Eee. Powiedziałam prawdę.

Poczuła się pewniej, kazałam jej mówić prawdę. Oddzielać fantazje od prawdy. Nie od kłamstwa. Kłamstwo jest czymś dorosłym. Dorosły to skazaniec, nie ma odwrotu, na końcu egzekucja i śmierć. Dzieci są niepokonane w swojej wyobraźni. Lula biegająca po domu z latarką za Pilu. Pewna, że jeśli policzy do pięciu, świecąc mu w odbyt, zdemaskuje kosmitę. Wyszła zza choinki, stanęła przede mną, odgrywając prawdę.

– Czytamy na lekcji książkę o dziewczynce z Hiroszimy.

Umierała po bombie zrzuconej przez Amerykę. Wierzyła, że przeżyje, robiąc origami, tysiące żurawi.

– Smutne.

– Ale dzieci gadały i Miss Rathwell kazała się nam zastanowić, co by było, gdyby teraz wybuchła wojna w Ameryce. Zapytała, z kim Ameryka by walczyła. „Z Meksykiem!", powiedzieli Meksykanie. Wtedy Miss Rathwell zapytała, co by robili na wojnie.

Nauczycielka chciała podbudować emigracyjne ego bohaterskimi czynami. Lula potraktowała pytanie po swojemu.

– Tylko ja wiedziałam. Jedliby tacos.

– Powiedziałaś? – Nie miałam wątpliwości.

Jej walutą wymienialną na rzeczywistość było jedzenie. Nieważne, ile jest pięć razy osiem. Za to do końca życia rozpozna ulicę po zapachu restauracji.

– Dzieci się śmiały, nikogo nie obraziłam. Co z tego?! Miss Rathwell wyrzuciła mnie do *detention*. Meksykanie jedzą tacos, policjanci pączki. Grubi i chudzi, kto się wpycha pierwszy do cukierni? – Westchnęła z poczuciem żalu.

Przypominając sobie koniec kary, rozpogodziła się.

– Zaraz po mnie Miss Rathwell wyrzuciła do *detention* Marixę. Kazała jej usiąść z Ulirką. Marixa nie chciała. Powiedziała, że zawsze siedzi ze mną i za nic nie usiądzie z tą Niemką.

– Rathwell nie wyrzuciła Ulirki? – Przewidywałam karną procesję głąbów.

– Było już po drugiej, skończyliśmy lekcje. Gdzie jedziemy?

– Do Tahoe w Nevadzie, na święta.

– Śpimy w hotelu?

– Nie. Zaprosił nas Kevin, pamiętasz: ten z kitką.

– Dzieci nie będzie? – Zmartwiła się.

– Żona Kevina umie robić naszyjniki, wyszywać koralikami.

– Wzięłabym Marixę, ale ona musi być z mamą. Shira nie obchodzi Gwiazdki... Mogę jechać z Shirą? Samej mi nudno, wy będziecie gadać i gadać.

Wolałaby nas słyszeć. Przymknęła się nawet Peroki w swojej klatce. Lulę wystraszyła nagła cisza w samochodzie jadącym z Berkeley do Tahoe. Christina za kierownicą, Kevin obok niej i my za nimi, zamilkliśmy. Każdy po swojemu odprawiał mentalne egzorcyzmy po tym, co zobaczyliśmy na autostradzie. Zbliżaliśmy się do ośnieżonych gór, gdy minął nas rozklekotany chevrolet. Prowadziła go przygarbiona kobieta w rastafariańskiej czapce opadającej na policzek. Resztę twarzy zasłaniały siwo-czarne dreadloki. Mogłam ją sobie wyobrazić, widząc ręce. Szponiaste, ściskające kierownicę koloru starej kości słoniowej.

Mroźno, oblodzona autostrada. Tylne okno chevroleta po stronie kierowcy otwarte. W rytm jazdy wychylało się z niego coś szarego. Po zrównaniu samochodów zobaczyłam wybitą szybę. Wyglądał przez nią szkielet trzy-, czterolatka przymocowany sznurkiem do sufitu. Dziecko z baniastą, kościaną głową o rozwartych zdziwieniem oczodołach.

– Dawno po Halloween – wymamrotałam.

– Mógł być prawdziwy. – Christina gwałtownie przyspieszyła.

Patrzyła w lusterko wsteczne, jakby sprawdzając, czy wariatka nas nie goni.

– To wudu – powiedział Kevin.

Pewien rodzaj wariactwa przekracza granice, stając się magicznym. Christina wykonała szybki gest wokół swojej głowy, oganiając się od nieistniejących owadów, i dotknęła ramienia Kevina. Opuścił szybę, splunął resztkami żutej mandarynki.

Tahoe – jezioro o indiańskiej nazwie i ciemnoniebieskich falach. Otaczające je pagórki – dinozaury u wodopoju przymarznięte łatami śniegu.

Zimowy sezon tego roku nie był udany. Narciarze z braku zdatnych tras szwendali się po deptaku. Dzieci ciągnęły sanki ścierające piskliwie metalowe płozy w koleinach chodników.

Dom Christiny i Kevina stał na obrzeżach miasteczka. Jedna z szeregu drewnianych stodół przy ulicy kończącej się odrutowanym pastwiskiem.

W środku salon z jadalnią, na piętrach pokoje. Kremowe ściany przybrudzone osadami kurzu nad dmuchającymi duchotą grzejnikami. Dom nieodnawiany od czasu budowy sprzed pół wieku. Ozdoby i kominkowa rzeźba orła pochodziły z miejscowych sklepów indiańskich sprzedających rękodzieło plemienia Navaho. Jedynie w pokoju zajętym przez nas wisiała nad łóżkiem reprodukcja – Bóg dotykający dłoni Adama.

– Wolę to. – Lula natychmiast zamieniła obraz na plecionkę łapacza snów. Indiańską sieć wyłapującą koszmary.

Reprodukcja została w kuchni pod ścianą. Nie utrzymałaby jej szpilka po plecionce z różowych koralików i piór. Indiańskie gadżety nie różnią się od topornych góralskich pamiątek. Mają nadać nijakim wnętrzom swojską regionalność. Lula uznała dom za ponury. Wybrała się zwiedzać sankami okolicę.

Rozstawiłam nowo kupione pianki do kąpieli. Nie było szans użyć ich w berkelejowskiej łazience bez wanny i z zamierającym ciśnieniem. Tutaj woda leciała mocnym strumieniem, wiadomo: Nevada. Ozzy Osbourne po przeprowadzce do Kalifornii wściekł się, uruchamiając chory na prostatę prysznic. W reality show ze swojego życia sklął ekologię i suszę.

Lula wróciła ze spaceru zmarznięta. Wsadziłam ją pod prawdziwy prysznic. Woda z Nevady o mocy wodospadu.

– Mama! Mama! – przekrzykiwała szum.

– Tak?

– Mama!

– No co? – Zajrzałam do zaparowanej kabiny.

– Jest taka legenda: zawołasz trzy razy z łazienki „mama" i pojawia się ręcznik.

Podgotowana, rozmiękła Lula poszła wcześnie spać.

Kevin i Christina polegiwali przed telewizorem. Oglądali końcówkę *Pół żartem, pół serio*, pociągając piwo z butelek. W półmroku byli mniej realni od Sugar Kowalczyk granej przez Marilyn Monroe. Chrupali chipsy świątecznie zjednoczeni z Ameryką.

Boże, ile ja Sugar Kowalczyk poznałam. Chwiejących się na szpilkach, jakby szły po linie zawieszonej między facetami. Poprawiłam szal osłaniający klatkę Peroki od telewizora. Za dnia ptasiok mógł zwisać z belki pod sufitem albo obsrywać nas w locie.

Wzięłam ze stołu książki i skrypty Kevina. Gęsto zapisane, poplamione kawą.

– Siadaj. – Christina zrobiła mi miejsce.

Zazdrościłam im bliskości. Kanapa, wtulenie w siebie, wspólny film.

– Nie ma szczęśliwych par, są tylko pary, które szczęśliwie przeszły kryzys, pierwszy, drugi... – powiedział kiedyś Kevin. Powoływał się na tezę naukową powtarzaną oblegającym go dzieciakom: Agresja jest w naturze człowieka. Bez jej pokonania nie byłoby par i społeczeństwa. Inuici w noc polarną siedzą odwróceni do siebie plecami, patrząc w ściany igloo. Inaczej by się pozabijali. Bycie we wspólnocie, razem, to harówka przerywana weekendową popijawą.

Halucynogeny stworzyły cywilizację. Szaman był farmaceutą. Dawał swoim ludziom towar, kontrolował rytuał. Wspólne przeżycie innej rzeczywistości łączyło grupę. Przepalało niechęć, urazy. Popijawa bez awantur, kaca. Poczucie wspólnoty rozbrajało agresję. Narodziła się ludzkość. Bez halucynogenów byśmy nie przetrwali. Jesteśmy krwiożerczym, odważnym gatunkiem odkrywców. Ale żeby przeżyć, musimy współdziałać i oszczędzić swoich.

– Pójdę do Luli. – Górskie powietrze ścięło mnie z nóg. – Kevin, nie uważasz... Aaa, za późno, jutro. Dobranoc.

– Mów. – Wrzucił brzozową szczapę do kominka. Ogień przetarł ją płomieniem.

– Eee, wyjdę na Sugar Kowalczyk.

Z ekranu znikały już napisy końcowe.

– Nie miałbym nic przeciwko.

– Ja też ją lubię.

Christina mówiła o mnie? Taka frywolność nie pasowała do niej, nawet po dwóch butelkach piwa. Czasem angielski był dla mnie szumem. Rozumieć język to rozumieć nieznane słowa. Domyślać się ich, tak jak rozpoznaje się kogoś mimo przebrania.

Z Kevinem wydawali się parą bez sentymentalnego błotka cmokań i miłosnego ciamkania: Kochanie, Pysiu. Ich zaufanie nie było pseudonimem obojętności. W Berkeley Christina kręciła się wokół zapraszanych studentek, pełniąc obowiązki gospodyni. Obserwowała co ładniejsze, śmiejące się zalotnie do Kevina. Widziałam jednak, że kiedy znikała w pokoju na sesję, on nie przekraczał granicy uprzejmości. Miał dar wytrenowany latami praktyki – zwracania się do wszystkich i mówienia zarazem do każdego z osobna.

– Czekasz na śnieg? – Podniósł się z kanapy. – O co chciałaś zapytać?

– Pamiętasz rozmowę Huxleya z Learym o Biblii, o pierwszym zakazie?

– Mhm, coś szczególnego?

– Dlaczego Bóg zakazał spożywania halucynogenów, i to na samym początku Biblii?

– Halucynogeny, ruta, grzybki dostępne wszędzie, napędzają mowę. Jesteśmy mówiącymi małpami. Dlatego najpierw człowiek w Biblii nazywa zwierzęta. Oddziela się od zwierzęcego świata, niższych poziomów psychiki. Dlaczego Bóg zabronił korzystać z halucynogenów? Chce człowieka racjonalnego, człowieka mocy. W transie ludzie obdarowują swoją mocą lwy, węże. Masz nie słuchać węża, tylko siebie. Masz być jednością, scalić psychikę i wierzyć w jednego Boga. Tego chciał starotestamentowy Bóg. Być jedynym dla samotnego człowieka, zdanego na siebie. Człowieka nowoczesnego, bez zwierzęcych duchów. Oczywiście potem powstały szkoły prorockie na pustyni. Izajasz, Jan Chrzciciel się tam uczyli. Szkoły z technikami transowymi, nie świętymi roślinami. Techniką łatwiej kierować.

Przysiadałam na kanapie. Christina dała mi pled. Kevin doszedł do swojego ulubionego tematu: Timothy Leary. Czuł się jego następcą. Skromnym i mądrzejszym o kilka dekad. Usprawiedliwiał swojego mistrza:

– Mówią o nim: egocentryk. Nie spieprzył rewolucji, rozdając dzieciakom LSD. Wierzył w przemianę świadomości, miał dowody. Po terapii LSD siedemdziesiąt procent więźniów nie wracało do mamra. Normalnie recydywie podlega pięćdziesiąt procent. Leary spodziewał się Nobla, a dostał kopa. Wyrzucili go z uczelni. Bez tytułów naukowych stajesz się pariasem.

– Znałeś go?

– Za młody byłem, widywałem na Telegraph. Wynajął tam mieszkanie ze swoją kochanką. Żona się dowiedziała. Zostawiła go rano z dwójką dzieci w sypialni i zagazowała się w garażu. Włóczył je ze sobą po świecie, próbował wychować. Uma Thurman mogła być jego córką. Z jej matką wziął ślub, roczne małżeństwo. W podróży poślubnej na Wschód się im posypało. Indie są prawdą... – docierało coraz ciszej, zasypiałam.

Obudziło mnie zamieszanie. Coś spadło ze stołu. Papuga narobiła wrzasku. W zimowym świcie nie mogłam rozeznać, co się dzieje. Spałam przy kominku, w dżinsach i swetrze, okryta pledem. Zapaliłam światło. Klatka Peroki toczyła się po kamiennej podłodze. Wyjęłam biedaczkę. Oszołomiona wyrwała się i krążyła, skrzecząc pod sufitem, owinięta kamizelką.

– Peroki. – Pojawiła się zaspana Christina, ciągnąc za

178

sobą koc. Osłaniała oczy przed lampą, śledząc lot papugi. –
Peroki! Co ją wystraszyło?

– Nie wiem, może klatka spadła.

Wystawiła spod koca rękę. Papuga miękko na niej wy-
lądowała.

– *How arrre you?* – Przekrzywiła łebek.

– Co jest, Peroki? Co się stało? – Dotknęła jej nastroszo-
nych piór.

Papuga znowu szarpała je sobie spod kamizelki.

Następny dzień był zimową zabawą. Zaryłam nosem
w zaspie, biorąc ostry zakręt sankami. Płatki topniały od
oddechu. Puszczały lodowe wiązania gwiazdek. Powstały
przy skoku z chmur, jak akrobatyczny układ spadochronia-
rzy podających sobie ręce we wspólnym locie na Ziemię.

Dogoniłam sunącą w dół rękawicę. Zjeżdżaliśmy z górki, toczyliśmy się po niej, spadając z wypożyczonych sanek.

– Indiańska rodzina.

– *First Nation* – poprawiła mnie Lula.

Kilkanaścioro cioć i wujków rozłożyło krzesełka. Pikni-
kowali przy końcu głównego toru. Z najlepszego punktu
obserwowali swoje dzieci. Saneczkarze wymijali Indian
albo spadali na bok. Oni dostojnie pili kawę. Tor był płatny
i prywatny, *First Nation* u siebie z odmiennym poczuciem
odległości. Machali przyjaźnie do gwałtownie hamujących,
wjeżdżających im pod campingowy stolik. To było nawet
zabawne, nevadiańskie. W Nevadzie obowiązuje parę innych przepisów niż w Kalifornii. Ograniczenie prędkości
do dziewięćdziesięciu, nie sześćdziesięciu mil, zakaz strze-
lania przez okno samochodu – Kevin czytał nam reklamów-
kę stanową.

– Przy takiej prędkości można chybić. – Christina się ro-
ześmiała.

W towarzystwie Luli śmiała się częściej. Chciała dorównać jej beztroską, by ocenić, co straciła. Zastanawiała się,
jaką byłaby matką. To ona zaprosiła nas do Tahoe.

– Spokojnie, w innych warunkach, w przyrodzie może-my popracować razem nad procesem – mówiła o mojej hip-notyczno-LSD-owej wyprawie. – W Berkeley kręcą się stu-denci, nie ma skupienia, wiesz sama.

Jedną z zasad rządzących ich domem była otwartość. *Welcome 24h* dla ochotników eksperymentów.

– Nie można rozgrzebać czyjegoś umysłu, emocji i zo-stawić, bo nie pracujesz. – Kevin stosował własne zasady, odmienne od akademickich standardów. – Ludzie wbrew pozorom szanują prywatność, nie złażą się po północy. Ja nie eksperymentuję na żabach. Dotykam ludzkiego mózgu. Najbardziej skomplikowanego tworu wszechświata.

Po sankach pojechaliśmy na zakupy do Tahoe Food. Lula poszła z Christiną, my zostaliśmy grzać samochód. Szyby parowały, obłoki spalin unosiły się wokół wozu.

– Kim była żona Leary'ego, pierwsza żona? – Przypo-mniała mi się jej śmierć w garażu.

– Też psychologiem. Leary obwiniał whisky, dużo piła. Oboje pili, póki nie zajął się meksykańskimi grzybkami i LSD. Pieprzony geniusz. Shulgin to chemik z misją. Ti-mothy był geniuszem. Lata przed internetem mówił, że sieć jest przyszłością. Elektronicznym umysłem ludzkości. Chciał umrzeć na wizji. Filmował swoją chorobę, mówił, co bierze, ile. Na długo przed pierwszym *reality show*. Zobacz sama, jest w necie. Życiorys też miał psychodeliczny, nie tylko śmierć. Opiekowały się nim Czarne Pantery na Bliskim Wschodzie, ale zadarł z nimi i z terrorystami. Uciekał przed CIA, FBI. W amerykańskim więzieniu miał wielbiciela. Dzię-ki niemu był nietykalny. Facet przeczytał jego książki i cie-kawiło go, czym wabi piękne kobiety. Wiesz, kto to był?

– Zero pojęcia.

– Charles Manson. Psychopatyczny świr i geniusz obok siebie, w podziemiach wymiaru sprawiedliwości. Tam spy-chamy wszystko, co przekracza normę. Diabły i anioły won, to świat ludzi. – Wyskoczył z samochodu otworzyć ba-gażnik.

– Nie moglibyśmy zabrać wózka do nas? – zapytała słodko Lula, pomagając włożyć zakupy. – Zmieści się.

Kevin zawahał się, czy nie spełnić jej prośby.

– Lula, jesteś bardzo pomysłowa, ale nie. – Christina już wiedziała, o co jej chodzi.

– Nie ma dużo śniegu koło nas, są górki, zjeżdżalibyśmy – marudziła.

– Dobry pomysł, kiedy indziej. – Naciągnął jej czapkę na oczy.

Luli nie wolno było wyjść samej poza dom. Plotła z Christiną bransoletki i łapacze snów.

– Nie chciałam jej stresować, dzieci mają wyobraźnię. – Christina zgasiła światło w salonie, gdy zostaliśmy sami. – Zobacz. – Odsłoniła okno.

Normalny wieczorny widok małomiasteczkowej ulicy zimą. Światła, dym z kominów, zaparkowane wozy i błyszczący szronem asfalt.

– Ślady. – Nakierowała mój wzrok na taras. – Przestraszył rano Peroki.

W resztkach śniegu odciśnięte łapy dużego psa.

– Niedźwiedź – wyjaśniła. – Łaził wokół domu, chociaż śmieci trzymamy na kłódkę.

– Christina chciała ci powiedzieć, że to dziwne – wtrącił się Kevin. – Zima jest łagodna, nie powinien schodzić do miasta, w górach są, ale tutaj... nigdy. – Szykował dla nas kolację. Zalewał winem gorącą patelnię.

– Nie jesteśmy bezpieczni? – Lęk pogrubił smugi na oknach w rysy po zębach i pazurach niedźwiedzia.

Christina wyjęła z garnka nitkę spaghetti i rzuciła nią o ścianę. Makaron się przykleił. Żmijowym zygzakiem zawisł nad piecem.

– Gotowe. – Wyłączyła gaz.

Nie lekceważyła mojego pytania. Zastanawiała się, jak mnie nie przestraszyć. Z Lulą było łatwiej, wystarczyło zakazać jej spacerów wokół domu.

– Myślę, że to zły znak. – Postawiła misę na stole.

Usiedliśmy cicho do późnej kolacji. Przy ścianach prawie niesłyszalne buczenie elektryczności. Trzask w kominku – ogień łamiący zdrewniałe kości drzew. Z braku zasięgu nie dzwoniły telefony. Kevin sprawdzał swój, wychodząc czasem na taras. Peroki stała się małomówna, poza porannym wrzaskiem. Ale on miał sens. Christina wyczuwała w nim więcej niż strach.

– Szkielet dziecka... dzisiaj polujący niedźwiedź. – Nawinęła sprawnie spaghetti. – Myślę, że jesteśmy za słabi na taką moc.

Z miski parował makaron. Jeszcze subtelniejsze, niewidzialne opary mogły się unosić z mocy, o których mówiła. Przenikać przez ściany. Nie potrzebowały do tego drzwi ani okien.

– Wybita szyba w wozie na autostradzie, to masz na myśli? – Skojarzyłam.

– Między innymi.

– Moja działka jest łatwiejsza. Miligramy, tomograf. Gdybym musiał zastanawiać się nad duchową energią...

– To znaczy nie będzie sesji? – Docierał do mnie sens zdarzeń.

– Ja dostałam ostrzeżenie, nie wy. – Christina objęła głowę rękoma.

Bransoletki zsunęły jej się do łokci.

– Wszyscy widzieliśmy. – Nie wiedziałam, czy użyć słowa „znaki".

Dla mnie były to zwykłe ślady na śniegu i wariatka przepalona trawą.

– Tak, ale ja to odczytałam – powiedziała Christina prawie przepraszająco.

– Mnie przekonuje – uznał Kevin. – Na kwantowym poziomie rzeczywistości zmieniasz bieg zdarzeń przez samą obserwację.

Twierdzenie fizyki kwantowej obowiązywało najwidoczniej w codzienności Berkeley tak samo jak przepisy drogowe.

– Na poziomie, do którego ma dostęp Christina... – Kevin się zawahał.

– Na duchowym. – Zaznaczyła gestem, jakby nie chciała sobie nic przywłaszczać.

– Okej, na duchowym – zgodził się z nią bez ironii. – Obserwator również zmienia rzeczywistość, wpływa na nią.

– Zły znak tylko dla ciebie? – upewniłam się. – Przywiozłam szałwię.

– Z Happy Herbs?

Kevin wiedział, gdzie w zioła zaopatrują się jego studenci. Sam używał wyłącznie naukowej chemii. Duchem roślin zajmowała się Christina.

Ale nie będzie moją przewodniczką. Jak nieczysta odwróciła wzrok od wyjętej na stół paczuszki. Kupiłam ją przypadkowo. Chodziłam po świątecznym bazarze na Telegraph. Szukałam prezentów dla sąsiadów i rodziny Jasia. Gwiazdkowych drobiazgów, różnych od sklepowej konfekcji. Zajrzałam do Happy Herbs. Wszystkim przydadzą się zioła poprawiające nastrój – meksykańska damiana, tajlandzka mieszanka z ketaminy przerobiona w kapsułki phoenixa. Poprosiłam o niebieski lotus i podobnie działający opiumowy wyciąg z kalifornijskich, pomarańczowych maków. Rozejrzałam się za czymś jeszcze.

– *Sal-via divi-norum?* – z niedowierzaniem sylabizowałam napis nad kasą.

Ekipa sklepu codziennie się zmieniała. Tamtego dnia obsługiwał piegowaty student archeologii o wyjątkowo odstających uszach. Wydawały się przyczepione. Nałożone na głowę białoskórzane słuchawki.

– Paliłaś? – Zdjął z półki papierową torebkę. – *Divinorum*, w różnych stężeniach od piątki po czterdziestkę.

– Szałwia jest legalna? To podobno najsilniejszy halucynogen.

– W Nowym Jorku zakazana, w Kalifornii nie. Mamy fajki wodne, fajeczki. – Otworzył szafkę.

Brzęk szkła jak z kredensu na mieszczańskie kryształy. W środku szklane rurki zakończone bulwiastymi zbiorniczkami. Wybór zachwyciłby dziecko: fajki pomalowane bajkowymi kolorami na muchomorka, chmurkę, gwiaździste niebo.

– Tu wlewasz wodę, tu zakrywasz palcem i wkładasz knot. Szałwię musisz trzymać pod żarem. – Miał doświadczenie, znał działanie każdego ze sprzedawanych ziół. – Szałwia jest... ferrari. – Szukał porównania do znanego mi, europejskiego wozu. – Odpala bez wstępnego rozbiegu i nie ma odwrotu. To nie trawka ani LSD czy ayahuasca.

– Ayahuascę piłam podczas obrzędów w Polsce.

Jej mocy nie porówna się z żadną chemią. Zaletą świętego napoju przy całym fizjologicznym harakiri – rzyganiu i biegunce – jest mentalna łagodność. Wystarczy otworzyć oczy. Inne światy, duchy, halucynacje znikają.

– Ayahuasca, moja droga, jest aniołem, prowadzi i chroni. Szałwia, chociaż w Ameryce Południowej nazywana indiańską Panienką Pastewną, jest gromem. Musisz palić z kimś. Tracisz przytomność na piętnaście minut. Bez wstępów, pstryk, świadomość gaśnie. Przy piątce dobrze się medytuje. Tobie na pierwszy trip radzę dziesiątkę. Dla zaawansowanych dwudziestka, trzydziestka. Dorzucę ci gratis ekologiczny knot. – Powąchał z przyjemnością konopny sznurek.

Nie byliśmy sami. W gablotach zapakowane, podzielone na porcje roślinne embriony wróżek i demonów. Wystarczyło złożyć ofiarę z dymu. Dać odetchnąć, by odżyły i przełknęły ludzki mózg.

– Co widziałeś po szałwii? – zapytałam sprzedawcę o wewnętrzną podróż.

Psychonauci, solidarni w potrzebie dotarcia na szczyt prawdy, wymieniają między sobą doświadczenia, jak himalaiści.

– Uwięziło mnie, setki lat przy ścianie domu. Byłem czystą świadomością, duchem. Miałem czas przemyśleć pewne sprawy. Zmieniłem kierunek studiów z inżynierii produkcji w Stanfordzie na archeologię w Berkeley. Pieprzyć produkcję i biznes z samouczkami dla psycholi, jak pokonać konkurencję. Konkurencja była w starożytnej Grecji, na olimpiadzie. Ich świat miał kilkaset tysięcy ludzi. Przy sześciu miliardach konkurencji nie ma, jest tylko obłęd. – Sprzedawca poczerwieniał z emocji.

Wyglądał na uszatego motyla przypiętego do regału z ziołami. Drzwi sklepu zagrały Om, witając wchodzących. Schowałam swoją paczkę. Nie zaglądałam do niej, przekonana, że Kevin i Christina będą idealnymi opiekunami w tripie.

Z Kevinem szarpałam się przy drzwiach pokoju. Szarpałam go i panicznie trzymałam, był jedynym ratunkiem. O Christinie nie pamiętałam. Nie pamiętałam o niczym od drugiego macha. Szałwia smakowała przypalonym plastikiem. Knot się palił, woda w fajce bulgotała pod odrobiną zioła upchanego palcem. *Salvia divinorum*, meksykańska święta, Najświętsza Panienka Pastewna, przybyła natychmiast. Zadymiły kontury tego świata. Opadłam na łóżko. Indiańska kapa przybrała zjadliwe kolory. Geometryczny wzór stał się rytmem i ucichł. Rozwiało sufit.

Księżyc osłaniały śnieżne chmury. Zwykłe białe, metalowe wiatraki ze wzgórza za domem naciągały olinowanie gwiazd. Wyżej była prawdziwa ciemność i zardzewiałe dno nieba, wypuczone niby przeterminowana puszka. Wbił się w nie nóż do konserw pokryty hieroglifami. Wypadło mięso. Z całego nieba leciało przeterminowane mięso aniołów. Jeden żył, dogorywał. Dopadł go mężczyzna w średniowiecznej sukni. Wyrywał pióra ze skrzydeł. Krwawe rany po nich miały kształt gotyckich liter. Człowiek wlewał w nie gorący ołów.

– Nie jestem oprawcą – powiedział, nie przerywając tortur. – Jestem złotnikiem, odlewam czcionkę. – Gorący ołów przyłożony do przedramienia anioła wypalił napis „Gutenberg". – Wydrukuję z nich pierwszą Biblię.

Mówił prawdę, Gutenberg był złotnikiem. Piętno na anielskiej skórze stało się obozowym tatuażem 666. Te jeszcze nieoznakowane anioły latały w długich szatach zakrywających erekcję. Podzwaniały im kryształowe jądra, głośniej od kościelnych dzwonów. Spomiędzy pośladków anielskich hermafrodytów wystawały dziewicze waginy. W uniesieniu wytryskiwali światłem koloru tęczy. Na znak przymierza przeciwieństw: Boga i ludzi. Słońca po wodach potopu. Męskiego blasku i kobiecej wilgoci. Tęczy Noego i tęczy Benedykta XVI, gdy przekraczał bramę Auschwitz.

Średniowieczny, zgrzebny płaszcz Gutenberga porósł sierścią. Zjeżył się i wyliniał. Gutenbergowi wyrósł nowy strój – habit zakonu żebraczego augustianów. Poznałam po skórzanym pasie, czarnej sukni z kapturem. Mnich przyklęknął przy zakrwawionych piórach. Podstawił szklane naczynie podobne do fajki wodnej. Krew ze skrzydła skapywała kroplami, więc je wydoił. Miał w tym wprawę. Wyskubane skrzydło pęczniało. Stało się nabrzmiałą kobiecą piersią. Pypcie po piórach skleiły się na jej czubku w różową grudkę sutka. Mnich spojrzał spod kaptura narysowanymi czarną kredką oczami. Jego opuchnięta, przestraszona twarz też była rysunkiem. Rozpoznałam Marcina Lutra. Rzucił kałamarzem napełnionym krwią w kuszącego go anioła. Naczynie rozbiło się o niewidzialną ścianę.

By nie widzieć łaszących się do niego anielskich cycków, wyrywał zakrwawione pióra. Maczał je w ranach spadających aniołów. Była w tym zawziętość wymierzanej diabłu kary. Była też gorliwość pierwszego tłumaczenia Biblii. Wyrywał łacińskie słowa bestii. Na ich miejsce wpisywał starannie niemieckie. I pisał jeszcze o diabłach, czarownicach i diabelskich pomiotach poczętych z analnych kopulacji. Rozglądał się trwożnie, znikąd ratunku przed pokusą, przed zbrodnią.

Nie weszłam w inne wymiary. Skurczyłam się do dwuwymiarowego rysunku. Moim ciałem i umysłem była rycina Lutra. Czułam jego strach, niechrześcijański. Piekło, do którego się ześlizgiwał, było nowoczesną nicością. Zakazując ozdób w kościołach, odarł też raj z aniołów, a podziemia z diabłów. Pustka po śmierci. Za życia troska o kruche ego. Neurotyczny indywidualizm w obronie przed nicością. Luter skazał Zachód na własne piekło.

Wciągała mnie bezwymiarowa czerń. Walczyłam. Pójść z Lulą na ślizgawkę, wrócić. Trzymałam Kevina za rękaw, błagałam o pomoc. Zamykały się inne wymiary, oddzielając nas bezpowrotnie. Jeżeli rozpadnie się ja, nie będę miała gdzie wrócić.

– Wypaliłaś szałwię, to minie – powtarzał.

Mówił o czymś ze swojego świata, wolnej woli. Tutaj była wyłącznie grawitacja konieczności. Kiedyś mogłam chcieć i zmieniać. Mogłam się modlić o lepszą śmierć. Mogłam cię kochać, jak na to zasługiwałeś. W pochłaniającej ciemności zostały światełka uczuć. Do ciebie, Luli. Traciłam was i siebie.

Tupałam w miejscu, może to były przedśmiertne drgawki, gdy dusza próbuje zostać i potrząsa zamierającym ciałem. Z głębi wciągającej mnie nocy nadchodziło buczenie, zawodzenie indiańskich pieśni przerwane ogłuszającym rykiem niedźwiedzia, zranionej śmierci. Paszcza innych wymiarów zamknęła się tuż nade mną.

Kevin zawołał na pomoc Christinę. Albo inną kobietę, zakonnicę Katarzynę von Bora, żonę Lutra. Czarny welon mógł być włosami Indianki. Wymachiwała siekierą czy rytualnym tomahawkiem. Uderzyła nim pulsujący sznur owinięty wokół ciemności. Wróciłam do domu w Tahoe. Dobiegłam, uciekając przez inne wymiary. W tym wydawało się, że stoję i tupię.

Jestem już bezpieczna, spokojna, ale wiem, że w pokoju, gdzie wypaliłam szałwię, jest przejście na drugą stronę. Nie wrócę tam po zostawione buty.

Christina naciera mi ręce różanym olejkiem.

– Kościotrup i siła niedźwiedzia to były znaki. – Gładzi mnie po włosach mieszanką swojej śliny z miodem. – Już dobrze, już dobrze.

– Jeżeli tak wygląda śmierć... gdybym była niewierząca, nawróciłabym się na wszystkie religie.

– *Bad trip* – zmartwił się Kevin. – Jest zasada: ważne, co bierzesz, z kim i w jakim jesteś nastroju. Coś nawaliło. Jakbyś wstrzyknęła lekarstwo w złą żyłę. Uruchomiłaś prawą półkulę, na pewno ośrodek limbiczny, strach.

– Nawrócę się na życie. Wiecie, co za radość pić herbatę, poruszać ręką, kiedy się chce? Robić, co się chce?

Spojrzeli na siebie porozumiewawczo.

– Bredzę?

– Nie. Święta Szałwia, Panienka Pastewna, zrobiła swoje. Chce ci się żyć.

Nie wyparowała ze mnie do końca. Myśli przesuwały się za szybko, za obrazowo. Słowa malały do wielkości atomu, cząsteczek i wybuchały ogromem galaktyk. Między mikro- i makroświatem, absolutnym chłodem i żarem było życie. Na nieskończonej skali martwoty pierwiastków, fal było święto życia udekorowane girlandami helisy DNA.

– Sensem życia jest życie. Nic innego. – Miałam przekonanie proroka o posmaku *Salvii divinorum*.

Nie zasnęłam tej nocy. Leżałam w salonie, analizując, co mi się przytrafiło. Wizja nie była halucynacją, była wglądem w inny świat. Jeśli to miał na myśli Jezus, mówiąc o przejściu do królestwa niebieskiego przez ucho igielne... zostawić bogactwo siebie, pomniejszyć się do punktu świadomości.

Kevin wyciągnął zdjęty przez Lulę obraz. Reprodukcję z Kaplicy Sykstyńskiej, słynne *Stworzenie Adama*, gdzie Bóg dotyka dłoni człowieka. W Watykanie najbardziej podobał mi się fresk na prawo od tej sceny, z mocarną Sybillą Libijską. Dźwiga otwartą księgę przeznaczenia. Pomarańczowa szata odsłania umięśnione plecy, bicepsy. Sybilla prorokowała przyszłość, ja opowiadam moimi książkami przeszłość. Po szałwii nie miało to znaczenia. Obydwa wymiary okazały się złudą, dwiema stronami tej samej kartki z księgi prorockiej.

Tamtej nocy ryknęła moc szałwii, niedźwiedzia stającego dla postrachu na dwóch łapach. Nic nie zostało z mojej woli, przemyśleń i mnie. Nadawałam się do ścieku, spuszczenia rurami. Tymi samymi, co wokół głównego ołtarza w Bazylice Świętego Piotra udają kolumny baldachimu. Ubzdurałam sobie, że Bernini zaprojektował je na złoto. Z bliska były czarne. Osmolone rury w centrum katolicyzmu. Industrialna oczyszczalnia sumień. Tłusty brud grzechów pokrył wykręcone wysiłkiem kolumny. Zatkane osadem nie odpuszczają, nadal tłoczą. Przenoszą drgania do podziemi, póki nie przeczyści ich wycior łaski.

Kevin położył sykstyńską reprodukcję na stole.

– Nie będę rysował ci mózgu, Michał Anioł namalował to lepiej. – Zakreślił palcem czerwony płaszcz Boga okrywający grupę aniołów. – Proszę, tu mamy płaty czołowe, tu rdzeń kręgowy. – Wskazał zieloną wstęgę zwisającą spod kompozycji.

– To złudzenie? – Widziałam wyraźnie, o czym mówił.

Znany mi od lat obraz, powielany do znudzenia, zamieniał się w ukryty atlas anatomiczny.

– Nie sądzę. Malarze renesansu znali anatomię, kroili trupy. Michał Anioł zabawił się, namalował rebus. Nie wiem, czy wiedział, skąd biorą się myśli, ale głowa była symbolem mądrości, więc logosu. Na początku był Logos i Bóg Stwórca. Nie przywiozłem tego obrazu, bo lubię gołych facetów, Maria. – Rozśmieszyła go moja mina. – Napij się jeszcze wody.

Musiałam wyglądać na pogubioną między światami. Adam i Bóg, reprodukcja pokazywała przekrój mózgu. Kevin nazywał jego części pasujące idealnie do tego, co pod płaszczykiem Boga namalował Michał Anioł. Tłumy aniołów przytulonych do Stwórcy, obserwujących stwarzanego umysłem Adama. Gdyby to na ścianie Kaplicy Sykstyńskiej roztrzaskał się kałamarz Lutra, a nie w wittenberskim zamku...

Po co duch szałwii pokazał Gutenberga odlewającego czcionki? Złotnik stworzył drogocenną wiedzę. Dla mnie najcenniejsze tej nocy było odejście. Zrozumienie, co jest naprawdę ważne. Tu i tam. Strach przed piekłem jest strachem o to, co się zostawia? Swoją szansę na bycie lepszym. Mądrzejszym, pobożniejszym, gdziekolwiek są nasi bogowie. I ci, których kochamy. Zadzwonię do ciebie. Opowiem, co jest naprawdę ważne.

W tej chwili ty dzwonisz do mnie. Zaspana biorę słuchawkę. Trzaskają drzwi. Nie, śniło mi się. Terkotała komórka Kevina zostawiona na tarasie. Idzie po nią lunatycznie. Zaspany, w ciepłych dresach. Siódma rano, ciemno. Bierze klatkę i wiesza przy oknie. Rozmawiając, sprawdza, czy papuga nie wyczuwa niebezpieczeństwa. Peroki reaguje na jego głos, zamaszyste kroki po śniegu. Udziela się jej niepokój Kevina widzianego za oknem. Próbuje wydziobać sobie pióra spod kamizelki. Gutenberg i skubanie aniołów, no bo skąd ta dziwna wizja?

– Chyba musimy jechać. – Kevin otrzepuje zaśnieżone buty.

Od podeszwy odpadają zlodowaciałe prążki, układają się w ślady podobne do tych z Księżyca, odciśniętych w białym pyle. Na tarasie zostały wgłębienia po spacerze Kevina i przytarte już odciski niedźwiedzich łap. Zdarty śnieg jest bielszy.

W dzieciństwie kroiłam patykiem jego wierzchnią warstwę. Odsłaniałam prawdziwą biel spod śniegu oprószonego błotem, pyłem z kominów. Zima pachniała węglem i mroźną bielą. Zdjęta warstwa brudu nie była całkiem czarna. Przeświecały w niej gwiazdki. Czysty wycinek pod nią nie był idealnie biały po dotknięciu ubrudzonym patykiem. Śnieżne jin i jang. Biel z kropką czerni, czerń z kropką bieli. Wiedza Azjatów o istocie świata. Oddzielonych od stepo-

wej dziczy murem widocznym z Księżyca. Europę chroni-
ło żywe przedmurze. Wmieszali się w słowiańskie geny,
zostawiając po sobie wystające kości policzkowe i skośne oczy. W mojej twarzy przejrzała się Azja. Uwodzicielska
obcość tatarsko-rosyjskiej twarzy Kławdii Chauchat z *Czaro-
dziejskiej Góry*. Cokolwiek roił sobie o niej młody Hans Ca-
storp, była dzikim instynktem. Po francusku *chaud chat* –
kociak w rui.

Christina jest mieszanką śródziemnomorskich, długogło-
wych konkwistadorów i Azji, skąd przybyli tu jej indiań-
scy przodkowie. Piękna twarz to oszlifowany przez historię kamień. W jubilerstwie płaszczyzna szlifu kamienia
nazywana jest fasetą. *Face* znaczy twarz. Gutenberg odrzucił złotnicze rzemiosło... Szałwia nie ulotniła się z moich
myśli. Obserwowałam je spod którejś warstwy. Jednocześnie zastanawiałam się, dlaczego Kevin postanowił wyjechać
z Tahoe.

– Lepiej? – Christina opatulona pledami usiadła przy
wygasłym kominku. – Dzielna byłaś wczoraj. – Naprawdę
jedziemy? – Wiedziała, że nie każde wezwanie Kevina jest
konieczne. Ludzie o różnych porach wydzwaniają przejęci
sobą, nagłym wglądem w sedno. – Klinika, studenci?

– Tabita. – Zmarzniętymi palcami próbował zapalić kuchenkę gazową, łamały się zapałki. – Śniadanie i jedziemy.
John dzwonił.

Nie ma znaków dobrych i złych, tylko przypadki. Gdy
w labiryncie znika mapa, zostaje coś na kształt modlitwy.
Droga powrotna prowadzi między górami, na skróty do autostrady. Modlę się za ciebie, za Tabitę.

Znikając w szałwii, zrobiłam ci miejsce. Musimy być
w równowadze, ty i ja. Sensem życia jest życie, oddychać,
czuć bicie serca, obserwować lot drapieżnego ptaka nad
białymi górami i słyszeć z klatki skrzek *How arrre you?*

Luli imponuje Kevin. Leczy zwierzęta, pozwolił jej kar-
mić Peroki lekami. Uzdrawia ludzi i go słuchają. Przerwał

nasz wyjazd, prowadzi auto z wprawą rajdowca po krętej trasie.

– Zostanę psychologiem. – Lula kładzie się na mnie, nastoletnie dziecko planujące dorosłość. Nie naśladuje ciebie. Marzy o byciu Kevinem. Podskakują jej indiańskie naszyjniki kupione w Tahoe i te zrobione razem z Christiną.

– Lulcia, niemożliwe. – Moszczę szalikiem podparcie pod jej potarganą głowę.

– Będę.

– Ty nie czytasz. – Nie zaliczam do lektur czasopism Disneya. Ani wampirycznych powiastek, chociaż przygotowują dziewice i młodzianków do upuszczenia krwi w żądnym zysku świecie. – Psycholog musi czytać dużo poważnych książek.

– No to będę psychologiem szkolnym – kończy dyskusję.

Zielona twarz Philipa Dicka uśmiecha się z transformatora. „Bądź świadomy!", „Rozwijaj umysł" – napisy na murach Berkeley. Bierzemy torby z bagażnika, Christina i Kevin jadą dalej, prosto do Jasia. Wyłączył telefon i czeka. Niewiele powiedział Kevinowi.

Nasze mieszkanie wychłodzone, miski wylizane, koty stęsknione. Dokarmiał je Ron. Pilu, widząc nas, rzyga z emocji. Wycieram podłogę, znajduję zaschnięte plamy wcześniejszych wymiocin. Ma potężną niestrawność, może chory. Ron nic nie zauważył. Koty chowały się na każde skrzypnięcie odsuwanej deski w płocie i odgłos jego kroków przez ogród.

– Lepiej pojadę z wami. – Wpakował się w piżamie do samochodu. – Weterynarze mówią żargonem.

Czuł się odpowiedzialny za marny stan Pilu. Kot miauczał z częstotliwością taksometru. Równo co kilkaset metrów rozpaczliwy sygnał: auuu!

W weterynaryjnej poczekalni klatki i słoiki, najdziwniejsze zwierzęta. Bardzo rasowy chomik o kaprawych oczach. Wąż z wybrzuszeniem, gdzie utknął niestrawiony chomik spożywczy. Kot ze złamanym ogonem oczekujący na prześwietlenie. Lula bawi się między krzesłami z mopsem. Psiak niemrawo przebiera łapami, wystawiając bezwładnie jęzor. Rozjechane na boki oczy są przerasowanym kalectwem rodowodu.

– *Oh fuck!* – Ron był bliżej tarzającego się z Lulą mopsa.

Psu wypadło oko. Nie potoczyło się jak szklana gałka po wyszorowanej sodą posadzce. Zawisło na żyłce. Pilu szarpnął w stronę dyndającej pokusy. Ron usiadł przy zszokowanej Luli. Nie byłam w stanie się ruszyć. Mops szczeknął na swoje patrzące w sufit brązowe oko. Nie wróciło do pustego oczodołu. Właściciel psa przestał czytać weterynaryjną ulotkę. Flegmatycznie schował ją do kieszeni kamizelki pod granatową marynarką.

– Ta rasa tak ma. – Wyjął buteleczkę odkażacza. Polał gałkę, wepchnął w płaską jak ściana mordę. – Z tym przyszliśmy. – Podciągnął kant spodni. – Po którymś razie może oślepnąć.

Widowiskowe schorzenie psa przyćmiło problem Pilu, zwykłą niestrawność. Niepilnowany wyjadał prawdopodobnie karmę Mezzo.

Lula długo nie mogła pogodzić się z puzzlową budową mopsa. Zęby, włosy wypadają bezpowrotnie. Pryszcze pojawiają się od nowa, ale oko to nie pryszcz. Wciśnięta niedokładnie gałka oczna wypłynie i nie odrośnie.

Nocą, przed zgaszeniem światła, Lula wpatrywała się w okrągłe ślepia Pilu. W zagadkę sygnalizującą swoją przezroczystą zielenią możliwość przejścia na drugą stronę. Gdzie są same odpowiedzi bez pytań.

Oczekując nerwowo wiadomości od Jasia, zajęłam się wypełnianiem totolotka. W Nevadzie nie zdążyliśmy pojechać do kasyna. Za oszczędzone pieniądze kupiłam na stacji benzynowej kupon. Zakreślam długopisem przypadkowe kratki i kombinuję, czy jest za nimi coś więcej niż moja chciwość. Może podaję przeznaczeniu namiary. Grający od lat systemem wysyłają swoje dane położenia w kwantowej pianie prawdopodobieństwa. Jestem, tutaj jestem, mój kupon ma numer... Bo czym innym, jak nie współrzędnymi, są zakreślone cyfry. Cztery zwykłe i jeszcze dwie dodatkowe w wymiarze szczęścia przekraczającym nasz czterowymiarowy świat. Przez który Lula próbuje tunelować, wpatrując się w ślepia Pilu.

Gałka mopsa też nie dawała mi spokoju. Czy po szałwii otwiera się trzecie oko i świat widać inaczej? Nie trzecim okiem, ale tym na podłodze...

Chciałabym się z tobą śmiać, powiedzieć...

Niekończące się rozmowy zakochanych. Opowiadają sobie poprzednie życia. Z najlepszej strony albo tej poobijanej, wymagającej współczucia. Zakochanie jest rodzajem terapii. Spowiadaniem się stojącemu po naszej stronie, bez pokuty. Jak terapeucie – bezosobowemu fachowcowi.

Głos, jakim do ciebie mówię w mojej głowie, jest dubbingiem uczuć. Nie potrafię ich inaczej nazwać, tylko słowami. I ten głos nie jest moim głosem. Słyszałam go od dzieciństwa w telewizji. Lista dialogowa czytana zawsze przez faceta. W dawnym teatrze kobiece role grali mężczyźni. Nadal najsprawiedliwiej, bez emocji faceci dubbingują kobiety. One bywają lektorkami filmów przyrodniczych. Ludzkie samice są bliżej natury, samce – Ducha Świętego. Potrafią się wcielić w obie płcie z gotową listą dialogową. Więc zanim coś powiem, głos wewnętrzny czyta po męsku moje myśli. Powtarzam je tobie miękko i kobieco, trochę sepleniąc. Dogadaj się z facetem we mnie. Bezuczuciowym, wiedzącym, kiedy powiedzieć: kocham, a kiedy: spierdalaj – w odpowiedniej tonacji.

Potem była wiosna. Któryś z poetów sto lat temu zawrócił na paryskim moście i napisał ogłoszenie ślepemu żebrakowi stojącemu nad pustym kapeluszem: „Idzie wiosna, a ja jej nie zobaczę". Przechodnie wreszcie sypnęli pieniędz-

mi. Metalowymi ziarnami miłosierdzia. Żebrak zarobił poezją, nie kalectwem. Obiecałam sobie więcej nie brać halucynogenów, nie oglądać innych światów okaleczona nimi.
I ciebie też nie, jeżeli nie zadzwonisz pierwszy.

Na paryskim moście, Pont des Arts, zaczęła się moda
przyczepiania kłódek na pamiątkę miłości. Całkiem
słusznie, miłość to przykuć się do niczego nad rzeką czasu.
Ha, ha, dobre sobie.

Most dalej niech zawisną siekiery, noże odkochanych.
Pamiątki po wyrwanych zamkach w drzwiach, przepiłowa-
nych kłódkach, sercach. Pokrwawione dla dramatyzmu.
Prawdziwa miłość to przykuć się do realności, nie pustki.

Matematycznie udowodniono powstanie wszechświata
z pustki. Jej napięcie tworzy przestrzeń i materię. Złudną
jak w hinduizmie. Na co innego niż na złudę stać pustkę? Wszechświat powstał z niczego, ale tym niczym rządzą
prawa natury. W świecie halucynogenów obowiązują inne.
Równie żelazne i nieodwołalne. Dowodzi to realności świata wizji. Nasz wszechświat od świata wizji, złudę od złu-
dy różnią zarządzające nią miary. Istnieją prawa zarządzające czymś, czego nie ma. Prawa odgradzają jedną nicość od
innej.

Tabita tam jest, w innej pustce albo złudzeniu nieba.
Może wcześniej, niż się urodziła, skoro linearny czas obowiązuje tylko w naszym świecie. Tabita, idąc do kresu, zaszła siebie z drugiej strony. Zobaczyła tył własnej głowy
w trumnie. Zupełnie obojętnie pozbawiona samej siebie.
Rozumiesz? Dostała się we władanie innych praw. Opuściła
złudę naszego świata z pustki, nasze złudzenia.

Widzę pochyloną głowę Jasia. Uparł się wziąć na pogrzeb półrocznego synka. Dziewczynki zabrała do siebie
babcia. Tak zdecydował Kevin. Mają zapamiętać Tabitę ży-
wą, nie z popielnika krematorium.

Gaworzący Max zwisa w nosidełkach na brzuchu Jasia. Ojcowska ciąża, zastępująca matkę. Szelki podtrzymują
dziecko. Kolorowymi taśmami oplatają drżące plecy czar-

nej marynarki. Max czuje płacz ojca i też zaczyna popłakiwać. Za meksykańską granicą dostałby cukrową czaszkę, kościaną grzechotkę na pocieszenie. Jego matka przesypała się w proch.

Klęcząc, dostrzegam dłonie Jasia ukryte pod nosidełkami. Zaciśnięte do białości zrosły się w pięść. Wcześniej była msza. Berkelejowski kościół akademicki, katakumby wydłubane z betonu. Na ekranie wyświetliły się dla żałobników słowa pieśni i mignął napis: „Jesteście w domu Boga. Nie zadzwoni do was, nie napisze SMS-a, więc wyłączcie komórki". Udowodniony chemicznie, wtłaczany chemioterapią po zmartwychwstanie. W ogóle się do was nie odezwie, chyba że go zjecie albo wypalicie. Nie każdy ma łaskę padaczki skroniowej Philipa Dicka. Jego wizje nie przepływały przez żyły. Były wstrzykiwane atakiem nadprzyrodzonego prosto w mózg. Sztuczni ludzie z *Łowcy androidów* prawie nie różnili się od prawdziwych. Mieli zainstalowany program, zupełnie jak ty. DDA jest podręcznikowym schematem zaburzającym normalność. Lata żyłam z androidem, aż włączył się twój samoniszczący program od nieludzkich rodziców.

Myślałam, że będzie mi łatwiej w Kalifornii z jej obietnicą: Pójdziecie do nieba za życia. W zjadliwie niebieskiej kopule uchyla się pozłotko blasku i człowiek przenika wieczność wśród pióropuszy palm.

Urna zostanie wstawiona do kolumbarium w San Francisco. Byłam tam z mało przytomnym Jasiem załatwiać formalności. Miejsce wykupili dla siebie dziadkowie Tabity. Kolumbarium musiało być wtedy na dalekich przedmieściach. Wiek później wchłonęła je willowa dzielnica.

Zadbane trawniki, przystrzyżone wokół zabytkowego gmachu staranniej niż przed domami. W środku kolorowe mozaiki, przeszklone dwa piętra. Z głośników smooth jazz. Pod wysokimi na dwie kondygnacje kolumnami dyskretne pojemniki jednorazowych chusteczek. Świadczą, że to nie zabytkowe centrum handlowe ani opera. Za witrynami urny obłożone pamiątkami. Dziewiętnastowieczne mają różańce. W nowszych kolorowe fotografie, szachy, fajki, maskotki. Nie czuć tu śmierci, świec i kaplicowych lilii. Ze zmarłych został pył, tłusty popiół, niedopalone zęby. Nic, co by podlegało gniciu. Jest w tym przekorna sprawiedliwość równowagi. Żałobnicy umierają. Każdym oddechem tlenu spalają swoje ciało.

Przed pierwszą chemią Tabita zasłabła.

– Tak bywa w przerzutach – powiedział lekarz przyjmujący do szpitala.

Narządy wyłączały się po kolei, najpierw trzustka, wątroba, nerki.

– Nie wiemy dlaczego – przyznał onkolog zajmujący się jej rzadkim przypadkiem raka.

Po mszy pożegnalnej usłyszałam w tłumie:

– Małżeństwo jest kompromisem; zgodziła się leczyć i umarła.

Za kościołem powiewają kolorowe buddyjskie chorągiewki. Niby starodawne chusteczki, którymi kiedyś machano na pożegnanie. Jak kartki po pracowitej nocy Jacka Londona. Rano rozwieszał zapisane atramentem strony, przyczepiając je klamerkami do prania. Suszyło je ostre kalifornijskie słońce. Tu nie ma powodu umierać, dlatego jest tak nostalgicznie.

Dom Londona stał się monstrualną kaplicą pogrzebową. Kolos z lawy, drewna i betonu. Pięć tysięcy metrów kwadratowych podzielonych na dwadzieścia sześć pokoi. Ron dostrzegłby w tym złowieszcze algorytmy przeznaczenia. Dwadzieścia sześć jest liczbą niewymawialnego imienia Boga. Pałac Londona spłonął dzień przed wprowadzką. Nie od boskiego pioruna. W upale zapaliły się opary konserwującego ją oleju.

London nie odbudował ruiny. Jeszcze dwa lata przychodził ją oglądać ze swojej drewnianej chaty położonej za pagórkiem. Ruiną było też jego czterdziestoletnie ciało.

W młodzieńczej podróży na Daleki Wschód ukąsił go komar. Niegojącą się ranę leczono rtęcią. Zatruła śmiertelnie organizm.

Na niemych filmach pisarz porusza się szybciej, niż mógł opuchnięty umieraniem. Równie żwawo podrygują jego goście, kochająca żona. Śmiesznie prymitywna technika obdarzyła filmowanych niezamierzonym poczuciem humoru.

Zostały książki Londona i jego zhandlowana legenda. Przydrożne billboardy ze zdjęciem pisarza w kultowej skórzanej kurtce i tarcza reklamowanego zegarka. Tarcza strzelnicza, dwanaście godzin do wyboru na zgon.

Tabita, póki była świadoma, zarządzała przyszłością. Jaś obiecał jej zabrać dzieci ze sobą do Europy. Dziewczynki miały być daleko od domu, od wspomnień. Zgodził się przyjąć etat na berlińskim uniwersytecie. Niemieckie szkoły publiczne są lepsze od amerykańskich. Dzieci będą znały dwa języki. Wynajęcie domu w Berkeley pokryje wydatki.

– Nie znalazłem nikogo. – Jaś pakował bagaż. – Dwa razy byli chętni, ale przyszli, obejrzeli i nic...

Jego płócienna torba miała zapadnięte boki; dwie miękkie marynarki, garnitur, T-shirty owinięte koszulą.

Nie pytałam, dlaczego nie dał ogłoszenia. W koszmarnie drogim Berkeley jest więcej chętnych niż mieszkań. Widocznie tak wolał. Nie ruszał się ze śluzy czasu między pogrzebem i powrotem. Temu służy żałoba. Odczekaniu przed zaczerpnięciem nowego życia.

Córeczki Jasia gotowe do drogi stały osobno, nieruchomo przy płocie. Przypominały bezruchem Mezzo po trzęsieniu ziemi. Założyłam Maxowi moje rękawiczki i pozwoliłam raczkować wokół furtki.

Kevin z Christiną przyjechali zabrać ich na lotnisko. Oczy Jasia były zaczerwienione i suche. Rzęs nie udało mu się otrzeć. Dziecięco długie, błyszczały w szarości wschodzącego dnia.

– Pójdziesz po niego? – poprosił mnie Kevin.

– Okej. – Siedzieliśmy zapięci już pasami.

Jaś stał przed ścianą w kuchni.

– Zapomniałeś czegoś? – Zanim spytałam, uderzył młotkiem. Złoty łebek gwoździa wielkości dwudziestocentówki trzymał się czarnej okładki Biblii przybitej do ściany.

Zniecierpliwiony Kevin użył klaksonu. Jaś pięścią poprawił uderzenie. Ugięło okładkę Biblii jak trafionego w brzuch.

Zawstydził się, widząc mnie. Udałam, że dopiero wchodzę. Zaskrzypiało z ogrodu. Spojrzeliśmy przez okno. Sekwoja trzeszczała dźwiękiem zawiasów uchylających furtkę na wysokościach.

– Lotnisko... Ostatni raz byłem tam po ciebie. – Zamknął drzwi i wrzucił klucz do kieszeni kurtki.

Objęliśmy się. Uścisk poskładał Jasia z powrotem. Dzieci obserwowały go uważnie spod sennych powiek. Jego twarz była szczegółową mapą. Dokładniejszą od kartek atlasu czy samolotowego ekranu śledzącego tor lotu. To, gdzie wylądują, zależało od tego, jak szybko uda mu się odbudować świat.

Im więcej krzątaniny, tym szybciej zadepcze się ślady. Wdepcze, rozniesie popiół. Tak wyobrażam sobie znikanie Tabity. Idę drugi raz do sklepu, poszłabym i trzeci. Byle więcej codziennych spraw. Lula chce pokazać mi polską kawę.

– Patrz. – Triumfalnie wyciąga puszkę inki w dziale żywności regionalnej. „Enjoyed by Polish families for generation". Nie miałam pojęcia, że inka jest naszym narodowym napojem rodzinnym. Bierzemy puszkę zbożówki na sąsiedzką imprezę. Połączenie ulicznej wyprzedaży z wywózką śmieci i piknikiem.

Ron wyrzucił uschniętą choinkę. Założył jej torbę, kapelusz ze śmietnika. Namówił Lulę i biegają od jednej przecznicy do drugiej, trzymając smętne drzewko za ręce z gałązek. Naomi pomaga Huvitowi wystawić szafę grającą. Zalegała im w garażu od lat.

– Komuś się przyda. – Wypolerowała kratki głośnika nad przegródkami czarnych płyt z muzyką Presleya, Doorsów i Franka Sinatry.

– Prawie każdemu. – Huvit obrócił maszynę dizajnerską stroną do ulicy. – Jak powiedział Willy Nelson – szafy grające się wciąż kręcą...

– Bo dziewięćdziesiąt procent ludzi kończy z niewłaściwą osobą. – Dołączyła Naomi.

Powtarzali ten sam refren od dawna.

O co więc tak się szarpię? O te dziesięć procent zgodności w repetowaniu tych samych kawałków? Zbudowałeś sobie fasadę dorosłego człowieka. Posklejałeś ją hucpą. Psychiczną tamę przed czymś, czego nie umiesz – normalnością. Normalny człowiek potrafi się kłócić. Ukruszyć fasadę i nadal się trzymać. Ciebie kłótnia rozwala, bo za fasadą nie ma już nikogo. Włożyłeś w nią wszystko. Dlatego musi być tak wspaniała: wspaniały mąż, ojciec, bohater. Obstrykaj się zdjęciami i uwiecznij w internecie, jak inni nieruchomieją ostrzykani botoksem.

Prawda jest może inna. Kamień przypomina prawdę, zwartą, wygładzoną polerowaniem oczywistości. Nie radzisz sobie z normalnością, a co dopiero z katastrofą. Czy ja sobie radzę z katastrofą ostateczną? Jestem pogodzona: jestem, więc myślę, że mnie nie będzie. Trudno, kiedyś zdechnę. Powiedziałbyś: Bierzesz narkotyki, stąd twój chemiczny spokój.

Nie biorę. Byłam wczoraj u lekarza, w przychodni studenckiej. Przed rejestracją pytają, kogo wolę: geja, lesbijkę, doktora transgender?

– Obojętne, moje przeziębienie jest ogólnoludzkie.

Lekarka, Hinduska w hawajskiej koszuli pod białym fartuchem i z kropką między łagodnie zdziwionymi brwiami, wypełniała ankietę:

– Narkotyki rekreacyjne?

– Żadnych.

– Naprawdę żadnych? – Nie była pewna, czy zrozumiałam. – Nie chodzi mi o heroinę i crack. Rekreacyjne, trawka, ekstazy.

– Nie.

Panienka Pastewna przegoniła mnie z łąk niebieskich. Długo nie mogłam uwierzyć w ocalenie. W normalność. Spacer po ulicy, zbieranie muszli na plaży, głaskanie kota. Jego łaty szarej sierści wydawały się szyfrem przyrody. Miejscami, gdzie cieplejsza skóra osmala kontury większej wrażliwości. Biały Pilu nadstawiał się szarymi łatami do głaskania. Zrzuciłam go z kolan. Musi być normalnie, bez ostrzeżenia, że nadchodzi Panienka Pastewna. Albo Anioł Halucyfer zaciągający dla niej inną rzeczywistość. Ukrywający się pod kocią skórką. Kto normalnie wyczuje różnicę temperatur sierści? I falującą od tego linię brzegową łat kontynentów?

Znowu posmak popiołu, szałwii, krematorium. Halucyfer, Ron wpadł w jego sidła, zatrzymując się na powierzchni cyfr, skórze węża prześlizgującej się wzdłuż różnych światów.

– Czujecie? – Naomi zakasłała.

– Zawiało z północy. – Jessica słuchała porannych wiadomości. – Płonie Dolina Sonomy.

Spojrzeliśmy w stronę wybrzeża. Szary całun był jeszcze przezroczysty, nie zakrył bezchmurnego nieba.

– Tak wygląda hollywoodzki koniec świata. Opad popiołu, nie pyłu radioaktywnego. – Jessica miała zawiniętą wokół ręki gumkę maski do oddychania.

– O, i wielebny z nami. – Huvit zaprosił pastora. – Książki do sprzedania?

– Darmo. – Pastor rozłożył na chodniku jaskrawe wydawnictwa swojego Kościoła. – A ja lubię Hollywood za rozdawanie Oscarów. Nikt nigdy tyle nie dziękuje. Godzina czystej wdzięczności.

– Macie nową solistkę? – Huvit słyszał po sąsiedzku, niemal przez ścianę, niedzielne msze.

– Dwie. Dawno u nas nie grałeś.

– Zeszło się, ale wpadnę. Byliśmy na pogrzebie w Newman Hall.

– Tak, tak, piękny budynek – przytaknął pastor.

– Żona znajomego Naomi z uniwersytetu. – Huvit opowiadał o mszy za Tabitę. – Pierwszy raz byłem u katolików i zastanowiło mnie jedno, uderzają się w płuca przy modlitwie.

– „Moja wina, moja bardzo wielka wina". – Pokazałam.

– Nie, u nas nikt nikogo nie bije, nawet siebie. – Pastor uśmiechnął się równą bielą zębów. Jego ciemna skóra maskowała wiek, mógł mieć czterdzieści albo sześćdziesiąt lat.

– Też tak mi się wydawało – powiedziała do siebie Naomi i zaczepiła przechodnia zainteresowanego szafą grającą.

– Może ja kupię. – Pastor nacisnął klawisz. – Będzie na potańcówki.

Lula przyniosła stary telefon. Kremowy, w kształcie nowoczesności z lat siedemdziesiątych.

– Dostałam! – Pokręciła tarczą.

– Dali jej edukacyjnie. – Ron niósł za Lulą słuchawkę na sznurze. – Przyciskała numery zamiast kręcić, nie mogli uwierzyć.

– Skąd miałam wiedzieć? – Nie przejmowała się.

– Ze starych filmów – podsunęłam.

– Tak starych nie oglądam – zakończyła temat.

Huvit stał nad przepaścią krawężnika. Zamyślony uderzał się w pierś. Odruchowo wybijał rytm.

– *Mea culpa, mea culpa* – podpowiedziałam mu słowa.

– Nieee. – Schował ręce za siebie. – Mój przyjaciel pracował nad mową komputerów. Na uniwersytecie, wiele lat temu, pierwsze gadające maszyny. Ulepszył metodę, podkładając rytm, bum, bum. Perkusja, był dobrym perkusistą. Zachorował na raka mózgu, nie mógł mówić, chyba że wybijał na sobie rytm, to mu pomagało. Jak komputerom. Uderzał się pięścią pod gardłem i szeptał, inaczej mózg nie wpadał w rytm mowy, nie można by go zrozumieć. Córka poprosiła, żebym grał dla niego przed domem, kiedy umierał. Tam. – Pokazał skrzyżowanie przecznic. – Nie gram na naszej ulicy. Wszędzie indziej, tutaj nie mogę. Smutne są te nasze wyprzedaże. Idę, bo się popłaczę jak mój ojciec. Popiół z nieba i szafa grająca.

Pastor za pomocą przedłużacza pożyczonego od Rona sprawdzał swój nabytek. Naomi wrzuciła monetę przyklejoną do sznurka. Mechanizm wybrał mały, czarny krążek podpisany „Sinatra". Ukryty w szafie adapter żłobił z rowków ebonitowej płyty: *Stranger in the night...*

Lula zaręczyła się na swoje urodziny. Tak to czuła. Miss Rathwell kazała wstać klasie. Pytała o wynik prostych obliczeń, pięć razy siedem, sto odjąć trzydzieści. Kto się pomylił – siadał. W końcówce została Lula ze swoim Norwegiem.

– Staliśmy sami, dziesięć pytań. Ja zrobiłam błąd i Olaf też... ale myślę, że on specjalnie. Patrzył na mnie i... podał ten sam wynik, a wiedział, że źle.

Gdyby mogła, uleciałaby pod sufit razem z napełnionym helem urodzinowym balonem od Rona. Rozmarzona odrabia lekcje. Miss Rathwell wie, jak rozbudzić matematyczną namiętność.

– Dostaliście za to stopnie?

– Tak, ale pani nie była zadowolona. Powiedziała: „Zawsze Europejczycy lepsi".

Balon poszybował wzdłuż półek pod sufit. Zainteresowała się nim Mezzo zwisająca z półki.

– Skończ lekcje, zdążymy przed nocą do miasta.

Rano nie zorientowała się, że zegar zadzwonił godzinę wcześniej. Rutynowo śniadanie, pośpiech, i w drzwiach zderzyła się z gośćmi. Ron kończył zapalać świeczki na zrobionym przez Jessicę torcie.

– Oj! – Lula podskoczyła.

Nabrała powietrza i zdmuchnęła, bardziej topiące się niż płonące, świeczki. Popatrzyłyśmy na siebie z Jessicą. Myślałyśmy chyba o tym samym. Ktoś zapala lont życia, iskra przesuwa się z latami.

– *Happy Birthday!* – zawołaliśmy.

– Piękny tort. – Lula rozmarzyła się nad dwoma piętrami waniliowej śmietany.

– Pokrój. – Podaję przygotowany wczoraj nóż, polewam go zimną wodą.

– I co? – Jessica rozumie jej wahanie. Podnosi tort na okrągłej podstawce, rzuca Luli w twarz.

Lula zachwycona przegryza się do nas przez krem.

– Ale dobry!

– Tego potrzebowałaś – cieszy się Jessica. – Ile lat można nudno kroić?

– Dwanaście. – Ron wydłubał z masy lukrową jedynkę i dwójkę.

Wieczorem wychodzimy do miasta. Oszczędzę nam czekania na ciebie. Facebook każdemu wysłał wiadomość o urodzinach Luli. Dostała uśmiechy, świeczki, serduszka. Od ciebie nic, to musi być ogromny wysiłek dla pustki – wysłać nic.

Ulicą idzie szpakowaty mężczyzna. Biznesmen, urzędnik, ktoś, kto w piątkowy wieczór zakłada marynarkę i z walizeczką schodzi po pracy do metra. Patrzy niepewnie, szuka w moim spojrzeniu aprobaty. Lula zauważa wcześniej jego nogi. Oświetlone latarnią, prześwitują przez siatkowe pończochy. Czarne szpilki uderzają o bruk. Facet nie wygląda na przebierańca. Jest poważny, zrzucił spodnie i uwolnił na weekend piękne, smukłe nogi. Nie wiem, którą część jego osobowości muszę zaakceptować. Połówki Platona rozlazły się po świecie w poszukiwaniu miłości. Nawet starożytni ze swoimi centaurami, minotaurami nie wymyśliliby transgenderowej syrenki. Do pasa urzędnik, od pasa tancerka. Jeśli szuka u mnie aprobaty, to chyba kobiecej części. Kiwam z uznaniem głową, buty bez zarzutu. Zazdroszczę nóg tancerce, ale podziwiam faceta. Bardziej od ciebie, tchórzu.

Tydzień wcześniej policja zgarnęła spod szkoły Luli starszą panią. Naga próbowała objąć budynek, chciała z nim kopulować. Zostawiła na murze pod oknem ślady szminki. Była w psychotycznym śnie. Halucynacje są wywróceniem umysłu na drugą stronę. Mózg porasta wtedy czaszkę od zewnątrz. Bez filtrów zmysłów sam przetwarza dotykający go real. Nie jesteśmy odpowiedzialni za nasze sny i psychozę. Za elegancję fantazji tak. Z przyjemnością oglądam genderową syrenkę prowadzającą się na weekendowej smyczy.

– Tata dzwonił. – Lula zajrzała do komputera. – Godzinę temu, po naszym wyjściu. O, znowu dzwoni. – Palec pobrudzony kremem zawisł nad klawiszem.

Urodziny, świat jest dzisiaj imprezą dla niej. Nie musi się mną przejmować. Nie czeka, aż wyjdę z pokoju. Składasz jej życzenia. Zatyka cię ze wzruszenia. Nie wiem, czy wyczuwasz moją obecność, czy przygotowałeś to sobie wcześniej.

– Jest mama?

Lula zamiast odpowiedzi patrzy na mnie.

– Mogę z nią porozmawiać? – pytasz, jakbyś próbował tonem utrzymać równowagę.

Idę przed ekran. Lula zagłusza ciszę między nami nerwowymi podskokami. Próbuje złapać tasiemkę balonu.

Światło kopiuje twoją twarz tysiące kilometrów stąd. Kawałek po kawałku, mozaika smutku. Skóra w czerwonych plamach, podkrążone oczy i cienie w zagłębieniach policzków. Powinnam czuć litość. Współczuć za to, co nam zrobiłeś. Zaciskam szczęki, jestem rycerzem z opuszczoną przyłbicą czaszki. Gotowa do pojedynku.

Lula nie wytrzymuje napięcia. Pokazuje ci balon.

– Dostałam rano – piszczy.

Rozwiązała tasiemkę, nałykała się helu. Ma znowu pięć lat, woła cienkim głosikiem mamę i tatę. Gdy byliśmy razem, z rozszczebiotaną dziewczynką pakującą się nam nocą do łóżka.

Słyszymy nasze małe dziecko, siebie sprzed lat.
– Możemy porozmawiać? – Tak powiedziałbyś też wtedy.
– Zadzwoń później... jutro.

– Kim ty, do kurwy, jesteś?! – Chciałabym wiedzieć, kim naprawdę jest Christina.
Jednak milczę, tak jak milczałam przed ekranem z tobą.
Miałyśmy posiedzieć w herbaciarni niedaleko szkoły Luli. Brama z ruchliwej ulicy, podwórko wyciszone szumem wodospadów pomiędzy bambusami i kamiennymi Buddami. Opowiedziałam Christinie o tobie. O czekającej nas rozmowie.
– Jesteś drugą wersją jego matki, mówi psychologiczne porzekadło. – Wzięła czarkę herbaty. – Więcej mężczyzn niż kobiet wpada w nałogi. Niestety, nałogiem kobiet są mężczyźni. Dlatego więcej kobiet jest zatrutych depresją, jakby zjadły starą rybę.
– Nie mam depresji.
– Tabita miała. Rozmawiałam z nią o wyjeździe Jasia do Europy.
– Nie mów, że to był wasz pomysł, twój i Kevina.
– Jaś dostał propozycję z Berlina.
– Zawsze dostawał, nie zdziwiłabym się, gdyby i z Antarktydy, jest profesorem.
– Ta była najlepsza dla wszystkich.
– To znaczy dla kogo? – Zaniepokoił mnie jej terapeutyczny uśmieszek. – Christina, nie rozumiem, mówisz do mnie, o mnie chodzi? Co ja mam z tym wspólnego?
Czuję się naprowadzana na kolejne pytania jej drwiącym spojrzeniem. Gliniana czarka herbaty zasłania usta Christiny.
– Jestem! – Lula mnie zaskoczyła.
Przybiegła wcześniej ze szkoły. Wyrzucała z siebie polskie, angielskie słowa, o wszystkim, byle gadać. Z szyi zwisała jej zawieszona na sznurku kartka: „W solidarności z prześladowanymi i cierpiącymi za homoseksualizm, trans-

genderowość milczę". Dzisiaj w szkole miała do wyboru założyć coś tęczowego albo z kartką milczeć.

– Patrzyliśmy sobie w oczy z Olafem! On też milczał!

Christina zostawiła pieniądze na stoliku i powiedziała to samo, w ten sam sposób, co ja tobie:

– Zadzwoń.

Godzinę później numer był zajęty. Telefon Kevina powiedział: „Jesteśmy na sesji wyjazdowej". Poszłam pod ich dom. Meksykański ogrodnik przycinał krzak i nie wiedział, kiedy wrócą. Nie mogę się doczekać rozmowy z tobą. Dobijam się więc do innych.

Lula piecze ciastka. Ostatnie szkolne projekty w tym semestrze. „Moje hobby". Wybiłam jej z głowy pomysł na zaliczenie „Natura". Stworzyła sztuczny zapach oceanu. Zalała odrobinę kupy posoloną wodą. Ron dał się nabrać. Odkorkował probówkę i potwierdził: glony, zatokowe.

W wolny od Luli wieczór włóczę się po Telegraph. Nie oddzwaniasz, stara sztuczka. Wystawiłeś się na przynętę. Zmęczona siadam w kawiarni. Idzie wychudzony chłopak ze strzępkami brody. Namierza drogę złamaną gałęzią. Dostrzega przy mojej ławce śmietnik. Dźga go kijem, szympans wtykający gałązkę w kopiec termitów. Tyle że chłopak nie oblizuje gałęzi z robali ani resztek z McDonalda. Idzie dalej, na trawnik, gdzie kładzie się spać. Bezdomni rozdzielają między siebie koce i śpiwory. Obok nich dzieci uczą się indiańskich tańców. Rządkiem depczą trawę. Łączą w pary i rozchodzą, pohukując. Na znak babci Indianki stają pod płotem porośniętym dziką winoroślą. Zza niego wystają gotyckie wieże posępnej posiadłości scjentologów. Świątynia wierzących w galaktycznego morsa z Trytona i zarabiających na tym miliony.

Nie mówimy o miłości – powtarzałeś, gdy próbowaliśmy się godzić, jeszcze przed wyjazdem.

Bóg26 twierdzi inaczej. Dał się ukrzyżować za miłość i na pamiątkę robimy znak krzyża. Ręką stukamy się w czoło: W imię Ojca; potem w serce: I Syna; przeciągamy z lewej na prawą: I Ducha Świętego. Dokładnie nad płucami, bo Duch jest tchnieniem życia, tym, co Bóg26 wpompował w nozdrza Adama.

Ty zaczynasz od pępka: W imię ojca; pępowinka jeszcze pulsuje, nieodcięta od tatusia i mamusi. Później palcówka w dół, w imię syna, ciebie samego, rosnącego razem z penisem. Ja dotykam waginy i z lewego na prawy jajnik pod brzuchem Świętego Życia.

– Czy ja dobrze widzę?! – Lula stanęła przy parapecie.

Zawalony płot odsłaniał rozświetlone okno u Rona. Siedział nad komputerem z blondwłosym chłopaczkiem.

– To Olaf! – Prawie weszła w szybę. – Jakim cudem on jest u Rona?

– Chodź, spytamy.

Zawstydzona uciekła na górę, pod kołdrę. Namyśliła się i zeszła do łazienki położyć na świecącą skórę puder, uczesać włosy w kok. Ron po jakimś czasie zobaczył u nas światło. Przyprowadził Olafa.

– Stał pod waszymi drzwiami, to go zaprosiłem – wytłumaczył.

Zarumieniona ze wstydu i radości Lula zabrała Olafa do ogrodu.

Norweg przyszedł zapytać o projekt na jutro. Nie znał jej numeru telefonu, nikogo z klasy. Przypadkiem kiedyś zobaczył, gdzie Lula mieszka. Przejeżdżał z rodzicami samochodem i była w ogrodzie.

– Wierzysz w to? – spytałam Rona. – Szedł za nią.

– Po co? Mógł zapytać o adres.

– Mówisz o matematyce, swoich algorytmach, w życiu jest inaczej.

– Chyba tak, im więcej niewiadomych, tym zadanie ciekawsze. W życiu nawet nie wiesz, co jest niewiadomą. Prawda, Pilu?

Kot zamruczał. Kocia dusza na wolnych obrotach zaturkotała pod futrem, przeskakując tryby myślenia. Przymknął ślepia, odgradzając się od pokus, cienia zdobyczy budzącej bezmyślny instynkt. Kot myślący. *Homo sapiens*, człowiek myślący, ale o czym? To „o czym" definiuje szczebel człowieczeństwa. O bzdetach? Tylko o sobie? Myślisz o mnie i nie odezwiesz się? Nie napiszesz?

– Masz kontakt z Kevinem? – Oddałam Ronowi swoją wodną fajeczkę i zapasy szałwii.

Nie widzieli się od sobotniego przyjęcia przed Gwiazdką.

– Oni czasem znikają – uspokoił mnie. – Pracują dla agencji.

– Jakiej agencji? – Christina gadająca ze zjawami?

– No wiesz, dla rządu. Postaw sobie duże X, nie wszystko wiemy. – Włożył ręce w dziury dżinsów na udach. – Idę do siebie. – Przeskoczył przez płot. – Myślę – spojrzał znacząco w niebo – że oni nas widzą... gdyby potrzebowali.

W Berkeley nie ma europejskich kawiarni, z kawałkiem prywatności – domowo, ale na widoku. Tutejsze są miejscem pracy dla samotnych z laptopem. Kawiarniany gwar zastąpił rzeczowy ton *call center* – ludzie w słuchawkach rozmawiają głośno z ekranami. Spotkania w realu są do załatwienia konkretów. Nie traci się czasu. Parki i kawiarnie to wymysł europejski. Nie zapomnę zdziwienia Jasia:

– Czemu w parku tyle ludzi patrzy na trawę? – Intrygowało go zachowanie Europejczyków. W obu Berlinach, w komunistycznej Warszawie. – U nas biega się, gra we freezby. Starzy ludzie siedzą.

Wybrałam hotelową kawiarnię z przedłużeniem domowej atmosfery pokojów. Usiadłam pod zegarem z wahadłem. Jego tik-tak nad głową daje poczucie odwracalności. Waha się pomiędzy chwilami, wraca i znowu daje szansę. W dzieciństwie myślałam, że tam, za szybką podobnego zegara, w szklarni rośnie czas. Bujany kołyską wahadła, malutki, jeszcze niewidoczny. Sama byłam mała. Sięgałam płyty kuchennej, stojąc na palcach. Pod fajerkami buzował ogień. Z metalowego wiadra wrzucało się szufelką węgiel. Zimą wzdłuż parapetów leżały wałeczki waty. Uszczelniały zaparowane okna, dla mnie były świąteczną dekoracją.

Kawiarniany zegar nabiera i rozlewa czas chochlą wahadła. Dowiedziałam się od Jasia o jego berlińskiej aktorce. Jest po dwóch rozwodach, bez dzieci. Straciła etat w teatrze. Przeszła załamanie nerwowe.

– Nie wiedziałem, że wzajemne pocieszanie może polegać na milczeniu. Po prostu jesteśmy razem, nic więcej – mówił zadowolony.

– Christina namówiła cię na wyjazd? To prawda?

– Rozmawialiśmy. Sam zdecydowałem.

Nie Tabita? Widziała w teatrze dawną miłość Jasia. Dopasowała ją do niego. Umierający władają nadnaturalną siłą. Są jeszcze tutaj i prawie tam, na niedostępnej granicy.

– U ciebie lepiej, Maria?

– Nie rozmawiajmy o mnie. – Zdjęłam słuchawki.

– Dlaczego twój projekt musi być moim? – narzekam na pomysł Luli.

Wymyśliła z Olafem album o wielorybach. On wie o nich wszystko. Ojciec, profesor geologii, pracował na północnych platformach i zabierał pokazać mu kaszaloty.

– Zawieź nas do Sausalito – błaga Lula. – Do akwarium z fokami i wielorybami. Zrobię za to wszystko, wszystko!

Zrezygnowana się zgadzam. Kabaliści mówią: „Wiedza i miłość są najważniejsze". U niej połączyły się w jedno. Dziecięca miłość wielkości wieloryba.

Lula skacze z radości. Przyciska łokcie do żeber i klaszcze, udając fokę.

Znajduję wizytówkę z wielorybem od poznanej u Kevina weterynarz. Pracuje w Sausalito, diabli wiedzą z kim współpracuje. Foki, delfiny, agenci X.

Potrzebowałam kierowcy do pomocy. Nie było innej drogi. Albo przez Frisco i Golden Gate Bridge, albo z drugiej strony, jeszcze dłuższym mostem. Rodzice Olafa nie mieli samochodu. Jeździli po Berkeley rowerami.

– Ojciec Huvita ma winnicę w Sonomie. – Ron pokazał miejsce na mapie.

– Mógłbyś posiedzieć u niego – kusiłam.

– Nienawidzę alkoholu. Biali zniszczyli nim Indian. Patriarchat w płynie – cytował chyba Jessicę. – Agresja, bełkot i kac.

Wyobrażenia Rona o winnicy Huvit sprowadził do zagonu winorośli. Chętnie pojedzie. Ma klucze od domu. Posiedzi, powspomina stare dobre czasy na wzgórzach i pogra sobie w samotności. Przyda mu się urozmaicenie.

Lula wstała godzinę przed budzikiem. Śniadanie postawiłam jej w łazience. Z nerwów i braku czasu popiła trochę mleka. Płatki kukurydziane rozmazałyby jej błyszczyk.

Mgła okleiła miasto. Huvit zaparkował przy Telegraph. Poszłyśmy po Olafa. Lula wzięła mnie pod ramię.

– Mamo, nie wrócimy do Polski? – Zapytała o to pierwszy raz.

– Kiedy Olaf wyjeżdża z Berkeley?

– Za rok. Pogodziłaś się z tatą?

Bezdomni tupali w porannym chłodzie. Grzali ręce o kubki gorącej kawy rozdawanej w zaprzyjaźnionych barach. Emerytowany hipis tarocista rozkładał swój stolik. Karty były ledwie widoczne w zamglonym mroku. Jeszcze nie widać przyszłości. Pogodziłam się z tobą?

Matka Olafa dała nam na drogę ciepłe cynamonowe bułeczki. Znacznie wyższa ode mnie, ciemnowłosa i pulchna, patrzy na syna przezroczystymi oczami. Jest ciekawa gości. Nie zna Luli.

U nas „Gość w dom, Bóg w dom". W Skandynawii „gość" znaczy obcy. Obcy mieszkający wokół osad wikingów założonych na podbitym wybrzeżu. Już w drugim pokoleniu mówili językiem pokonanych. Zmieniali swoje imiona na słowiańskie, saksońskie. Pisałam o pierwszych dynastiach w Rosji i Polsce. Wykopaliska wskazują na skandynawskie pochodzenie Piastów. Mieszko w dokumenatch wysłanych do Rzymu nazywa się Dagome. Z czego ufundował państwo? Nie z zaschniętej żywicy bursztynu. Najlepszym towarem byli niewolnicy. W X wieku *slave* stał się Słowianinem. Nie sprzedaje się braci. Ibn Jakub był kupcem, nie turystą. Handlował niewolnikami? Zapędzano ich do warowni, „koncentracyjnych obozów" tranzytowych. Resztki czegoś takiego odkopano w Stradowie i Niewiadomej na Mazowszu.

Córka Mieszka została matką królów Szwecji, Danii, Norwegii. Za długo nie pisałam i wyobraźnia kołacze się między fantazją a faktami. Lula nie zostanie żoną Olafa, nie założą dynastii.

Oboje idą za mną do samochodu. Dawno nie spacerowałam tak wcześnie. Na przystanku autobusowym nieprzebrany jeszcze wybór książek porzuconych przez pasażerów. Cienki Nabokow, kieszonkowe wydanie Heideggera po niemiecku. Sfotografowałam dla Jasia, pocztówka z Berkeley.

Jaś oddzwania. Przyklejam telefon do szyby obok GPS-a. Prowadzi mnie do Sausalito. Po przejechaniu mostu zostawiłam Huvita w drewnianej chacie pamiętającej gorączkę złota. Na krzakach niezebrane winogrona. Pomarszczone, omszałe i słodkie po zimowych chłodach. Dzieci zapakowały sobie kiść. Siedzą za mną, skupione nad ekranem, jedzą winogrona i kruszą ciastkami.

Jaś jest chyba wyrwany ze snu.

– Która u ciebie? Widzisz Dolinę na Księżycu? – Poznałam indiańskie znaczenie Sonomy.

– Gdzie jedziesz?

– Do Sausalito przez Sonomę i Napę na wieloryby.

– To posłuchaj.

Łomocze mi w głowie od przęseł Golden Gate Bridge. To nie może być prawda. Jaś odwiedził cię w Polsce. Nie szukał twojego telefonu. Był pewien, że zastanie cię w domu. Prowadziła go pewność po śmierci Tabity, ona by tak zrobiła. I rada Christiny: „Prawdzie nie zaszkodzisz".

Adres wziął z moich dokumentów wypełnionych w Berkeley. Upił się z tobą. Obiecałeś zadzwonić. Powiedzieć: „Z nikim innym nie będę. Spróbujmy razem".

Wziąłeś swój holenderski paszport i wylądowałeś we Frisco. Oprzytomniałeś, zadzwoniłeś do Europy, do Jasia, i poprosiłeś o mój telefon.

Przejadę przez ten cholerny Golden Gate Bridge. Na okrągło byłoby cztery godziny.

– To nie może być prawda – mówię do nas.

Zanim odpowiesz, słyszę zapowiedzi lotów i twój oddech, tak blisko.

Berkeley, sierpień 2015

DOMINO

Piotr Pietucha

Przez otwarty na oścież balkon napływa ciepłe morskie powietrze. Łóżko unosi się w nim niczym latający dywan. W dole płoną światła Nicei. Urywają się półkoliście, zgaszone ciemnogranatowym jęzorem zatoki. Zabytkowy zegar na placyku wybija północ. Wibrujące dźwięki pobrzmiewają melancholijnym echem. Monika uwalnia się z objęć kochanka, sięga po papierosa. Dym i czułość maskują taksujące spojrzenie, dodają jej odwagi.

– Adam, powiedz, co cię właściwie łączy z Joanną.

– Wieloletnia przyjaźń.

– Sypiacie ze sobą?

– Zdarza się.

– A gdybym cię poprosiła, żebyś przestał?

– Musiałabyś mi podać jakiś powód.

– Najprostszy. Kocham cię i nie chcę się tobą z nikim dzielić.

– Nie wierzę w miłość.

– Moją?

– Tak w ogóle... jako najważniejszy łącznik między ludźmi. Czy to, że mnie kochasz, sprawi, że będę czuł i myślał tak, jak tego sobie życzysz? Czy to jakiś mistyczny stan, w który cię wprawiłem, i mam się za to czuć odpowiedzialny?

– Mówisz o miłości jak o chorobie wenerycznej.

– A ty, jakby była kluczem do wszystkiego, wszystko wyjaśniała, utwierdzała...

– A tak nie jest?

– Niestety. I może dobrze, że nie.

Kilka miesięcy wcześniej...

MATEUSZ

– Tubka niezakręconej pasty do zębów to coś więcej niż zwykłe niechlujstwo – cierpliwie tłumaczy żonie Mateusz. – Większość facetów nie znosi prezerwatyw. Na poziomie symbolicznym to problem odcięcia, zablokowania energii życiowej.

– Nie bardzo rozumiem. – Monika wzrusza ramionami.

– Tamowanie potencji, strumienia swobodnych, żądnych przygody plemników. Wyprawie po złote runo mówimy stop na samym wejściu.

– Co to ma wspólnego z pastą do zębów?

– Popatrz na jej penisopodobny kształt. – Demonstracyjnie wyciąga rękę z tubką. – Mężczyzna podświadomie jej nie zakręca! Weź ją do ręki, no weź. – Śmieje się. – Nie bój się.

Monika bierze pastę, zamyka w dłoni. Myśli, że mąż się z niej nabija.

– Burdel w łazience to dowód męskości?

– W pewnym sensie... Tak jak kobiecy może być lęk przed penisem.

– I dlatego po tobie nie zakręcam? – Trzaska drzwiami. Wychodzi bez śniadania.

Mateusz dzwoni do niej po kwadransie, żeby ją przeprosić. Trochę na wszelki wypadek, bo nie wie za co. Nie czuje się winny. Przeprosi obłudnie za jej małostkowość, dla dobra ich stadła. Wystukuje numer. Monika nie odbiera. Zanim zdążył zjeść śniadanie i usiąść do laptopa, dzwoni producent.

– Matti, *bad news*!
– Co się dzieje?
– Nowego sezonu nie będzie.
– Jesteś pewien? Mieli rozważyć.
– Nie ma takiej opcji... dostali coś nowego. Jakieś badziewie o Kaszubach. Modne się robią małe ojczyzny. Dziany biznesmen z Gdańska chce to współfinansować. Gadają tylko o tym, nakręceni jak bąki.
– Kto to robi?
– Nam robi?
– Nie, ten serial?
– Nie mam pojęcia. Czy to, kurwa, ważne?!

Mateusz siada na sofie zdruzgotany. Zabiją mu jego serial. *Restauratorzy*, przebój telewizyjnej stacji SiN. Kura znosząca złote jaja idzie pod nóż. Sam tę kurę wymyślił. W alkoholowo-wizyjnym natchnieniu, uwiedziony kolejną lekturą *Zaklętych rewirów*. Historia osadzona w życiu, mocne postaci, emocje, kontrasty – na zapleczu knajp jadowitość, na salach obłudna, ugrzeczniona ściema. Tym też grał John Cleese w swoim genialnym *Hotelu Zacisze*. Mateusz dorzucił własne pomysły: histerię kucharzy, ich mordercze ambicje, rywalizacyjne walki o gwiazdki Michelin, intrygi właścicieli, zmowę kelnerów, grymasy i obsesje gości. Inspirował się zachodnimi programami o knajpach.

W pierwszym sezonie serial szedł jak burza – świetna obsada, uwielbienie widzów, znakomita oglądalność. Prezes stacji tańczył na stole, pomniejsi machali ogonami, jedli z ręki. Stacja wcisnęła mu do pomocy w scenariuszu Artura, zarozumiałego geja. Zaczęły się upierdliwe schody. Co roku bardziej strome: kaprysy aktorskich gwiazd, alkoholizm reżysera, cięcia budżetowe. Trochę siadło napięcie, temat się wysuszał. Nie trafiali z wątkami (Artur się uparł na romans kucharza z kelnerem). Konkurencja na rynku była obłędna. Przez trzy lata Mateusz pracował jak wół. Młyn się kręcił, z tej mąki było dużo chleba. Częściowo spłacony apartament w Wilanowie, dwa samochody, objechany kawał świata, dobre, spokojne życie. No i Monika...

Małodusznie myśli o żonie w kontekście kasy. Młodsza od niego o dwadzieścia lat, platynowa blondynka o nienagannej figurze. Marzenie każdego faceta. Życie jest perfidne, wystawia najgrubsze rachunki, gdy zakręcają kran z kasą. Tylko bez paniki! Zamyka oczy i próbuje uspokoić oddech. Przypomina sobie dramatyczny moment, kiedy dwa lata wcześniej jego projekt też wisiał na włosku. Serialowemu gwiazdorowi odbiła palma. Facet odkrył, że „cały ciężar sukcesu spoczywa na jego barkach". Żądał poczwórnej stawki. Spotkali się w willi producenta w Konstancinie.

– Nie ma rady, musimy zrobić cięcia, bez niego nie pociągniemy.

– Jednym słowem, mamy robić lepszy film za mniejsze pieniądze?! – pienił się piskliwym głosem Artur.

– Świetnie to ująłeś – poparł go reżyser.

– Gwiazdor, kurwa go mać, odjebało mu w kosmos. – Artur skupił się na aktorze.

– Dupek w stanie umysłowej nieważkości! – wtórował mu Mateusz. – Czy ten półmózg zdaje sobie sprawę, że ktoś mu pisze te błyskotliwe kwestie?! Że bez nas, bez nas – jąkał się z emocji – mógłby być gwiazdą kina niemego?

– Oglądalność spada. – Producent przejrzał wydruki, rzucił je na stół zniecierpliwiony. – Weszliście na jakieś mielizny. Ten gejowski romans kucharza nie spodobał się widzom.

Mateusz spojrzał gniewnie na Artura. Otworzył usta, by coś powiedzieć, ale zmienił zdanie. Sięgnął po papierosa. Półroczna heroiczna abstynencja poszła z dymem. Artur skulił się w sobie i patrzył na blat okrągłego stolika, do którego zasiedli układać się o przyszłość. Kilku nakręconych facetów, zatroskanych o własny sukces. Kasę, wpływy.

O tort, z którego coraz mniej do podziału. To nie jest już samograj, myślał Mateusz, trzeba zadbać o nową jakość, świeżość.

– Trzeba wpuścić świeżej krwi. – Producent jakby słyszał jego myśli. – Narobić trochę zamieszania.

– Niech gwiazdorowi się coś przydarzy... pierdolnie tym swoim ferrari w karetkę na sygnale albo nowa, czwarta żona go pobije – rzucił złośliwie Artur.

– Mówisz o realu? To jest jakiś pomysł. Mateusz, wykreuj jakąś burzę. Niech się coś o nas przetoczy po gazetach, musimy odżyć z czymś mocnym, coś, kurwa, sfabrykować!

Zawracanie chujem rzeczki. Jak coś nie tak, to znowu ja – myśli Mateusz zniechęcony. Ale to w końcu jego dziecko. Jego maszyneria do robienia pieniędzy, po którą ktoś bez przerwy wyciąga swoje chciwe łapy, którą ktoś głupio zacina. Czuje się zmęczony, wypalony. Buzuje w nim utajony gniew. Nieustanne napięcie, potrzeba rozładowującego konfliktu. Stan ducha zgodny z panującą od lat atmosferą w kraju. Przypomina wrzący kocioł z roztopionym gównem. Kipiącym i oblepiającym wszystko i wszystkich. Mężczyzn i kobiety, polityków i wyborców, duchownych i wiernych, instytucje i petentów, celebrytów i przeciętniaków. Wszyscy ubabrani, skonfliktowani, współuzależnieni.

Nie umie się w tym znaleźć. Nie znajduje dla siebie takiej formy własnego „ja", w której czułby się dobrze. Nie zna kroju mężczyzny, Polaka, z którego byłby zadowolony. Chce lekkości stylu, wdzięku, klasy. Ucieka w kosmopolityczne pozy wyluzowanego światowca, ale nie potrafi oszukać samego siebie. Brakuje w tym polotu. To nie jest jego prawdziwy charakter. Prawdę mówiąc, ma w sobie dużo z wkurwionego Polaczka. Tyle że go w sobie nienawidzi. Bezsilnie się z nim zmagając, traci masę życiowej energii. Miota się. Miewa koszmarne sny o powstaniach. Na twarzy pojawiają się czerwone wypryski wypieranej wściekłości. Polskie barwy – trupio blada twarz z plamami krwawicy. Organizm błaga o chwile rozluźnienia i spokoju. Jak z tym żyć?

Dzień świra w *Dniu świstaka*. Po raz setny to samo. Schodzi ciężkim krokiem do garażu. Jedzie na umówione spotkania. Wieczorem wróci zmęczony ludźmi, z naręczem książek i wydruków. Od lat dorabia jako wewnętrzny recenzent w kilku wydawnictwach. Liczą się z jego zdaniem, chcą za nie płacić. Takich fuch ma więcej – recenzje filmów, rubryki w gazetach i na portalach. Dyskusje w radiu i TV, wykłady w szkole mediów, kursy kreatywnego pisania. Kręci się w tym kołowrotku jak chomik w klatce. Dopiero serial, jego flagowy okręt, pozwolił mu wypłynąć na ocean spokojnego dobrobytu. Teraz ktoś uparł się go zatopić. Na razie sam tonie w myślach. Prowadząc swojego forda, kluczy umiejętnie przez zapchane miasto. Z kieszeni marynarki dobiega dźwięk SMS-a. Wyjmuje komórkę, wiadomość od Moniki: „Kupiłam ci pastę z naciskanym dozownikiem!". Uśmiecha się rozczulony. Kiedy unosi wzrok, widzi przed sobą ogromniejący tył monstrualnego jeepa. Wciska hamulec. Za późno. Uderza w tamtego, słyszy huk, wali głową w powietrzną poduchę. Za nim z piskiem hamują samochody, buczą histeryczne klaksony. W popłochu wypina pas. Drzwi nie chcą się otworzyć. Czuje swąd spalenizny. Przerażony, że zaraz wszystko eksploduje, szarpie w panice za klamkę. Ktoś z zewnątrz mu pomaga, niemal wyrywając drzwi. Mateusz upada na ziemię. Podnosi się i chce odbiec jak najdalej od samochodu. Jest w szoku. Ktoś go mocno przytrzymuje.

– Mateusz? To ty? – pyta facet podobny do Adama.

Mam halucynacje – myśli Mateusz, robi mu się ciemno przed oczami.

– Chyba zemdlał – słyszy nad sobą głos. – Trzeba wezwać karetkę.

Ambulans, błyskając niebieskimi światłami, przedziera się przez zakorkowaną ulicę. Młody lekarz świeci mu latarką w oczy, zadaje kilka rzeczowych pytań. Oszołomiony

Mateusz ma wrażenie, że jest na planie filmu: policja, gapie, telefony. Jego ford wciągany na lawetę. Na domiar wszystkiego jeszcze kumpel z wojska. To właśnie on jest kierowcą trochę tylko wgniecionego jeepa. Nie widział Adama od dwudziestu lat. Lekko posiwiały mu skronie. Ten sam ironiczny uśmiech. I ten sam nieznoszący sprzeciwu ton głosu.

– Odwiozę cię do domu. Gdzie mieszkasz?

Po drodze do Wilanowa dzielą się swoim życiem. W krótkich, żołnierskich słowach: co, z kim, kiedy, gdzie. Zanim zdąży przekręcić klucz w zamku, drzwi otwiera pobladła Monika. Mateusz przedstawia jej Adama:

– Mój przyjaciel z wojska... nie zgadniesz, kochanie, jak na niego wpadłem.

ADAM

– Palicie?

Patrzą porozumiewawczo po sobie. Mateusz robi niewyraźną minę.

– Ja próbuję przestać. – Monika nieśmiało się uśmiecha.

– I gdzie toczysz tę nierówną walkę? – Adam błyska białymi zębami.

– Na tarasie. – Wybucha śmiechem. Ruchem głowy pokazuje duże, przeszklone drzwi.

– Mogę? – upewnia się grzecznie gość.

Przechodzą na taras wyłożony deskami z egzotycznego drzewa. Dwa wiklinowe fotele, okrągły stolik. W kącie, jakby rzucone od niechcenia, damskie pantofle. Jeden lekko przydeptany. Jest coś intymnie seksownego w tym porzuceniu. Bezbronność samicy elegancko udomowionej. W klatce, gdzie od czasu do czasu, walcząc z sobą, dokonuje czynów występnych. Klimat osobistych grzeszków.

Adam lubi obserwować palące kobiety. Sposób, w jaki trzymają papierosa. Wkładają go do ust. Monika zaciąga się zachłannie. Papieros w ugiętej w łokciu ręce, blisko twarzy. Wypuszcza z siebie kłąb dymu, jakby z żalem. Zakłamana, ale z charakterem – myśli Adam. Wewnętrzna walka ze słabością. Błoga siła, z jaką jej ulega. Odkrywa w takiej ambiwalencji coś bliskiego.

– Macie jakieś plany na weekend?

– Nie wiem, zapytaj Mateusza. – Uśmiecha się trochę zakłopotana.

Bierze od niej popielniczkę, dotykając jej dłoni. Jest zimna. Wracają do salonu. Idąc za nią, bezwiednie lustruje jej figurę. Zgrabne nogi, stercząco wypięty tyłek. Lekka lordoza – ocenia fachowo. Myśli o tym, że kobiety z taką przypadłością mogą mieć problemy z zajściem w ciążę. I że lubią się kochać od tyłu.

– Jak się poznaliście? – Adam siedzi z Mateuszem na sofie. Czekają na kawę, którą Monika przyrządza w kuchni.

– W galerii handlowej.

– Poderwałeś ją w sklepie? – W głosie Adama powątpiewanie walczy z podziwem.

– No tak.

Mateusz przypomina sobie ten letni, duszny dzień. Skończyły mu się perfumy, po drodze do Artura wstępuje do galerii. W perfumerii oddycha z ulgą. Klima i ten słodki, oszałamiający zapach luksusu. Chętnie by tam został na kilka godzin. Jednak szybko wybiera ulubionego, zielonego lacoste'a i podchodzi do kasy. Szukając banknotów w portfelu, nawet nie patrzy na ekspedientkę. Dopiero przy odbiorze reszty widzi jej gołe ramiona. Gładkie, pięknie utoczone, jakby chętne do objęcia. Bije od niej gotowość, pozytywna aura. Przygląda się jej twarzy. Blada jak na tę porę roku blondynka, z cieniem słabego, skierowanego do nikogo uśmiechu. Uderza go fascynujący kontrast. Atrakcyjna siła emanacji jej ciała i chłodna rezerwa w oczach. Odbiera od niej resztę, coś mu się nie zgadza. I z tą kobietą, i z sumą pieniędzy, jaką trzyma w dłoni. Wychodzi przed sklep, jeszcze raz przelicza. Kasjerka rąbnęła się o dwie dychy. To go ośmiela. Wraca.

– Przepraszam, ale pani się pomyliła... wydała mi pani dwadzieścia złotych za dużo...

– To niemożliwe – odpowiada ona z przekonaniem w głosie.

Mateusz chce się wycofać. Wewnętrzny impuls popycha go jednak do rozmowy. Wyciąga rękę z kwitkiem i pieniędzmi.

– Dałem pani dwieście złotych, perfumy kosztują sto dziewięćdziesiąt pięć. Pani wydała mi dwadzieścia złotych zamiast pięciu – tłumaczy łagodnym głosem, lekko akcentując zdziwienie.

Ona spogląda nieufnie na wyciągnięty kwitek i opakowanie perfum. Mateusz intuicyjnie wyczuwa, że kobieta w końcu kojarzy.

– Ma pan rację, dziękuję panu bardzo. – W uśmiechu pokazuje równe, ładne zęby.

Widzi, jak w szarawym błękicie jej oczu wdzięczność wygrywa z zawstydzeniem.

– Nie zdarza się, żeby klienci zwracali. To godzina mojej pracy – mówi, chowając banknot do przegródki w kasie.

„Jestem ci winna godzinę" – słyszy w swojej głowie Mateusz. Jakby stała przed nim i rozpinała biustonosz.

– A może poszłaby pani ze mną na kawę?

Blondynka nie jest propozycją zawstydzona. Ani przekonana. Mateusz nie wyczuwa w niej żadnego napięcia.

– Czemu nie.

Nie brzmi to delikatnie, raczej prostacko. Jest w tym bezwstydne wyrachowanie: nie mam nic do stracenia, mogę zaryzykować. To go nie zraża.

– Mam na imię Mateusz – dodaje, jakby to był argument przemawiający na jego korzyść.

– Monika – odpowiada.

– Dasz mi swój telefon? – Sięga po kartkę i szybko zapisuje numer. – Zadzwonię.

Wycofuje się. Przy kasie stoją już dwie zniecierpliwione klientki. Przy drzwiach odwraca się i patrzy na nią, jakby chciał się upewnić, czy dokonał dobrego wyboru. A może utrwalić ją sobie w pamięci. Obserwuje go albo spojrzała w tym samym momencie. Macha mu dłonią.

Mateusz otrząsa się ze wspomnień. Adam siedzi naprzeciw niego z wyczekującą miną. – Zaczepiłem ją w sklepie, dostałem numer telefonu. Wieczorem zadzwoniłem i następnego dnia umówiliśmy się na kawę. Potem do kina, do klubu, a po kilku miesiącach zamieszkaliśmy razem. – Uśmiecha się do kumpla.

– Zawsze miałeś gadane. – Adam kiwa głową z podziwem.

Koło czwartej nad ranem budzi go hałas. Wygląda przez rolety do ogrodu. Wielki czarny kot niesie w zębach szamoczącego się ptaka. Bezwzględność natury. Ślepe wobec niej posłuszeństwo łowcy (nakarmionego do syta luksusowymi puszeczkami). Nieuchronność losu ofiary, ostatnie chwile tortur. Zwierzęta niczym aktorzy odgrywają sceny dramatu. Przerażającego, mistycznego. Groza okrucieństwa i święty spokój naturalnego ładu. Kot stąpa cierpliwie, niezrażony szarpaniną ofiary.

Adam w pierwszym odruchu chce zbiec. Wyrwać kotu łup z triumfującego pyszczka. Interweniować, pogonić, ocalić. Zabawić się w Boga? Może jest nim właśnie teraz, kiedy nieporuszony patrzy na to wszystko z góry? Z wyżyn swojego samotnego świata.

Kładzie się, ale nie może zasnąć. Przelatuje mu przez głowę myśl o samobójstwie. To, że ta myśl uspokaja, przeraża go. Bierze butelkę whisky, odkręca korek, po chwili namysłu odstawia. Czeka go jazda do miasta. Wybiera orgazm. Toczy pod palcami rozkosz jak Syzyf pod górę rozpaczy. Ciepła plama na brzuchu, kop zbawczej endorfiny. Na dobry początek dnia. *American beauty* – myśli o sympatycznym nieudaczniku, którego grał Kevin Spacey. Biedak też walił gruchę pod prysznicem i płakał. Bezgłośnie, z otwartymi ustami. Mała poranna ekstaza na całodzienne upokorzenia – nudne życie na przedmieściu, beznadziejną pracę, szefa psychopatę. Żonę, zimną sukę, córkę wyhodowaną na własnej piersi, kolejną, nienawistną pizdkę. Zabierały mu przestrzeń, powietrze, pieniądze.

– Traktujesz siebie tak, jak byłeś kiedyś traktowany – prycha do lustra w łazience.

Ciepłe kafelki pod stopami koją. Chciałby się na nich położyć nagi i nie ruszać do ostatecznego końca. Kontemplować spękania sufitu, łowić odległe odgłosy ulicy, sikać pod siebie.

Goli się szybkimi, nerwowymi pociągnięciami maszynki. Spłukując resztki piany, dostrzega na krawędzi umywalki żółtą plamkę po papierosie. Nigdy nie pali w łazience. Joanna! – Wzdycha ze złością. Sąsiadka, jego kochanka. Wpada tu czasem, kiedy on wyjeżdża. Pożycza sobie kawę albo butelkę wina. Kiedy ją o to prosi, podlewa kwiaty, wyjmuje pocztę ze skrzynki na płocie. Czego szuka w jego toalecie? Przegląda szafki, grzebie w rzeczach? Ciekawska, węsząca. Zostawia po sobie syf. Podświadomie znaczy teren. Wypala znamię na jego skórze.

Joanna. Jego obsesja. Niewysoka brunetka z figurą nastolatki. Twarz Nefretete, jędrne cycki, miękkie ruchy. Skrzyżowanie kota, japońskiej gejszy i taoistycznego mędrca. Przypomina sobie jej miękką szyję. Całuje ją. Delikatne muśnięcia. Przecież ona jest dziewicą z odległej planety kobiet. On pierwszym napotkanym Ziemianinem. Chce ją oczarować, oswoić. Rafinada niespiesznych pieszczot. Dla napalonego faceta to tortury, ale on jest doświadczony, cierpliwy. Ta cierpliwość wygląda na czułość, choć nią nie jest. To tylko represjonowane do bólu pożądanie. Ale ona jest nie do zdobycia. Doprowadza ją do jęczącej ekstazy, wytryskuje spermą w jej wnętrze. Joanna głęboko ziewa, oblizuje się jak kotka i owinięta szlafrokiem oddala się do swojego świata. Dziękując mu grzecznie za wspólną podróż. Kłaniając się jak gejsza. To go fascynuje. Doprowadza do szału. Ta jej niedostępność. Próbuje ją zdobyć, uzależnić, sam się od tego zdobywania uzależnił. Ssie jej palce u stóp, liże waginę, przedłuża wytrysk w nieskończoność. Oblepia ją śliną niczym pająk muchę. Na próżno. Joanna nie jest muchą. Jest ogromnym, wielobarwnym motylem polatującym nad jego ogrodem.

– Jesteś mężczyzną. Nic nie wiesz o zrównoważonym istnieniu.

– Co masz na myśli?

– Nauczyłeś się zbywać siebie albo sobie folgować, to, co generalnie robią sobie faceci.

– Aha – bąka niepewnie. – Może rozwiniesz tę błyskotliwą myśl.

Patrzy na niego tymi zielonymi, kocimi ślepiami, jakby rozważała sensowność dalszej rozmowy. Adam czyta w jej myślach: „Facet i jego monopol na mądrzenie się... zgoda na mnie, opromieniona blaskiem protekcjonalnej łaski... pierdol się, arogancki dupku!". Ale Joanna jest wobec niego wyjątkowo wielkoduszna.

– Cudze prawdy są bolesne czy niedostępne?

– Mało mi potrzebne... a zwłaszcza twoja czarno-biała optyka!

Nie potrafi już chyba z nią rozmawiać. Dialog zamienia się w zwarcie racji. Nieświadomie przechodzi na poziom kto kogo. Nie przekonać, tylko przydusić. Ją czy własne wątpliwości? Za wszelką cenę oszukać niepewność. Przy okazji oszukuje ją, upokarza.

– Wiesz, Joasiu, w życiu, w prawdziwym, nie twoim urojonym, to tak prosto nie działa. Zrozum, kobieto. – Wpada w łaskawy ton wszechwiedzącego. – Nie ma już przykazań ani biblijnych prawd. Zostały diabelskie szczegóły i ich pokrętne interpretacje. Brodzisz na bagnach we mgle. Trafiając na solidny grunt, cieszysz się jak dziecko, nie masz ochoty tego kwestionować. Ogarnia cię pokusa błogiej bezmyślności.

– O czym ty właściwie mówisz?

– O przeżyciu... o życiu. O twojej *splendid isolation*.

– Kto tu się izoluje?

Jak łatwo się nie rozumieć. Zwłaszcza gdy się nie chce. Nie potrzebuje. Nie muszą, nie mieszkają już razem. Obowiązuje „unia damsko-męska". Kilka lat temu zawarli pakt, uzgodnili warunki: respekt dla własnej wolności i tolerancja dla odmiennych potrzeb. Zrobiło się luźniej, można swobodnie oddychać. Niechęć nie zagraża bliskości, przyzwolenie nie oznacza obojętności. A niepewność podsyca wzajemną ciekawość. Zresztą, nie oszukujmy się, związek kobiety i mężczyzny to chybotliwa kładka nad kipielą życia. Z poręczami parzących uzależnień. Uczuciowych, materialnych. Raczej nie dla wolnych dusz i żywych umysłów. Teraz są razem, ale i oddzielnie, na własnych warunkach. I oczywiście, na własnym utrzymaniu. Można się czasem bezkonfliktowo spotkać. Pójść do kina, do łóżka. Normalna miłość okazała się zbyt trudna. Normalna miłość?!

MONIKA

To bardzo apetyczne – być świadkiem czyjegoś namiętnie zaspokajanego uwielbienia. Czułej uwagi. Adam opowiada Monice o swoich drzewach. W jaki sposób je wybiera, kupuje, sadzi i latami starannie pielęgnuje. Mówiąc, dotyka ich pni, gładzi liście. Stoją pod rozłożystym platanem. Jest w tym coś biblijnego. Kobieta i mężczyzna w cieniu drzewa.

– Kiedy byłem małym chłopcem, zapytano mnie, wiesz, tym głupim, pseudozainteresowanym pytaniem dorosłych, kim chciałbym być, kiedy będę duży. Odparłem bez namysłu: Francuzem! – Adam się śmieje. – I to mi chyba trochę zostało. Najlepiej się czuję w Prowansji. W tych małych miasteczkach, teraz już skolonizowanych przez Anglików i Skandynawów na emeryturze. Tamtejsze placyki ocienione platanami, słońce próbujące się przebić przez te duże i przez te wrażliwe na podmuchy wiatru, ruchliwe liście. To powoduje pełganie światła. Słoneczne plamy oświetlają twarze, ręce gestykulujących przy marmurowych kawiarnianych stolikach. Przywodzi na myśl obrazy impresjonistów. Pełne słońca, radości życia. Od dziecka byłem takimi obrazami zaczarowany.

Zwierza się jej kiczowato. Niespeszony swoim egotycznym poruszeniem, które i tak w dużej mierze udaje. Ale wyraz oczu Moniki nie pozwala mu przestać. W jej rozszerzonych źrenicach, znieruchomieniu powiek jest zachęta: mów dalej, nie przerywaj.

– Więc zamarzyłem sobie, że tu, przy tarasie, posadzę platany. Latem będę miał mini-Prowansję. Ten środkowy, rozłożysty, trochę inaczej wygląda, bo złamał mu się środkowy konar. W październiku spadł wczesny śnieg, osiadł na liściach i biedak załamał się pod ciężarem. Teraz rozrósł się wszerz. Nawet ciekawiej, taka ingerencja natury w intencję mojego zamysłu. Monika, usiądź, proszę, na ławeczce, pięknie się tutaj komponujesz, przepraszam cię na moment, przyniosę coś do picia.

W jego ożywieniu jest coś więcej niż sympatyczna skwapliwość gospodarza. Przynosi drinki. Na tacy migocze srebrzyście mały aparat cyfrowy. Adam krąży wokół Moniki, nie przestając mówić, naciska od czasu do czasu spust migawki. Ona jest lekko pijana, oszołomiona pięknem ogrodu, uwiedziona podziwem Adama. Czuje senne zniewolenie, łagodny trans. Poddaje się hipnozie słów, gestów, uśmiechów. Jego bezceremonialnej woli („zrobię ci kilka zdjęć"). Odgadując jej wahania, łamie jej opór, delikatnie, ale stanowczo. Bawi ją swoją nieprzewidywalną gadaniną. Zaraża świeżym rodzajem energii. Tak różnej od melancholijnej ospałości Mateusza. Monika czuje lekkość, swobodę nieświadomego flirtu, ukrytą w nim rafinadę istnienia. Upija łapczywie kilka łyków dżinu, odrzuca głowę do tyłu. Zdejmuje sandały, wstaje z ławki. Robi kilka tanecznych kroków w stronę szumiącej delikatnie ogrodowej polewaczki. Tryskająca mgiełka wilgoci, przystrzyżone łono trawy pieszczące stopy. Zmysłowa nieruchomość upału. Cygaro w ustach gospodarza, jego białe zęby.

W rajskim ogrodzie z Adamem. Narzucająca się lubieżność. Związany z nią niepokój. Jeśli gdzieś czai się wąż, jest witalnością. Uderzeniem radości odczuwalnej w każdym zakątku ciała. Dla niego przybiera postać jej stóp. Gapi się na nie ogłupiały – ich kształt, smukły łuk wysklepienia, delikatna klawiatura palców, błękitne żyłki. Spojrzenia niczym zwiadowcy wysyłają sekretne informacje. Zew krwi. Przypływ głodu. W podbrzuszach czujna gotowość.

MATEUSZ

Kiedy znikają ostatni goście, Mateusz odczuwa ulgę. Podnosi szklaneczkę z whisky, raźno grzechocze kostkami lodu. Nie znosi salonowego small talku. Międzyludzkiego pudru sypanego na rany. Siedzi z boku, gapiąc się na ludzi. Obserwuje ich reakcje, pozy. Udawana radość nieoczekiwanego spotkania, pseudoożywienie. Pustka skwapliwych śmiechów. W mowie ich ciał, w tym wystudiowanym luzie towarzyskim, widzi napięcie. W gestach kobiet ukrytą desperację. Na twarzach facetów maski. Źle kryjące zajadłość rywalizacji, pożądanie cudzych żon, chroniczną niepewność. Wszyscy się wykruszają przed zmierzchem. Pełniąca honory pani domu Joanna odprowadza ostatnich i wraca do Mateusza. Pozostali we czwórkę. Adam oprowadza Monikę po swoim ogrodzie (sprytna, ekologiczna wymówka palaczy?). Oni zasiadają w fotelach, podmiejskie lato, atrakcyjni ludzie w chłodzie klimatyzowanego salonu. Inteligentna, hamowana ironią frywolność. Polska elita klasy średniej. Otwarci i zamknięci. Zaciekawieni i znudzeni. Podnieceni i przestraszeni innością.

Mateusz nie jest już spięty, alkohol i uroda dnia zrobiły swoje. Pozostaje jednak czujny. Na posterunku podejrzliwie chłodnej świadomości. Czego się obawia, rozparty wygodnie w tym urządzonym ze smakiem salonie, gawędząc z miłą partnerką przyjaciela?

– Podobają mi się twoje obrazy. – Kiwa aprobująco głową w kierunku ogromnej ściany obwieszonej płótnami Joanny. – Jest w nich jakaś magia, intymny, twój bardzo własny dotyk tego, co w polskim krajobrazie oczywiste, archetypowe. Harmonia subiektywnie oczywistego z tak narzucającym się obiektywnym... – Plącze się w grafomanii brakujących słów, która produkuje ich nadmiar. – Dlaczego wszystkie czarno-białe? – Postanawia wybrnąć stanowczością prostoty.

– Kolory to dla mnie brud. Odczuwam je jak rodzaj przemocy. Chcę od nich uciec, chcę się im oprzeć.

– To ciekawe. – Mateusz jest zaskoczony osobliwością tego wyznania. Co za pogięta kobieta, przemyka mu przez głowę. – Czarno-białe jest czyste?

– Nie zapominajmy o szarości. – Joanna się uśmiecha. – Jest jej tutaj ogromna paleta – zwraca mu delikatnie uwagę. Niczym ciocia ujmująca chłopca za podbródek, skłaniająca miękkim gestem do posłuszeństwa. – Biel i czerń to tylko granice, kontury. Istota jest w gradacjach szarości. One są dla mnie najbardziej kolorowe. Jeśli rozumiesz, co chcę przez to powiedzieć.

Mateusz nie rozumie. Ale może nie o to chodzi. Bardziej o intuicję i chyba... akceptację. Ona gdzieś go zaprasza. Nie jest pewien, czy ma na to ochotę. Czuje się nią skrępowany. Jest w niej dziwna sprzeczność słów i gestów. Jakby walczyło w niej kilka istot i żadna nie potrafiła wygrać. Uciszyć pozostałych. Jest zakłopotany, nie potrafi się do niej dostroić. Czuje, że to nie *fair* w stosunku do Adama. Z przyjaźni do niego powinien ją polubić. Na szczęście ona nie zgaduje jego myśli, za bardzo wsłuchana w swoje.

– Często nie mogę spać, budzę się o trzeciej, czwartej nad ranem. Wsiadam do samochodu i jeżdżę po okolicy. Mgły przed świtem, mleczna wata na te mazowieckie równiny. Jest taka znieruchomiałość w tym międzyczasie, godzinie między wilkiem a psem, jak mówią Latynosi, która mnie fascynuje. Robię zdjęcia, masę zdjęć. Potem któreś wybieram i z niego maluję. Maluję to chyba za dużo powiedziane. – Wzdycha teatralnie. – Rozcieram szmatką, palcami.

– Trochę, jakbyś samą siebie chciała wetrzeć w te pejzaże.

Joanna patrzy na niego zdumiona.

– Miałem na myśli wtopić w naturę, tak symbolicznie... – tłumaczy się pospiesznie Mateusz. – Wielu artystów chce się po prostu unieśmiertelnić.

– Niektórzy z tego powodu zabijają się w młodym wieku. Jakby nie mogli się doczekać. Ja na szczęście jestem amatorką, nie czuję się artystką. Zresztą potrzeba wyjątkowości jest banalna – rzuca wyniośle. – Im bardziej cię nie ma, tym bardziej potrzebujesz zaistnieć. To ślepa uliczka, ten wszechobecny dzisiaj, porażająco nieudolny indywidualizm. Z głupiego strachu przed roztopieniem się w masie. A przecież jesteśmy jak te korale z wielkiej rafy. Fala nadchodzi i miliony chwieją się w jedną, potem drugą stronę. Posłuszne, stadne, wiecznie rozkołysane.

– Kiedyś miałem odjazd na punkcie podwodnego świata – wpada jej w słowo. Czuje, że pragnie Joannę uciszyć. Zainteresować sobą. – Potrafiłem godzinami gapić się na filmy z głębin. Totalny odjazd.

– Nurkowałeś?

– Myślałem o tym, ale jakoś nigdy... Sam nie wiem. Może bałem się utopić. – Chichocze nerwowo, speszony swą szczerością.

– Morze to kobiecość.

– No tak, Księżyc, menstruacja, wody płodowe, ryby, gady – wylicza Mateusz. – Wszyscy jesteśmy stamtąd. – Milknie dotknięty prawdą, którą sobie właśnie uzmysławia. Od dziecka boi się kobiet. Od zawsze w kobiecości tonie.

JOANNA

Lekko pijana Monika mówi starannie i powoli. Brzmi trochę tak, jakby polski nie był jej pierwszym, ojczystym językiem.

– Urodziłaś się w Polsce? – pyta Joanna i w tym samym momencie orientuje się, że Monika ukrywa ślady regionalnego czy wiejskiego akcentu.

– Tak, oczywiście, a czemu? – Dziewczyna kręci się niespokojnie w fotelu.

– Masz oryginalną, trochę niepolską urodę.

– Tak uważasz?

Co za pospolita gęś – myśli Joanna. W żołądku czuje mdły skurcz niechęci. Towarzyska maskarada. „Będzie też mój przyjaciel z wojska z żoną, bądź dla nich miła" – niema prośba w oczach Adama. Nie sądziła, że to może być takie kosztowne. Tępy dyskomfort, którego nie chce już dłużej znosić. Bo po co? Dla niego? Czym jest, do cholery, typowo kobiece poświęcenie? Zwykłą udręką w masce dobroci.

Wrócić do siebie, wyciągnąć się z książką na sofie. Przypomina sobie cytat z japońskiego mędrca opisującego ceremonię parzenia herbaty: „Za przejaw grzeczności uważa się niewykonywanie żadnego spiesznego gestu". W kącie salonu stoi ogromna waza pełna kwiatów. Misterne główki bladoróżowych peonii, ciemnozielone, dekoracyjne liście.

Ich przeestetyzowanie podkreśla samotność domu, kościelny nastrój uroczystego oczekiwania. Jego zimną pustkę.

Piękno uwodzi zmysły, ale przed niczym nie ratuje, niczego nie zakrywa. Ma pożerać nicość, a raczej ją przywodzi. Joanna zna tu każdy kąt, mieszkała kiedyś z Adamem. Była z nim szczęśliwa. Dopóki nie zaczął jej zdradzać. Ściany salonu nadal odbijają jej głos:

– Oszukujesz sam siebie, dla dobrego samopoczucia. Jeśli robisz coś, co jest nie w porządku wobec mnie, to zastanów się: dlaczego i czy tak musisz? Jeśli się ze mną liczysz i ci zależy. I więcej tego nie rób! A jeśli nie potrafisz inaczej, to się przyznaj. Ale nie obrzucaj mnie własnym gównem. To mnie brzydzi i upokarza! Wiesz, coś ci powiem, Adam, chociaż i tak tego nie zrozumiesz. To, że prawda nie do udźwignięcia, nie znaczy, że kłamstwa do zniesienia!

Wyprowadziła się. Po roku spotkali się przypadkiem na jakimś przyjęciu. Nie dość, że nie potrafiła go spławić, to jeszcze udało mu się ją namówić na wspólną podróż. Grecka wyspa Santorini, właśnie tam – w tawernie pod wulkanem – powstał ten ich „nowy" związek. Precyzyjny jak biznesowy *deal*: wykrojenie dla niej z jego włości (z żebra Adama) hektarowej działki, budowa jej pawilonu. Zawsze lubiła ten szemrzący strumyk na tyłach jego ogrodu. W każdym razie w czasie rozłąki tęskniła za tym miejscem najbardziej. Bardziej niż za facetem życia? Może. Dzisiaj to kawałek jej świata. Miała duży apartament w Warszawie, który od dawna wynajmowała firmie adwokackiej. Drugie, mniejsze mieszkanie na Mokotowie sprzedała. Na działce Adama zaplanowała coś wyjątkowego. Znalazła ambitnego architekta z wyobraźnią. Powstał zgrabny pawilon w stylu japońskim, z dużym przeszklonym skrzydłem pracowni. Architekt znał Mistrza, specjalistę od ogrodów. Staranny dobór roślin, krzewów, kamieni. W niedługim czasie zaniedbany, na pół dziki teren zamienił się w mistyczny ogród zen. Za bambusowym gajem strumyk poszerzył się w staw, leniwie wachlujące płetwami ryby opływały rzucone weń ogromne kamienie. Na obrzeżach swojego królestwa Joanna rozwiesiła egzotyczne dzwonki. Powiewy wiatru uruchamiały dziwne, znane z japońskich filmów, plumkanie.

– Masz, człowieku, wrażenie, że jesteś gdzieś pod Kioto – żartował Adam.

W mazowieckim piachu ten orientalny zakątek urodą, proporcjami, kolorami zapiera dech w piersiach. Joanna, bogini własnej świątyni. I nowa-stara kobieta w związku z Adamem. Przyjaciółka, kochanka, sąsiadka. Towarzyszka wspólnie uzgadnianych pięknych chwil. Ulubiony partner do życiowych szachów.

Ale ta ich partyjka – w niedzielę pośród znajomych – zaczyna ją nudzić. Monika i Mateusz są nieznośnie przewidywalni. On ciekawszy, na swój sposób wrażliwy. Jego kobieta – zapięta w gorset wymuszonego wdzięku. Przypomina Joannie początkującą pogodynkę z jakiejś niszowej stacji TV. Albo postać z filmu o ambitnej blondynce.

Od godziny siedzą same – panowie zeszli do podziemi. „Wybaczcie, na czas jakiś musimy się wykasować z towarzystwa". Przymilnymi uśmiechami ukrywają niecierpliwość. Prawdziwe życie toczy się w innym świecie, ma formę kopaniny i nazywa się szumnie derby Londynu. Monika patrzy na nią wyczekującym wzrokiem. O czym to mówiła, aha, o jej urodzie:

– Coś jakby skandynawskiego...

– Może jacyś wikingowie się w rodzinie zaplątali, jestem z Pomorza.

Pleść sympatyczne banały to jednak duża sztuka. Joanna jest bezradna wobec idei siebie, którą jej przyszło teraz ucieleśniać. Co upodabnia geniusza do kretyna? Odporność na nudę. Skupia się więc na dziewczynie: na pół zaśniona, na pół rozbudzona lalka. Odpychająco bezwładny, mentalny stupor. Nimfa Echo. Wpatrzona w swojego przemądrzałego męża. Zniewolona bezmyślnością, unicestwia się, spełnia tak rozumiane kobiece powinności. Rozumiane to za duże słowo. Idealna partnerka dla zapatrzonego w siebie gostka.

– Nie jesteście małżeństwem? – Monika zbiera się na odwagę.

– Nie – odpowiada sucho Joanna.

Wyobraża sobie, jak mózg Moniki przetrawia tę informację. Jak płodzi kolejne pytania, podrażniony ubóstwem lakonicznej odpowiedzi. Dziewczyna nic nie mówi. Z nawałem ciekawości czuje się niezręcznie. Wybiera taktowne milczenie. Swój bezpieczny, wytresowany stupor masochistki. Spróbuj taką urazić, to się nie odczepi do końca życia.

– A wy, jak dawno jesteście po ślubie?

– Dwa lata, właśnie niedawno obchodziliśmy rocznicę.

– Gratulacje. Wyglądacie na szczęśliwych.

– A wy z Adamem? – Widać, jak walczy, szukając formy dla swojego wyobrażenia o salonowym takcie. – Mieszkacie oddzielnie?

– No tak. – Joanna ukrywa rozbawienie. – Jesteśmy od kilku lat sąsiadami.

Monika wzdycha speszona. Prostuje się w fotelu, przekłada nogę na nogę, sięga do swojej niewielkiej torebeczki. Wyjmuje z niej paczkę cieniutkich papierosów i zapalniczkę.

– Przepraszam cię, wyjdę do ogrodu zapalić.

– Możesz tutaj, mnie nie przeszkadza. Chcesz jeszcze kawy?

MATEUSZ

Mateusz, wierny kibic Arsenalu, cierpi w milczeniu. Wielki ekran, wersja HD, bezlitośnie odsłania każdy szczegół klęski zespołu Wengera. Bramkarz Szczęsny robi fun ze swojego nazwiska. Angielski komentator także, po swojemu. Adam nie kibicuje wbijającym mu gole chłopakom z Chelsea. Patrzy na mecz z dystansem – z lotu ptaka. Co nie wyklucza serca i głowy. Rzetelnych emocji i bystrych komentarzy. To w końcu pole bitwy. A na początku było słowo. Wszyscy byliśmy też Grekami. Budzą się w nich lakoniczni Spartanie.

– Żółta kartka!
– Jaka kartka? Co ten ślepy kutas wyczynia?
– Ściął van Persiego!
– Pajac się położył.
– Ten cham Terry go, kurwa, skasował.
– Cieniasy!
– Rosyjska kasa!
– Debil!

Koniec meczu. Akcja i postreakcja. Więc teraz Ateny. Rozgadane forum. Polityka. Transfery, kasa, taktyka, decyzje sędziego. Adam bezlitośnie punktuje Wengera:

– Francuski miękisz, za bardzo lubi młodych chłopców. Narcystyczna palma, transferowe skąpstwo i przerost formy nad treścią. Kolesiowi nie zależy na mistrzostwie. Widać, że nie jest fighterem.

– Nie tylko o zwycięstwo chodzi.

– Futbol to nie jest, kurwa, balet. Liczy się skuteczność. Trener nie chce wygrać, nie chce być najlepszy? To po prostu *looser!* – Pewność siebie Adama. Jego ton, który od pierwszego ich spotkania przyciąga i odpycha.

Połowa lat osiemdziesiątych, komuna gnije. Załamany Mateusz siedzi w żołnierskiej sali, w dupę mu się wrzynają sprężyny metalowego łóżka. Nie dostał przydziału na materac. Powód? Spóźnił się do jednostki o całą dobę. Podoficer z biura przepustek wydarł na niego mordę:

– Co wy w chuja sobie gracie? Czytać nie umiecie? To jest wojsko, kurwa, a nie wczasy!

Wściekła pogarda wiejskiego przygłupa w mundurze. Ale Mateusz sam sobie winien. Przyjeżdża tam jak naiwne cielę – długowłosy, odurzony trawą, w trendowych ciuchach hipisa. Ideał warszawiaka do gminnej rzeźni. Skurwysyny są perwersyjni w swojej natychmiastowej nienawiści. Zostawiają go w tych cywilnych ciuchach na cały dzień. Dostaje przydział do kompanii, ma swoje łóżko w dwunastoosobowej sali. Pobratymcy przyjmują go wrogim milczeniem. Pogoleni na żarówki, przebrani w zatęchłe drelichy polowych moro, ciężkie buciory na ten lipcowy żar lejący się z nieba. Wczoraj dumni absolwenci uniwersytetów, z dyplomami filozofów, socjologów. Dzisiaj zgwałcone, upokorzone stado. Patrzą na niego wściekłym, otępiałym wzrokiem. Nic dziwnego, że ich boli. W tych włosach do ramion, zamszowych mokasynach wypierdala na środek jak jakiś obcy – pasażer Nostromo. Z ich trzewi, z otwartej rany. Jeden Adam zachowuje się wtedy jak człowiek:

– Co tak pękasz, smutasie? – Przysiada na sąsiednim łóżku, częstuje papierosem.

Podaje rękę nad przepaścią. Cuci. Urywane, krótkie zda-

241

nia, nieśmiało rodzące się braterstwo. Przetrwało całe wojsko i jeszcze kilka następnych lat. Spotykali się od czasu do czasu. Coraz rzadziej, aż kontakt się urwał.

Kilka dni temu, kiedy się na niego nadziewa, Adam znowu w podobnej roli. Jakby jego przeznaczeniem było ratować Mateusza. Albo towarzyszyć mu w trudnym czasie. Cucić – cóż to za przedziwne słowo, co właściwie znaczy? Przywracać do przytomności, do świadomości. Po wypadku lub omdleniu. Szok po zderzeniu ze światem, z samym sobą, z własnym niepozbieraniem?

Adam jest uosobieniem trzeźwej siły, chłodnego realizmu. Mateusz w trudnych chwilach pogrąża się w odrętwiającej apatii, której w żaden sposób nie potrafi przezwyciężyć. To nie tylko brak stanowczości, ale zupełny brak woli. To jednak rzadkie momenty. Ostatnio, poza nieszczęsnym serialem, wszystko się układa. Jeśli ma problemy, to wyłącznie z sobą. Jest często zmęczony, zniechęcony. Odkrywa, że głównym paliwem jego działań jest czyjś podziw. Błysk w oku, przyspieszony oddech. Czyżby miłość żony przestała mu wystarczać? Monika. Jej nachalna obecność. Wilgoć. Śluz. Lepka ślina, lepkie wnętrze. Słodkie zawodzenie z sypialni: „Co ty tam tyle czasu robisz?". Spragniona chuja, wierci się niecierpliwie w pościeli. On przeciąga pobyt w łazience. Drażni go, że ma się zaraz stawić, z zastrzykiem spermy jak z regularnym lekiem na cukrzycę. Trzyma dłonie pod strumieniem ciepłej wody i walczy z narastającym zniechęceniem. „Pokładał zbyt dużą wiarę w jej niecierpliwą szparę" – ratuje się autoironią. Co się dzieje? Myśl o wieczornym kochaniu była błogim ukoronowaniem dnia. Jak dotąd. Chyba pierwszy raz nie czuje się z nią swobodny. Nie lubi, nie potrafi odmawiać. Zdarzyło się to kilka razy Monice – czując jego rosnący penis, ziewa teatralnie, szepcząc mu do ucha słodkie obietnice: „Wybacz, padam z nóg, ale jutro ci wszystko wynagrodzę". Nie ma z tym żadnego problemu. On właściwie też – nie czuje odepchnięcia, tylko lekki osad frustracji. Normalna rzecz w każdym związku. Dorosły człowiek powinien umieć dostosować się do drugiego, wspólne życie jest ciągłym układaniem się. Układaniem się w łóżku. Niepokoi go brak pożądania. Nie jest zmęczony, nie czuje się wypalony, nie jest też seksualnie nasycony – nie kochali się już od kilku dni. Czy Monika już na niego nie działa? Czyżby mu się znudziła, przejadła? Wsuwa się nagi pod kołdrę, przytula do jej pośladków. Tylko nie myśleć! Odprężyć się i zostawić ciało samemu sobie. Jest najmądrzejsze. Zadecyduje. Męskie pożądanie jest zawsze autentyczne. Nie da się go udawać, wywołać siłą woli. Na mój rozkaz: baczność! No, chyba że jakimiś tabletkami. Viagra, suplement dupy!

– Mogę do buzi? – pyta ona po swojemu, zanim osunie się do jego podbrzusza.

Nigdy jej nie odmawia, ale ona zawsze pyta – na pół naiwnie, na pół retorycznie. Pozornie uwodzicielskie, miłosne krygowanie się, podniecająca gra. Bierze część Mateusza w swoje posiadanie, jakby to nie był on, tylko jego rzecz, którą mu na jakiś czas zabiera. Niby grzeczne dziecko czyjąś zabawkę. Wyłącznie dla siebie. Ciebie, facet, odkładamy na bok. Patrz sobie cierpliwie, jak się zabawiamy. Uderza go zawsze jej łapczywość w zabieraniu mu kutasa. Kiedy on wycofuje się, powstrzymując orgazm, Monika nie kryje zawodu. Nie chce mu go oddać, dopuścić do rozkoszy. „Nie wtrącaj się do naszej zabawy". Jakby był intruzem. Nachalnym, zawistnym trzecim.

– Gra się, żeby wygrać. – Głos Adama wyrywa Mateusza z rozmyślań.

– Przypomniała mi się taka historyjka o Diogenesie. Któregoś dnia spotkał na agorze puszącego się w tłumie zwycięzcę olimpiady. Filozof zagadnął go po swojemu: „A więc zwyciężyłeś?". Biegacz pokraśniał z dumy. „Udowodniłeś, żeś najlepszy?". „Otóż to", zgodził się tamten. „Pokazałeś, że inni są od ciebie gorsi?". „W rzeczy samej!". „Też mi sztuka, prychnął Diogenes, wygrać z gorszymi!".

– Tanie sofizmaty. – Adama trudno zbić z tropu. – Przyznaj, Mateusz, dewaluujesz zwycięstwo, bo nie wygrali twoi.

– Moi, nasi... Ty fiksujesz się na wygranej. – Mateusz czuje się spychany do defensywy.

– My tu gadu-gadu, a dziewczyny od rana nic ciepłego w ustach nie miały. – Adam wyczuł w głosie Mateusza napięcie. Odzywa się w stylu ich głupawych dialogów z wojska. Podnoszą tyłki z foteli i ruszają do salonu.

– Twój piękny dom z bali, jakoś mi ta jego architektura znajoma.

– Bo go już widziałeś.

– Nie, no co ty, jestem pierwszy raz w życiu w Zalesiu. Chyba że w jakimś katalogu.

– Raczej nie, jest nietypowy. Znasz go jeszcze z dzieciństwa.

– Z jakiegoś filmu?

– Ciepło, ciepło. – Adam się rozpromienia.

– Nie mów?

– Ponderoza.

– *Bonanza*?!

– Tak jest. Siedziba Cartwrightów. Stary i trzech synów, dokładnie jak u mnie w rodzinie, dwóch braci i jak w *Bonanzie*: jeden przygłupi, drugi misiowaty. Adam Cartwright był najstarszy, tak samo jak ja. Mój bohater. Ten western to całe moje dzieciństwo. Ta muza i płonąca mapa terenów wokół Ponderozy w czołówce każdego odcinka. Tym żyłem latami, od niedzieli do niedzieli. Moja chałupa na podstawie zdjęć, belka po belce.

– Niesamowite.

Mateusza zatyka. Nie podejrzewał Adama o tani sentymentalizm. Naiwny terror młodzieńczych marzeń, wierną wobec nich uległość. Hodowane latami romantyczne pragnienia małych chłopców, realizowane w dorosłym życiu. Jest w tym coś słodko jebniętego. Wzrusza i rozśmiesza. Sam jest twórcą serialu, autorem słów i obrazów, które mogą odmienić czyjeś życie.

Nigdy nie brał tego pod uwagę. Chyba jednak powinien. Najlepszy dowód – rozmawia z normalnym, rozgarniętym facetem, który zamieszkał w kopii dekoracji do jakiegoś filmu sprzed lat. Może naśladuje też czyjeś życie?

– Dobraliście się jak w korcu maku. Mam na myśli z Joanną – dodaje, widząc zdziwione spojrzenie Adama. – Pokazała mi swój pawilon.

– Przecież to kompletnie inna bajka.

– Ale też bajka.

– Chcesz powiedzieć, że jesteśmy parą zakręconych świrów.

– Chcę powiedzieć, że tak jak niegrzeczne dzieci... chcecie się bawić po swojemu.

– Coś w tym może jest. – Adam śmieje się głośno. – Z akcentem na niegrzeczne.

ADAM

– Im lepiej się czuję, tym więcej mam w sobie pokory – wzdycha dobrodusznie.

Przymila się, stary kocur – Joanna obserwuje go chłodno. Adam wyciągnął się w butach na sofie, ręce włożył pod głowę. W okolonych siwiejącą bródką ustach międli wygasłe cygaro. Wygląda zabawnie, Freud i jego pacjent w jednej osobie.

– Prawdziwa skromność to świadomość własnej wartości – komentuje ostrożnie Joanna.

– Tak, chyba tak – zgadza się Adam. – Tyle że taka pewność siebie mnie chyba izoluje.

– Nie rozumiem.

– Nie pychą czy arogancją, tylko spokojem dobrego bycia z samym sobą.

– Dobry nastrój nie skłania cię do towarzystwa?

– Mam raczej na odwrót. Jestem wtedy bardziej interesujący dla siebie.

– Kiedy nie boli, nie potrzebujesz drugiego człowieka? – dziwi się Joanna. Szczęściem trzeba się dzielić, wtedy je mnożysz.

– Wiesz, wtedy nie mam ochoty na żadne działania, mnożenia, dodawania. – Adam śmieje się beztrosko. – Proszę chwilę, by trwała.

– Znika też twoja zgryźliwa upierdliwość? No cóż, wierzę ci na słowo. Skoro nigdy nie mogłam być tego świadkiem – dodaje ironicznie Joanna.

Adam milknie zrezygnowany. Naprawdę się starał. Zaczął od zwierzeń, delikatnie zaprosił do fajnego dialogu. Ale to dla niej za mało. Nie widzi, nie słyszy. Nie docenia dobrej woli. Ten ciągły pieprzony dystans. Joanna słucha go powściągliwie, gotowa w każdej chwili oceniać. Bezwiednie krytykować. Z tego już nic nie będzie – myśli Adam. Kurwa! Budujmy mosty przyjaźni, na wszelki wypadek zwodzone! Ale przecież jeśli jestem taki szczęśliwie samowystarczalny, to po co jej zawracam głowę? Dlaczego o nią zabiegam? Zimna lufa irytacji przystawiona do pomarszczonego czoła. Potrzebuje jej bardziej, niż potrafi się przed sobą przyznać. Ale chce jej na swoich warunkach. Z wiekiem chce wszystkiego na własnych warunkach. Joanna stawia opór. Nie znajduje na nią sposobu.

– Wiesz, wczoraj mój kumpel – Adam podnosi się z sofy, sięga po filiżankę, upija łyk kawy – biznesmen z hotelowej branży, przyznał się po pijaku, że żona mu każe płacić za seks.

– I co?

– No nic. Płaci.

Joanna trawi w milczeniu informację. *Bad timing* – reflektuje się Adam. Żałuje sprzedanej w nieodpowiednim czasie, w nieodpowiednie ręce plotki.

– Ile w tym wzajemnej pogardy – wzdycha Joanna.

– Pogardy? – Adam unosi brwi w przesadnym zdziwieniu. – Ja bym powiedział: wzajemnego szacunku. – Szarżuje prowokująco. – Facet się nie skarżył, wyglądał na zadowolonego. Ciekawe, czy mają ustalony cennik. – Chichocze wulgarnie. – Obciąganie dwieście, chybcik stówa.

– Sprowadzili związek do rynsztoka. Do transakcji klient--dziwka.

– Małżeństwo to zalegalizowana prostytucja, już Marks to powiedział.

– Może mówił o swoim.

– Teoria wymiany dobra, coś za coś.

– Nie wiem, czy dobro tak się wymienia.

– Seks za karmę, bezpieczeństwo, przetrwanie to było zawsze w interesie kobiet. Za obronę przed wrogiem, za życie ryzykującego na polowaniu biedaka. Mięso za mięso – kwituje brutalnie.

– Nie żyjemy w epoce kamienia łupanego.

– Czyżby?

– Czujesz się troglodytą?

– Pod cienką warstewką cywilizowanej fasady drzemią w nas barbarzyńskie instynkty. W walce o władzę, kasę, własne szczęście ludzie potrafią być bezwzględni, kochana. Kobiety nie są lepsze, tylko bardziej się maskują. Wchodzą w rolę ofiary, jęczą o jakimś mitycznym patriarchacie. Żona mojego kumpla ofiarą nie jest, przynajmniej wie, czego chce, i potrafi to wyegzekwować. Joanna, nic o tych ludziach nie wiesz, ale z mety ich potępiasz. W dodatku z pozycji romantycznej, obłudnej moralności. Chcesz być lepsza od innych?

– Chcę być lepsza... w ogóle. Coś w tym złego?

– No niby nic, ale taka potrzeba ma zatrute źródło.

– Wszystko wychodzi od zła i prowadzi do zakłamania? I to ma usprawiedliwiać cynizm?

– Nie jestem cynikiem, tylko realistą. Nie zamykam oczu na brutalną naturę świata. Nie przeczę, czasem lubię bolesną dosłowność. Wytrąca z kielicha prawdy osad banału, pieprzonej poprawności.

– Zamyka gębę interlokutorom. Chcesz triumfować – Joanna mówi stanowczym, spokojnym tonem. – Przyznaj, Adam, nie chodzi o prawdę... Chodzi o zwycięstwo twojego przekonania. Jesteś słaby – dodaje pogodnie.

Adam czuje skurcz. Zadała cios z bolesną precyzją. Nie ma w jej tonie nic nienawistnego. Rzeczowy, trzeźwy osąd. Niemal życzliwy w swojej neutralności.

– Jesteś nudna. – Odwija się bezradnie jak mały chłopiec. Szuka w tym czasie słów i argumentów, jakby przyglądał się wyłożonym na stole różnym rodzajom broni. – Ciągle wszystko sprowadzasz do męskiego egotyzmu, jak zainfekowana ptasią grypą feminizmu kura! Myśl, kobieto! Myśl samodzielnie!

Joanna ma dosyć tej rozmowy. Podnosi się z fotela i zmierza w kierunku drzwi. Naciskając klamkę, odwraca się do niego z ironicznym uśmiechem.

– Myślisz, że potrafię?

– Mam coraz więcej wątpliwości.

Po jej wyjściu Adam trwa w odrętwieniu. Kiedy wyczerpały się akty miłości, zaczęły się akty rozpaczy, by zamienić się w akty nienawiści. Nieudolnie skrywanej. Joanna przywarła do niego, wessała się, pije jego krew. Chciałby ją strząsnąć z siebie jak wściekłe, raniące pazurami zwierzę. Doprowadza go do szału, by samej nie zwariować? W kosmosie jej uczuć jest luka. Czarna dziura. Krąży uparcie nad otchłanią, szukając choćby rysy, szczeliny, przez którą mógłby intelektualnie czy miłośnie się przedrzeć. Do tej pory mu się nie udało. Ona jest jak gładka, wypolerowana tafla – pochłaniająca i zarazem zamknięta. Widzi w niej swoje bezradne oblicze, ale też własną nieustępliwość. Skąd u niego ten obsesyjny *drive*? Narastający proporcjonalnie do jej oporu? Jej wewnętrzna udręka przenosi się na niego: chcesz mnie dotknąć, poczuć? – zbliż się, zapraszam. Pukaj do moich bram. Bram czego? Rozpaczy, samotności?

A może po prostu teraz płaci? Za jej krzywdę. Za swoje zdrady, za swoją wcześniejszą niedostępność. Przegapił moment i szlus. Jest w reakcjach Joanny odwet, nienawistna zemsta. Adam przeczuwa, że nie płaci tylko swoich rachunków. Ktoś inny wcześniej nazamawiał, narozrabiał, natłukł zastawy, poobrażał. Naobiecywał. Kobieto! Otrzeźwiej! Nie odpowiadam za czyjeś winy, nie jestem chłopcem do bicia. Prowokujesz mnie do nieświadomych tortur, używasz do własnego masochizmu. Przyznaj – nie wierzysz, że można cię chcieć. Kiedy wina jest moja, ty czujesz moc litościwego podniecenia. Podsuwasz jak goniąca się suka. Co za kurew-

ska ściema! Niewinna ofiara i jej wieczny oprawca, niebez-
pieczny samiec. Wściekły zrywa się z kanapy, wpada do
kuchni. Stosy brudnych naczyń. Poimprezowe pobojowi-
sko. Nawet nie ruszy palcem. Jutro zamówi Karinę. Ener-
giczną, bezproblemową Ukrainkę, na którą zawsze można
liczyć. Kręci się po kuchni w poszukiwaniu czystych naczyń. W szafce nie ma kieliszków ani szklanek. Chwyta
porcelanową filiżankę. Na stole, pośród innych butelek,
opróżniona do połowy żubrówka. Zębami odkręca kapsel
i ostrożnie napełnia filiżankę, upija parę łyków. Lekko zie-
lonkawa, ciepła wódka ma dziwny smak. Wstrząsa nim.

Czas się położyć. W sypialni przypomina sobie o zdjęciach. Idzie do gabinetu po laptopa. Piękny, biały mac wy-
leguje się na mahoniowym biurku. Przypomina Adamowi
nieskazitelnie biały fortepian Lennona z sesji *Imagine*. Asce-
tycznie czyste tony akordów, natchniony tekst Johna. Wpa-
trzone w niego zakochane oczy Yoko. Świat potrafił być kiedyś prosty i piękny.

Podłącza swój aparat, przerzuca fotki z fałszywie szcze-
rzącymi się gośćmi. Zatrzymuje na zdjęciach Moniki. Lekko
pochylona głowa, ukośne spojrzenia, jakby starała się nie
patrzeć w stronę kamery. Jest w niej napięcie, którego
nie zdradza luźna poza i delikatny uśmiech. Może nie napięcie, ale jakaś forma skupienia. Ukrywa się w niej gotowość. Zdradza to splot rąk, sztywność szyi. Bezwiedne rozluźnienie w kącikach ust, nie do końca przychylne oczy.
Wysoko osadzone kości policzkowe nadają jej twarzy wyraz
dzikiej surowości. Łagodzonej przez wydatne wargi i pro-
mienną poświatę jasnych włosów. Ten kontrast jest magne-
tyczny. Zawstydzenie przełamane impulsywną, kobiecą
chęcią uwodzenia. Rodzaj wewnętrznej walki z samą sobą.
Niepewność kobiecości podrażnionej. Zaniepokojonej. Po-
kuszonej.

Szczupła sylwetka Moniki oblana południowym światłem. Połyskliwa aureola jasnych włosów. Subtelna harmonia
szczupłych ramion. Kształt piersi widoczny pod obcisłym

podkoszulkiem. Hermetyczność tamtej wibrującej chwili. Unicestwionej, zatrzymanej w formie płaskiego obrazka, który oddycha tajemnicą obnażonej intymności. Adam nieruchomieje. Poraża go odkrycie prostej prawdy, której do tej pory sobie nie uświadamiał. Monika przypomina mu Fanny.

Fanny, córka rybaka z Bergen. Brzmi jak tytuł jakiejś sagi. Trzydzieści lat temu, koniec września, serce Londynu. Indian summer – tamtejsze babie lato. Ciepły zmierzch w łagodnym powiewie atlantyckiego powietrza. Miodowe, melancholijne światło przenikające wszystko niczym miłosny rentgen.

Siedzi na trawie w parku St. James, ma dwadzieścia kilka lat i ma w dupie okoliczności pięknej przyrody. Przelicza. Ciągle przelicza: ile zarobił, wydał, oszczędził, zarobi, zainwestuje. Całe popołudnie łazi po Soho, buszując po butikach z nowymi i używanymi płytami.

Dwa, trzy nowe czy modne longplaye sprzedane na giełdzie płytowej w warszawskich Hybrydach dają miesiąc spokoju. Studiuje ekonomię, handel płytami łączy fun i superbiznes. Jest potentatem. Ma na giełdzie wykupiony stół z wyłożonym najświeższym towarem. Reszta w specjalnych przywiezionych z Londynu walizkach. Kuferkach mieszczących dwadzieścia, trzydzieści longów – jak się wtedy mówiło o długogrających płytach. Podczas każdych wakacji tyra w londyńskiej knajpie po dziesięć, dwanaście godzin, wolne weekendy przeznacza na zakupy.

Tamtego dnia, po obejściu kilkudziesięciu sklepików, siada na miękkiej trawie, zapala skręta. Wyjmuje płyty z kuferka. Przegląda efekt całodziennych poszukiwań. Cieszy nimi oczy. Niestety, tylko oczy. Odsłucha je dopiero w Polsce. W nędznym pokoiku, który wynajmuje, nie ma nawet radia. Prosta cela mnicha – szafa i dwa krzesła, stosik pornosów pod łóżkiem.

Podchodzi do niego dziewczyna z papierosem. Prosi o ogień. Jest piękna i jest na haju. Rozszerzone źrenice, płonące oczy. Głupawy uśmiech rozradowanego dziecka. Długie, jasne włosy, kolorowe poncho przesiąknięte ciężkim, słodko-mdlącym zapachem paczuli. Zagaduje go o płyty, przysiada obok. Śmieje się bez przerwy – pamięta jej duże jedynki. Słodki angielski – melodyjny akcent, odmienny od tego szczekającego cockneya, do którego przywykł w knajpie.

– Lubisz The Police? – Błysk rozumiejącej radości w jej zielonym oku.

– *Yes, sure*, tak samo jak wszyscy – odpowiada bez zająknienia. Nie wstydzi się swojego akcentu, kulawych zdań. Podrywanie jej nie przychodzi mu do głowy. Albo przychodzi i on natychmiast tę myśl porzuca. Jest bez szans, a więc bez stresu. Ona siedzi przy nim po turecku, przegląda płyty, co chwila odgarnia niesforne włosy. W końcu zniecierpliwiona wyjmuje z kolorowego chlebaka spinkę albo gumkę i związuje je w koński ogon. Zapamiętał ten gest. Plamy potu pod pachami na jej T-shircie. Chyba na nią działa, skoro robi się mokra. Dotyka jej ręki, ona jej nie cofa. Zaczynają się całować. Całują się całą drogę, samotni pasażerowie na piętrze londyńskiego busa. Objęci jak para pijaków, toczą się identycznymi uliczkami do jej domu. Złociste światło latarń, nieskończony labirynt londyńskich przedmieść.

„Walking on the moon" – zawodzi nosowo Sting, kiedy lądują u niej, gdzieś w plątaninie szeregowców Willesden. A może to było Harlesden? Chwilę później dziewczyna klęczy przed nim na wytartym dywanie. Gdy Sting błaga jakąś dziwkę o imieniu Roxanne, żeby nie szła na ulicę, Adam eksploduje w usta Fanny spermą zbieraną tygodniami. Ona tuli mokrą twarz do jego drżących ud. Przenoszą się do pachnącego marihuaną i paczulą łóżka. Kilkanaście godzin kochania, przerywanego głupawymi dialogami. Do kolejnego wzwodu.

– Skąd jesteś?

– From Poland.

– Holland?

Zawsze to samo, jak jakaś klątwa. Na tych wszystkich londyńskich imprezach, kiedy dziewczynom przychodzi do głowy genialna potrzeba zdobycia tej zbędnej informacji. „Nie, z Polski!" – koryguje zawzięcie, mimo że efekt jest zawsze identyczny: „Oh really?" – pytają niedowierzająco. Wygląda to na wstęp do ciekawego dialogu, ale one natychmiast tracą nim zainteresowanie.

Fanny, nawet gdyby chciała, nie może go spławić. Trzyma ją mocno w ramionach, a ona cieszy się bezwstydnie.

– Polak? Nigdy nie miałam Polaka.

Czuje się kolejnym egzemplarzem z jej międzynarodowej kolekcji.

– Powinnaś okleić sobie flagami dupę, jak się okleja walizki emblematami hoteli. Wiesz, a ja nigdy nie pierdoliłem Norweżki.

– No i jak? – Chichocze rozpromieniona.

Skamlenie Fanny jest dzikie. Podnieca go swoim podnieceniem. Blond córka rybaka z Bergen, od pasa w dół syrena skąpana w ich sokach. Po kolejnym orgazmie łapie oddech niczym ryba wyrzucona na brzeg oceanu. Nie ma dosyć i w ułamku sekundy Adam odczuwa błogi przypływ romantycznego lęku. „Umrzemy tutaj razem, w tym nędznym pokoiku na przedmieściach. Zostaniemy na zawsze w tym pachnącym seksem i kadzidłami łóżku". Nie ma nic przeciwko temu.

Budzi się w poniedziałek rano. Fanny śpi głęboko, przytulona do jego boku. Patrzy na zegarek i odkrywa ze zgrozą, że jest po dziewiątej! Ożeż, kurwa, jego praca! W jednej sekundzie trzeźwieje. Wystrzela z łóżka jak strażak, wskakuje w ciuchy i już biegnie bliźniaczymi ulicami. Mija go skręcający na skrzyżowaniu autobus. Adam ostatkiem sił podbiega, udaje mu się wskoczyć. Trzyma się poręczy, opuszcza głowę, walcząc z kacem i mdłościami. Po kwadransie dociera do stacji metra. Wsiada do pociągu w kierunku City. Uspokaja oddech. Spóźni się tylko godzinę, wymyśli jakąś *excuse*. Wraca myślami do Fanny. I włos mu się jeży na głowie – nie ma jej adresu. Panie Boże, dlaczego mi to robisz?! Nie zna nazwy ulicy, nie jest pewny dzielnicy. Szansa, że ją odszuka w piekle tych identycznych szeregowców, jest żadna.

Raj utracony. Ziemia obiecana zamienia się w jałową, on w *hollow man* – wydrążonego człowieka. Sting przestaje śpiewać. W głowie kołaczą się ponure strofy z Eliota. Stracił ją, zanim znalazł. Nawet nie próbuje później szukać. Za kilka dni zaczyna się rok akademicki. Wraca do Polski, do swojego życia. Już nigdy swojej Fanny nie spotka. Znał ją zaledwie dwa dni, pozostała największą miłością jego życia.

MATEUSZ

Przymus czytania. Co rano przy śniadaniu przegląda gazetę. Widzi nekrolog, znowu znajome nazwisko. Przed oczami twarz zmarłej dawnej koleżanki z pracy. Ludzie znikają jak mydlane bańki – myśli z rozpaczą. Pyk, pyk, i już ich nie ma. Pod tym samym, niewzruszonym niebem. Przez chwilę unoszą się, mienią i rozpływają w niebycie. Wyobraża sobie Boga jako małego chłopca. Dmucha w rurkę, wypuszcza co chwila gromadę kolejnych istnień. Zachwycony zabawą, połyskliwym bytem tęczowych konstelacji.

Jak stanąć do walki z nicością? Głowa pełna nieporadnych przeczuć, pobożnych życzeń. „Jedyna pewność rodzi się z tego, co nas przerasta" – przypomina sobie cytat z José Lezamy Limy. Nic dziwnego, że nie czuje żadnej. Słyszy rechot diabła i czuje się samotny. Opuszczony jak Jezus na krzyżu. Bezbronny w tym retorycznym, pierwszym i ostatnim pytaniu bez odpowiedzi.

Ojciec opuścił go, kiedy Mateusz miał osiem lat. Pamięta wysokiego pana pakującego walizkę. Stojącego z nią w drzwiach. Jasny prochowiec, włosy zaczesane do tyłu, lśniące od brylantyny. „Tatuś wyjechał... na bardzo długo". Słony smak łez matki, gdy przytulał się do niej, umierając z bólu i tęsknoty. „A kiedy wróci?". Ona głaskała go po głowie, szepcząc słodkie obietnice: zobaczysz, kupimy, pojedziemy.

Potrafiła go ukoić, ale tego nie nauczyła. Taką umiejętność daje tylko prawdziwa miłość, nie jej zaborcza, trująca namiastka. Ukochany jedynak, skazany na nią do końca życia. Dziś już jej nie ma. A on ma prawie sześćdziesiąt lat i nadal nie ma siebie. Tęskni za ojcem, potrzebuje matki.

Siada jak co rano z kubkiem kawy i laptopem, gotowy do pracy nad serialem. Nie potrafi się skupić. Wychodzi na spacer. Szerokie ulice nowego osiedla zapchane parkującymi bezładnie samochodami. Miało być ekskluzywnie, jest pustawo i smętnie. Kopuła niedokończonej świątyni Opatrzności, górująca nad okolicą „wyciskarka do cytryn". Jak się te jej dzwony kiedyś rozdzwonią... Boże, co Polskę... masz w zaborze! – szydzi w myślach.

Po raz pierwszy żałuje swojej decyzji. Osiedle Wilanów nie jest jego miejscem na ziemi. Ani miasto, ani wieś. Trochę lepsze blokowisko. Z ukłuciem zazdrości przypomina sobie willę Adama. Leśne powietrze, świergot ptaków. Sielski spokój odludzia. Idealne warunki do skupienia. Kurwa mać! Nigdy nie potrafiłem o siebie zadbać – myśli ze złością. Najpierw to nieudane małżeństwo z Krystyną. Przyjście na świat Matyldy. Brak stałego etatu, dorywcze prace. Wątłe przyjaźnie, głupawe romanse. Teraz ten serial, apartament, Monika... Czy to też się spieprzy? Czy będzie tak samo jak zawsze?

Przystaje przy placu zabaw, patrzy na dzieci. Wzruszają go. Wzbiera w nim bezbrzeżny smutek wobec ich dorosłego losu. Wie, przez co biedne będą musiały przejść. Czego się dowiedzieć, z czym zmierzyć. Czuje napiętnowaną tragizmem empatię, której szczerze nie znosi. Wie, że ona pochodzi z mrocznej piwnicy depresji. Zabiera energię. Zionie chłodem i jest trywialna. Dzieci świergoczą zanurzone w swoim Edenie. Nie może znieść tej nieświadomej radości. Beztroska wydaje mu się czymś niestosownym. Jest jak szyderstwo. Jak zabawa w chowanego na cmentarzu, między grobami.

*

Przypomina sobie wczorajszą rozmowę z Adamem. Spotykają się niemal codziennie. Gadają o wszystkim, niecierpliwie zasypując dziurę trzydziestu lat. Zwierzają się, sprzeczają, zgadzają. Oswajając z nowymi nimi. Z inną ojczyzną. Wpatrzeni w lustra nagłego przebudzenia – kim są i w jakim kraju żyją?

– Na depresję najlepsze jest opium – stwierdza Adam.

– Co masz na myśli?

– No wiesz, wszechogarniające upojenie: religia, miłość, władza.

– A kasa?

– Za kasę, tak jak za sławę, możesz mieć substytuty. Jak chińskie podróbki markowych ciuchów, zegarków. Fajna laska da ci dupy, ktoś ci zrobi zdjęcia do gazety, pojedziesz do Indii, guru cię namaści albo da ci pierścionek, wyczaruje ci z nosa szczęście, jak mędrzec Osho albo jakiś inny oszołom.

– Coś ci opowiem. Mój znajomy, kibic piłkarski, zabrał synków do Barcelony na el Clasicco, wiesz, mecz Barcelony z Realem Madryt. Chłopcy byli zachwyceni stadionem Camp Nou, atmosferą fiesty. Knajpą, w której kibice obu drużyn jedli, pili, bawili się w pełnej zgodzie. Znajomy kupił chłopakom koszulki, wybrali barwy Realu, triumfatora dnia. Nadrukowano im na poczekaniu ich własne imiona. Po powrocie do Polski dumni poszli w tych koszulkach do szkoły. Młodszy, trzecioklasista, wrócił spłakany. Dorwali go w kącie jacyś starsi i zaczęli lżyć i szturchać: „Jebany Real, jebany Real!". Znaleźli się polscy kibice Barcelony. Co to, kurwa, z nami jest?! – Mateusz aż pobladł z wściekłości. – Czy my dziedziczymy jakieś geny głupoty i agresji? Jakąś niedorozwiniętą polaczkowatość ssiemy z mlekiem matki?!

– A jak myślisz? – Adam spokojnie drapie się po brodzie. – Rozejrzyj się wokół, poprzyglądaj ludziom. – Nie ma co się dziwić po tym, co przeszli, przechodzą. Judzić Polaczków to najłatwiejsza kasa. Chcą tego słuchać, bo są biedni umysłowo i zrozpaczeni. Kupują trywialne jątrzenie ubrane w bezkompromisową alternatywność wobec salonu, elity, układu, władzy. Bo bezsilnie nienawidzą i chcą oskarżeń. Muszą odreagować syf, w jakim żyją. Cyniczni skurwiele to wykorzystują. Wystarczy być bezwzględnym kutasem, napalonym na władzę, kasę, szkło. Mieć jad i talent do demagogii. Możesz tu żyć jak pączek w maśle, w tej czy innej gazecie, stacji TV, partii. Znajdziesz dla siebie niszę. Wystarczy zionąć, zawsze znajdzie się gromada przerażonych durniów, znoszących ci dobra pod jamę. Musisz ją opatrzyć stosownym szyldem: szczery konserwatysta, odważny antyklerykał, prawdziwy patriota, przenikliwy intelektualista obnażający europejską zmowę lewactwa... i już możesz zionąć ogniem świętego oburzenia w obronie PRAWDY. Liczba i wymienność tych niezłomnych smoków, proporcjonalna do zagubienia tutejszego „ciemnego ludu".

– Na jakiegoś nowego Szewczyka Dratewkę nie ma co liczyć?

– Każdy go może obudzić w sobie. Odwołać do trzeźwego, zdrowego rozumu. Pokazać tym wszystkim smokom najzwyklejsze *fuck you!* Straszcie się, kurwa, i ratujcie sami! Nie kosztem mojego życia i zdrowia. Nie za moje pieniądze!

Adam jest już tematem znudzony. Polskość i problemy rodaków coraz mniej go obchodzą. Pracował ciężko latami, aby się od tego jałowego pastwiska odgrodzić. Było go stać na to, by Polska go nie bolała. Nie ćmiła jak zepsuty ząb.

– Inna sprawa – Mateusz uparł się ciągnąć patriotycznego druta – że agresywna głupota, która Polskę gubi i zniewala, potem w sytuacji opresji i tragedii pozwala ojczyznę odzyskać, zamieniając się w brawurowy heroizm.

– Jednym słowem, jesteśmy zakładnikami szaleństwa. Ono nas gubi i ocala. Jest przekleństwem i chwałą, dowcipem i glorią, wielkością i jej parodią. Mitem szlachetnego Wałęsy i miernotą nadętego parobka, blaskiem charyzmy Wojtyły i cieniem jego barbarzyńskiego wstecznictwa.

Mateusz słucha tyrady przyjaciela i nie może się zdecydować, czy ten jego brak wahań go drażni, bo mu imponuje (zazdrości mu pewności siebie). Czy świadczy o jego samozadowolonej ignorancji, po sarmacku bezobciachowej.

Maczyzm Adama przywołuje tęsknotę za ojcem. Głęboko zakopane, subtelne drgnienia, które Mateusz potrafi rozpoznać, odkodować. Odczuwa je niemal fizycznie. Przypływ spokojnej mocy. Pewność, że jest i będzie dobrze. Niewzruszony pień spokojnego trwania, o który można się oprzeć. Nie jest skazany na samego siebie. U boku Adama coś się w nim z ulgą luzuje. Wrogi, perfidny świat, a on ma przy sobie towarzysza walki. Przewodnika, mentora, brata. Łapie go za gardło kurcz wzruszenia. Wstydzi się tego, ukrywa przed samym sobą. Wie, że Adam tego nie zrozumie, potraktuje jak podejrzaną słabość. Boi się, że go nie daj Bóg, tak samo jak ojciec, zawiedzie.

ADAM

Siedzi w szlafroku pochylony nad kryminałem Lee Childa. Odkrył tego autora kilka lat temu. Bohaterem jego opowieści jest Jack Reacher, wrażliwy na ludzką krzywdę, bezwzględny dla łajdaków, były żandarm wojskowy. Wolny niczym ptak, samotny twardziel. Wielbiciel kawy i pięknych kobiet. Wikła się bez przerwy w tarapaty, z których wychodzi obronną ręką. Podbija tym serca wielu ludzi, w tym samego prezydenta Clintona. Tego zakłamanego pajaca, co to palił, ale się nie zaciągał, wsadzał fiuta, ale nie spółkował. Nawet takiemu arcyhipokrycie dzisiejszy świat stanął kołkiem w gardle.

Sentymentalny miłośnik bluesa, uczciwy weteran armii – Jack Reacher jest tego świata przypadkowym, niezwykle brutalnym uzdrowicielem. Niczym napalm czy DDT eksterminuje psychopatów w myśl starożytnej prawdy: *Extremis malis extrema remedia*. W jego prostolinijnej etyce nie ma miejsca na pokrętny humanizm i prawnicze sofizmaty. Taki psychol jak Breivik zamiast kilkunastoletniej odsiadki (w luksusie, o jakim marzyłoby trzy czwarte ludzkości) żarłby własne genitalia, zanimby skonał, poddany wymyślnym torturom.

Kryminały Childa, niezła odtrutka na współczesne, pseudocywilizowane kurewstwo. Adam zachłannie pożera kolejne tomy. Ukrainka Karina szaleje po domu z odkurzaczem. Lubi ją, choć mu notorycznie wyżera wędlinę z lodówki. Udaje, że tego nie zauważa. Zbyt dobrze zna upokarzający los goniącego za kasą emigranta.

– Karina, tak to już jest. Ja zmywałem gary u Anglików, ty sprzątasz u mnie, kiedyś twoje dzieci dadzą zarobić biednym Rosjanom. – Wspiera ją rozumiejąco, odwołując się do jakiejś dziejowej sprawiedliwości.

Dziewczyna chichocze przymilnie. Dzisiaj wyniosła jasny fotel na taras, pieczołowicie go obmywa. Pochylona nad meblem, wypina w stronę Adama zgrabny zad. Biodrówki osunęły jej się tak mocno, że widać duży pas majtek i ciemny rowek tyłka. Ostentacyjna poza, wygląda na demonstrację. Odwieczna potęga seksualnej prowokacji. Adam zgaduje, co się dzieje w głowie dziewczyny. Co zapewnia takie łatwe zwycięstwo prymitywnym mechanizmom socjobiologii? Zimna, kobieca kalkulacja? Samotny, zamożny pan kolonizator, wysługujący się ekonomiczną półniewolnicą. Z jakiegoś powodu gotową na znacznie więcej. Czuje dreszcz chwilowego podniecenia. Nie wywołuje go ciało Kariny ani jej wyuzdana poza. To upojenie władzą – klasową, ekonomiczną, płciową. Przywilej pełnej kontroli, triumf wolnego wyboru. Usłużna propozycja samicy z epoki kamiennej. Biologiczny sygnał pozbawiony pokrętnej dwuznaczności. Może z nią zrobić, co tylko chce. Nie musi się o nią starać. Nie musi na nią upokarzająco zasłużyć. Nie boi się jej urazić, rozczarować, nie zaspokoić. Może ją po prostu wziąć i zerżnąć. Tak jak to się działo od zawsze w dziejach świata. Miliardy ludzkich istot po prostu spółkowało, nie wprzęgając do tego karkołomnych ideologii na temat dyskryminacji, opresji, walki płci. Coraz bardziej perwersyjnego bełkotu wyrafinowanych impotentów.

Z niechęcią myśli o sztuce flirtu – tym obłudnym drażnieniu się z pożądaniem. Tyle pary idzie w gwizdek. Żeby co? Podniecić się, oswoić, nastroić? Pracowicie dostroić? Przypomina mu się Fanny – jej słodka naturalność. Po prostu wyciągnęła rękę: Chodźmy! Nie było komplementów, cedzenia się, zakłamania. Puszenia przed krygującą się obłudnie samicą. Całego tego rytualnego cyrku, nie wiedzieć czemu tak ukochanego i wymuszanego przez Polki. Szlachcianki czy chłopki, świadomie lub nie, potrzebowały dworu. Umizgów, podchodów, karesów. Chuj wie czego (dobrze powiedziane).

Z Fanny chuj nie potrzebował kombinować. Napięty wyłącznie pożądaniem, niezrażony psim wyczekiwaniem, ryzykiem blamażu, ewentualnym odtrąceniem. Niepewnością, czy na nią zasłużył. Te wszystkie przymusowe wygibasy wobec kobiet zawsze go zrażały. Przypominały starania o towar, cierpliwe stanie w kolejce po coś atrakcyjnego. Zresztą tak się wtedy mówiło o dziewczynach: „niezły towar".

Dawne dzieje. A dzisiaj co? Panom już nie zależy, już się tak nie starają. Wystarczy kliknąć w kompa, zadzwonić. Luksusowy towar z dostawą do domu.

Do Joanny też musi dzwonić, choć mieszka kilka kroków od niego. Taką mają umowę. Żadnego naruszania intymnej przestrzeni bez uzgodnienia. Kilkakrotnie – trzeźwy i nie bardzo trzeźwy – próbował to olewać. Został srogo skarcony. Zagroziła mu wysokim płotem. Więc uzgadniają spotkania, a zwłaszcza te romantyczne wieczory, które się kończą w jej łóżku. Powiedzenie „Joanna na telefon" pobrzmiewa szyderczo. Rani jego męską dumę. Ale nie ma innego sposobu, ta zimna *bitch*, którą z własnego żebra wyhodował, jest dostępna tylko na własnych warunkach. Na które przystał, zagrożony jej utratą na zawsze.

Nikt nie zna natury relacji między nimi. Układało się to latami i warstwami, tak jak powstawała Ziemia. Było dowodem kolejnych, burzliwych epok ich związku, różnych zlodowaceń, tropików. Czas pierwszego wspólnego raju był trochę mityczną erą wymarłych dinozaurów. Kim są dzisiaj? Nadal bliskimi sobie ludźmi. Mężczyzną i kobietą – równoprawnymi mieszkańcami wystygłej Ziemi, uczestnikami kosmicznych wypraw. Wspólnych podróży do galaktyki seksu. Tylko tam, w tej międzygwiezdnej kapsule, poza czasem i przestrzenią, w stanie nieważkości, dochodzi do ponownego zbliżenia. A potem nieuchronny powrót na Ziemię. Twarde lądowanie. Na bezdrożach jakiegoś Kazachstanu niezrozumienia.

– Daj mi coś realnego, żebym naprawdę mógł to zignorować.

– Jesteś bezczelny.

– Jestem szczery, bez gówniano-cukierkowych ogródek. Doceń to.

– Mam podziwiać twoją arogancję?! Samozadowolonego bezkrytycznie zajoba?

– Moją odwagę nazywania rzeczy po imieniu.

– Prawdy, które ranią i niczego dobrego nie wnoszą, mają być szlachetne? Bo ty tak uważasz?!

– Bo się ich boisz, wolisz słodką ściemę. Brzdęk misy cynowej, jak powiada święty Paweł.

– No tak, świetlana postać. Fanatyk prawd, z którymi nie da się żyć.

– Z moimi nie da się żyć?

– Przede wszystkim sam tego nie potrafisz, hipokryto. A jak czegoś nie dźwigasz, to nie wymagaj tego od innych! – Joanna blednie z wściekłości. – Walisz cepem po głowie i jeszcze każesz za to dziękować. Jest w tym coś nieludzkiego, jakaś zatwardziałość serca.

– Zwykła uczciwość. Nietrudna do zniesienia. Odwracasz kota ogonem.

– Inkwizytor. Pod przykrywką prawdy fundujesz tortury. Za kogo ty się masz?

Jakość żony to najbardziej wiarygodny test na inteligencję mężczyzny. Tylko czym ją mierzyć? „Masz taką, na jaką zasługujesz" – trzeźwo zauważył Mateusz. Pieprzony szczęściarz! Łatwo mu mówić, jego Monika wygląda na kapitalną babkę. Piękna, zabawna, kochająca. Adam nie ma żony wcale. Ma kapryśną przyjaciółkę, której do końca nie zna. Nie potrafił oswoić. Nie wie, czy jej zaufać. Żałuje swojej wobec niej szczerości. Opowieści o domu, zastraszonej, pokornej matce, o autorytarnym ojcu katującym pasem swoich synów.

– Jesteś agresywny, bo powoduje tobą dawny gniew, gardzisz słabymi kobietami, takimi jak matka, a jednocześnie chcesz uległej, bo taka cię kochała. – Joanna w konfliktowych momentach punktuje bezlitośnie. Precyzyjne, zimne ciosy w najczulsze, najsłabsze miejsca, które kiedyś sam, w dobrej wierze, przed nią obnażył. Żmija.

„Strasznym byłoby mieć partnerów, na jakich zasługujemy" – ironizował kiedyś George Bernard Shaw, znawca natury ludzkiej. Czyżby potrafił, cwaniak, zajrzeć w głąb własnego piekła? Wulkan na Santorini. To właśnie tam Adam – nieświadomie symbolicznie – zaprosił Joannę w pokryzysową podróż. Ten wspólny tydzień stał się nie tylko niezamierzoną, nieprzerwaną orgią, ale także fundamentem nowego ładu. Mitem założycielskim ich „nowego razem".

Mały piętrowy hotel na nabrzeżu, tuż przy plaży. Duży taras wychodzący na szmaragdowy bezmiar Morza Egejskiego. Baraszkują w nim maniacko szczęśliwe delfiny. Żwirowa plaża ma śniadą karnację, jest niczym granica. Oddziela czarną, symboliczną kreską przeszłość mitów zatopionych w tych wodach od ich realności nasyconej wszechobecnym seksem. Jękami wielogodzinnych rozkoszy.

Wyspy mają w sobie coś erotycznego. Joanna jest ciągle mokra. Adam wpasował się w kontekst nieustającym wzwodem. Poza łóżkiem wielkim jak sala balowa bywają często w pobliskiej kawiarni. W jasnozielonej mgiełce cienia rozłożystych pinii zaprzyjaźniony z nimi właściciel Kostas, zwany przez bywalców Kotem, serwuje swoje potrawy. Uroczy Grek. Rozleniwiony, zmysłowy gej. Dogadzać sobie i innym jest jego życiowym powołaniem. Adam do dzisiaj pamięta smak awokado, oliwek, świeżej fety, bazylii, najbardziej aromatycznych pomidorów, czerwonej, delikatnej cebuli, popijanych czerwonym lokalnym winem. Kot ma świetny sprzęt i niesamowite miksy – prosto z Londynu od zaprzyjaźnionego didżeja.

Cudowne dni. Maj, nie ma jeszcze upałów, raczej ożywcze ciepło, otulające nagie ramiona niczym jedwabny szal. Subtelny *house*, wyborne jedzenie, świeżość nadmorskiej bryzy. Nad nimi unosi się piżmowy opar miłosnych soków. Spleceni wpół wracają plażą do swojej komnaty. Do olbrzymiego łoża, stabilnie osadzonego na masywnych, drewnianych klocach. Ściany pokoju solidne, chłodne w dotyku. Na zielonej posadzce z malachitu walają się skopane białe prześcieradła.

Wypożyczonym samochodem objeżdżają wyspę. Docierają do cypla u podnóża wygasłego wulkanu. Powietrze przesycone ostatecznością, tak jakby klimat zagłady osadził się w powulkanicznych skałach. Kiedyś kwitła tutaj wspaniała cywilizacja. Jej pozostałości zwiedzali wcześniej w pobliskim muzeum. Piętrowe budynki, kanalizacja sześćset lat przed Chrystusem, sztuka garncarska, przepiękne malowidła. Błoga harmonia dobrobytu. Ale coraz gęstszy dym unoszący się z krateru. Wzbierający gniew Hefajstosa. Groźne pomruki wygoniły ludzi z rajskich osad. Nawet jeśli udało im się dotrzeć na Kretę, kilkudziesięciometrowa fala tsunami wywołana potężną erupcją wulkanu zmyła wszelkie życie. Kwitnąca cywilizacja wyspy zmieniła się w popiół.

Może udziela im się ten katastroficzny nastrój. Długa kolacja zamienia się w poważny, egzystencjalny dialog rozbitków. Nieludzki logos i zwykłe, człowiecze pragnienie bezpieczeństwa, harmonii przewidywalnej. To wszystko (bo nie tylko miłość, którą na nowo odnaleźli) przywodzi ich do rozsądku.

Pakt z Santorini jest właściwie paktem o nieagresji. Dojrzałego, pokojowego współistnienia. Nie mówią o miłości. Miłość tylko z pozoru jest arcypaktem niewymagającym świadomego porozumienia, słów. Słodko-fałszywej układności, równowagi sił.

– Nie mieszajmy destrukcyjnie przyjaźni z seksualną namiętnością – poprosiła Joanna.

Co jej wtedy na tę absurdalną propozycję odpowiedział? Chyba po swojemu, głupkowato zażartował:

– Nawet oziębłe kobiety mają swoje zalety. – Nie znosi patosu wyznań, ciężaru dramatycznych ustaleń.

– Tak? – Najwyraźniej zbił ją z tropu. – A jakie?

– Są dobre na upały.

Spojrzała z wyrzutem. W jej oczach wahanie – jakby go taksowała – czy ten facet na to wszystko zasługuje. Czy gdzieś nie jest po prostu seksoholicznym durniem. Trochę się wtedy zacukał. Dla Joanny podpisałby pakt z diabłem. Z diabłem w sobie?

– Najlepiej, jak to wszystko spiszemy – zaproponował poważnym głosem.

Po chwili milczenia się zgodziła:

– Dobrze. I każde z nas złoży swój podpis.

– Podpiszę to własną krwią. – „I spermą", chciał dodać, ale ugryzł się w język.

„Pakt na Santorini – pułapka dla męskiej świni". Diabelskie posunięcie sprytnej baby, którego perfidne skutki odczuwa do dzisiaj.

Ukrainka Karina wycofała się ze swym zadem i wychuchanym fotelem. Zapalił cygaro, nikotyna rozjaśnia mu myśli. Joanna. Cholerna Joanna. Chyba powinien ją przeprosić za tę „zarażoną ptasią grypą kurę". Trzasnęła drzwiami, wyszła obrażona. Histeria kobiet to nieczysta gra. Fałsz i manipulacja. Bezradna wściekłość plus kabotyński pociąg do sceny. Najłatwiej – uczynić kogoś sprawcą. Oskarżyć i epatować cierpieniem. A potem przekonywać cały świat o swojej niewinności. Typowa strategia wrednej samicy. Przyciągać uwagę formą, odciągać od treści – od prawdziwej siebie. I ta pieprzona nadekspresja wrzasku. Przemoc! Opresja! Dyskryminacja! Patrzcie, ale się nie dopatrujcie, ratujcie, ale nie bądźcie krytyczni. Pomóżcie, ale bez zastrzeżeń i zależności. Wszystko na moich warunkach nieszczęsnej ofiary. Bez żadnej odpowiedzialności. To ty, facet, jesteś podły, okrutny. Ślepy egoista, winny mojego cierpienia.

A prawda jest brutalna – jedyną winną swojego cierpienia jesteś ty sama! Jeśli chcesz trwać w swoich urojonych oskarżeniach, to odczep się ode mnie. Nie każ mi wiecznie się kajać i nad tobą pochylać, w trosce, skrusze, uwadze. Nikt normalny nie da się wpędzić w poczucie winy. Nie wytrzymujesz sama ze sobą (nic dziwnego – z kimś tak wrednym), więc używasz, karmisz się innymi jak wampir. Anemia nieistnienia, która się domaga świeżej krwi.

Potrzebuje z kimś szczerze pogadać. Dzwoni do Mateusza. Trafia jak kulą w płot.

– Jak się masz?

– Nieźle. Obudziłem się u boku bardzo szczęśliwej kobiety.

– Jesteś sprawcą... tego zamieszania czy tylko świadkiem? – Adam czuje lekkie dotknięcie zawiści.

– Jakąś część chyba mogę przypisać sobie – wyznaje skromnie Mateusz. Milknie. Dopiero po chwili uświadamia sobie dwuznaczną złośliwość tego pytania.

– To masz szczęście – gratuluje mu Adam. – Nie ma nic gorszego niż kobieta nieszczęśliwa. Właśnie przeglądałem biografię Danuśki Wałęsowej. Biedny Lechu, chciał z Polski zrobić drugą Japonię, to mu żona zrobiła pod koniec życia harakiri. Wypruła flaki z napuszonego kałduna.

– Czasem nie wiesz, człowieku, czego naprawdę od ciebie chcą. – Mateusz wyczuwa z tonu głosu przyjaciela, że tamten potrzebuje się wyżalić.

– Chcą więcej. To jasne jak słońce.

– Więcej czego?

– Tego, co w danym momencie nazywają miłością.

– He, he, he – rechocze Mateusz.

– Problem w tym, że tego nigdy precyzyjnie nie określają.

– Same nie wiedzą?

– Chodzi raczej o to, że to ty sam masz się domyślić. Gdyby się domagały, to byłoby nie to, jak wyciąganie psu z gardła, kompletnie bez wartości.

– Bo gdybyś naprawdę kochał, tobyś się domyślił – podsuwa Mateusz.

– Jasne. Byś wiedział, jak ją uszczęśliwić. A kiedy tego nie robisz, to ją unieszczęśliwiasz. Niszczysz jej życie.

– Kiedy ją zdobywałeś, to wiedziałeś intuicyjnie, bez zadawania głupich pytań.

– Bo ci zależało.

– Teraz zobojętniałeś, jesteś ślepy i nieczuły.

– Już jej nie kochasz.

– Albo nie tak, jak by tego chciała, jak potrzebuje.

– Po swojemu, egoistycznie.

– Bo myślisz tylko o sobie.

– Już jej nie widzisz, nie domyślasz. Już ją sobie odpuściłeś.

– Zimny draniu.

Śmieją się chwilę z własnych dialogów, brzmiących jak z filmu Koterskiego. Czują rodzaj braterskiej więzi, męskiej sztamy. Mateusz się rozpędza:

– Jak myślisz, Adam, skąd ten głód miłości nie do zaspokojenia?

– Dobre pytanie.

Nie jest zaproszeniem do kontynuowania rozmowy. Raczej ją zawiesza, sugerując niewygodę dalszych dywagacji. Co się za tym kryje? Cień przedwczesnej rezygnacji: tam się nie zapuszczajmy, nie znajdziemy tam nic ciekawego? Szkoda czasu i energii. To nas przerasta. I tak tego nie rozgryziemy. Tylko Bóg zrozumie kobietę. Jej pokrętną duszę. A faceci, jeśli chcą kobiety poznać, są myśliwymi studiującymi zwyczaje zwierząt. Żeby potem upolować, zeżreć albo zamknąć w klatce. Rzadziej obłaskawić. Jeszcze rzadziej uczłowieczyć na równych prawach.

JOANNA

Pobrzmiewa jej w głowie rozmowa z Mateuszem. Nie jest próżną artystką, nie chce się unieśmiertelnić. Jeśli już, to raczej uśmiertelnić. Dawno temu schroniła się przed życiem w jakieś zastępcze „ja". Powłoka rozpaczliwej pustki po stracie Haneczki. Od czasu śmierci córki Joanna nie istnieje. Któregoś dnia budzi się w szpitalu psychiatrycznym, z przeświadczeniem, że nie żyje. Chociaż widzi, słyszy, świat na nią reaguje. Ludzie do niej mówią, uśmiechają się. Hologram jej ciała uczestniczy w codziennej krzątaninie. Nie ma jej, a jakby była. Co za ulga, nie trzeba się już bać, przejmować, obwiniać. Wszystko przychodzi łatwo i naturalnie, bo jest nieprawdziwe. Jest złudzeniem, z którego nikt poza nią nie zdaje sobie sprawy. Jej słowa, gesty, kroki nie mają wagi ani znaczenia. Cóż mogą znaczyć reakcje innych? Ich akceptacja, uwaga, podziw?

Dotyka ją krajobraz. Puste obrazy nagiej ziemi o świcie. Pozbawionej kolorów, śladów życia, obecności człowieka. Nietknięte. Przyłapane na uczynku nieistnienia. Bezgłośne, nieśmiertelnie realne. Chce je odtworzyć. Chciałaby się „wżyć" w rodzaj niezobowiązującego trwania. Pozbawionego słów, znaczeń, interpretacji. Nieświadomy niczego Mateusz chyba sam balansuje na skraju nicości i fikcji. Trochę jej podobna „nieczuła" wrażliwość.

Ale on ją bierze za newage'ową fantastkę. Pyta o buddyzm, I Ching, heksagramy. Mój Boże! Przepowiednie, wróżby, jasnowidzenia – to wszystko były dla niej oznaki ospałości umysłowej. Nie jest materialistką, ale nie zagłębia się w przyszłość. Nie jest już owładnięta, ogłupiona lękiem. Już nic nie jest w stanie jej przerazić. Jednak świat marnych ludzi brzydzi ją i upokarza. Odwróciła się do niego plecami, tworząc własny. Pozbawiony kolorów, wyprany z natarczywych treści. Pogodny i cichy w samotnym nieistnieniu. Adam tego nie rozumie. Nazywa ją wyemancypowaną gejszą, pustelnicą, niewolnicą form i rytuałów. Dużo mu wybacza. Wspaniałomyślnie i obojętnie, tak jak się wybacza małemu dziecku, które nie jest nasze. Dziwi ją swoim trwaniem przy niej. Imponuje uporem.

Często ucieka od ludzi, od niego. Potrzebuje odetchnąć od „samej siebie", której właściwie nie ma. Stąd może ta „gejsza". Czasami zdobywa się na spektakl. Specjalnie dla niego. Jest mu wdzięczna, że się nie zraża, ciągle próbuje się do niej przebić. Niekiedy mu się nawet udaje. W łóżku z nim odzyskuje dawną siebie. Krótkie momenty zmartwychwstania. Sprawia to jego miłość, boska energia seksualnej namiętności?

Żywotność Adama, męskie libido ma podwójne ostrze. Rani. Pozbawione norm i granic, było dla obojga katastrofą. Pamięta czas, kiedy mieszkali razem. Zdradzał ją, czuła to, nie mając żadnych konkretnych dowodów. Niespodziewane wyjazdy, tajemnicze SMS-y, pokrętne tłumaczenia. Banalny zestaw wiarołomnego badziewia, jaki znała z lektur, z opowieści przyjaciółek. Zakochana w Adamie, czuła się w potrzasku. Żeby się z niego uwolnić, musiałaby sobie odgryźć nogę. Ból i poczucie upokorzenia były nie do zniesienia. Zaczęła pić. Najpierw wieczorem kilka drinków na rozluźnienie, potem do obiadu. Kiedy znikał w kolejnej podróży, piła od rana.

Po kilku drinkach wsiadła na rower, ruszyła przed siebie. Na oślep polnymi drogami, przez lasy. Kilka razy upadała, wygięła przednie koło. Zabłądziła. Obolała, posiniaczona przedarła się przez las do drogi. Stanęła na poboczu. Chwilę później zatrzymał się przy niej TIR. Pamięta, że za szybą szoferki miał dużą tabliczkę z napisem: Tomek. Ta nachalna wizytówka ją rozbawiła. Jej właściciel, młody facet w kraciastej koszuli, podszedł do niej z odwzajemnionym uśmiechem.

– Cześć, Tomeczku – rzuciła frywolnie. – Przewieziesz mnie?

– Dobra. Ale najpierw cię przelecę.

Wziął ją za przydrożną dziwkę. Poczuła lęk pomieszany z podnieceniem. Podreptała za nim w głąb lasu. Zdziwiło ją, kiedy z kieszeni wyciągnął prezerwatywę. Półpijana, rozczochrana, ze swoją śniadą cerą i rozmazanym makijażem wyglądała jak przydrożna Rumunka. Mogła być też zasyfiona albo zahiviona. Tomek się nie obcyndalał. Popchnął ją twarzą do grubej sosny, zdarł z niej dżinsy wraz z majtkami. Objęła nagrzany pień, przytuliła policzek do kory. Potulnie wypięła tyłek. Sękatą ręką domacał się jej piersi, sapał jej w ucho kwaśnym oddechem. Mocnym pchnięciem twardego kutasa wbił się jej w krocze. Na początku bolało. Potem było coraz lepiej, porwała ją dzika rozkosz. Poddała się jej całkowicie, jęcząc coraz głośniej, aż do ekstatycznego spełnienia.

Nie chciała pieniędzy. Kierowca Tomek zaniemówił. Wypadł z roli pewnego siebie, samczo-bezrefleksyjnego istnienia.

– Jak to nie chcesz? Co ty, kurwo, kombinujesz? – Rozejrzał się czujnie na boki jak zwierzę wietrzące pułapkę.

Przestraszyła się, że ją uderzy.

– Uderz mnie – poprosiła.

– Pierdol się, ty pierdolnięta dziwko!

Odepchnął ją, wyszarpnął z portfela kilka dwudziestek i rzucił jej pod nogi. Biegł do swojego TIR-a, jakby uciekał z jakiegoś uroczyska. Może była naprawdę stuknięta? Apatyczna, odstręczająca pijaczka, czekająca na swojego oprawcę.

Adam niczego nie pojmował. Albo udawał. Zachowywał się jak cyniczny dealer. Stworzył potrzebę – rozkochał ją w sobie. Uzależnił. Potem już tylko zarządzał. Trzymał na głodzie albo dostarczał towar. Kij i marchewka. Trywialna gra najprostszymi regułami. Ale przegiął i wierna suka zerwała się z łańcucha. Zniknęła, poszła na odwyk, wyleczyła się z picia, które było lekarstwem na chorą miłość. Na lęk przed samotnością, której w końcu przestała się tak śmiertelnie bać. Wyzwoliła się. Teraz znowu są razem, ale już na innych warunkach. Adam stracił nad nią władzę. To go może złości, ale już inaczej. Dla niej to, co on myśli i czuje, jest nadal ważne, chociaż nie najważniejsze. Przestało ją dręczyć i terroryzować.

Czy w tym wszystkim chodzi o miłość? A może języczkiem u wagi jest jej brak? Chłód serca i głowy, rozum wzajemnego szacunku. To o wiele stabilniejszy grunt dla bliskości.

MATEUSZ

Kontakty z Adamem – takie żywe i ciepłe – otwierają puszkę wspomnień. Wojsko. Męski superbanał mocnych przeżyć. Żenująca potrzeba ich uwznioślenia. Czas zrobił swoje. Wygładził kontury ostrych wydarzeń. Wyłowione z rzeki czasu pobłyskują światłem dobrotliwej melancholii. Mateusz uśmiecha się do swoich wspomnień. Zawsze był mięczakiem. Wrażliwym jedynakiem wychowanym przez samotną matkę. Wojsko go bolało. Przerażała obca brutalność męskiego świata. Adam miał dwóch braci, apodyktycznego ojca pijaka. Przeszedł w dzieciństwie twardą szkołę: siniaków, upokorzeń. Szkołę pogardy i przetrwania. Lepiej znosił autorytarny dryl. Tortury militarnej maszynki do mielenia mięsa i umysłu. Był zaprawiony, znieczulony. Odporny. Na swój sposób niezłomny. Nie bał się zwarcia, był dobry w unikach.

Mateusz przy nim to cienias. Inteligentny emocjonalnie, giętki w języku. Miał homoseksualny wdzięk, a błyskotliwa inteligencja chroniła go przez dystans. Było w nim coś arystokratycznego, co zniewalało. Był nieosiągalny. Drażnił, ale bali się go tknąć, nawet go po swojemu chronili. Okazywali mu szacunek, jaki plebejusze czują do wyższej kasty – księdza, szamana, bramina. Przypisywali mu siłę, zdolności, do których nie mieli dostępu. Z którymi nie chcieli mieć do czynienia – ten pojeb za dużo wiedział, za bardzo sensownie czasem nadawał. W dodatku zaczarował trepów. Jego dowódca dawał mu przepustki, patrzył przez palce, odpuszczał. Cwany szef kompanii, porucznik Maciejak, zachowywał się przy nim jak wiejski parobas urzeczony paniczykiem. Nad którym miał władzę, ale się jej wstydził. Najchętniej nie chciałby mieć z Mateuszem do czynienia.

– A wy, podchorąży, pewno chcielibyście pojechać do domu? – pytał grzecznie. Z ulgą wypisywał mu przepustkę.

Mateusz był ładny, miał regularne rysy. Było w nim coś kruchego, delikatnego. Naturalny wdzięk sztabowego adiutanta, którego generał lubi mieć przy boku: bystrego, empatycznego, pełnego miękkiej gotowości. Surogat kobiety?! Czyżby ten brutalny, samczy świat samoistnie regulował swoją perwersję? Kultywując i chroniąc przed samym sobą zawoalowaną kobiecość?

Szkolenia polityczne. Ależ to była absurdalna mordęga! Dla nich, wykształconych chłopaków z dużych miast, i dla tamtego oficera politycznego, młodego karierowicza z burackim akcentem. Przyzwyczajonego do sztampowego wciskania ideologicznego kitu zwierzęco umęczonym, usypiającym we własnym zaduchu prostym żołnierzom. W obliczu wyszczekanych podchorążych kompletnie się gubił.

Koniec stanu wojennego, początki agonii komunizmu. Nieszczęsny skurwysyn wyjeżdża z nachalną agitką na temat „dramatycznej sytuacji w kraju". Brakuje mu wszystkiego: argumentów, autorytetu, wiedzy, doświadczenia, poczucia humoru, luzu... w końcu języka w gębie. Przyjmuje na klatę tony jadu, wściekłego szyderstwa. Chłopcy pastwią się nad nim z sadyzmem proporcjonalnym do ich nienawistnej bezradności.

– Spierdalaj na drzewo, buraku, ze swoją kłamliwą propagandą!

Następne zajęcia odwołuje, ale ta strusia strategia nie może trwać wiecznie. Przychodzi blady, skurczony w sobie. Zaczyna pokornie, defensywnie:

– Panowie podchorążowie, ja rozumiem...

Siedzą wokół ogromnego stołu. Nawet tego nie potrafił rozegrać, posadził jak równych sobie, pozwala zaparzyć herbatę, palić papierosy. Przynosi gazety, nieśmiało układa je w równy stosik:

– Panowie, mam dla was świeżą prasę...

Nikt na ten chłam nie patrzy. Jeden Mateusz, niewolnik słowa pisanego, rusza po egzemplarz „Żołnierza Wolności". Słyszy komentarze:

– Nie dotykaj, bo się zarazisz!

Polityczny wychodzi po kwadransie. Pod jakimś pretekstem zostawia „to kosmopolityczne ścierwo" samemu sobie. W oczach ma obrzydzenie. Nienawistny strach niezłomnego patrioty. Jak uchronić ojczyznę przed kontrrewolucją? Przed takim zdegenerowanym elementem?

Mateusz uśmiecha się do własnych wspomnień. Historia Polski to historia powtarzającej się cyklicznie głupoty. Chcesz zgubić Polskę, pozwól się jej bezrefleksyjnie inspirować zachodnią cywilizacją. Cywilizacją zdegenerowaną, racjonalnie bezduszną. Pozbawioną wiary w człowieka. Patriotyzm, komunizm czy katolicyzm tej wiary nie podkopuje. Ani nie traci. Wręcz ją krzepi, pozwalając żyjącym marnie mieć wiarę i nadzieję. A jej orędownicy opływają w przywileje i dostatki. Odwieczny mechanizm cyckania ogłupionego przez elitę motłochu. Dzisiaj wyrafinowany, w szlachetnym przebraniu demokracji. O której wtedy, w czasach terroru prosowieckich półgłówków, można było sobie tylko pomarzyć...

Mateusz przerzuca „Żołnierza Wolności" po nachalnie kłamliwych tytułach. Czyta między wierszami. Zalew propagandowej głupoty przekracza wszelkie granice rozumu. Nic dziwnego, że chłopaki mają to gdzieś. Palą i gadają o własnych sprawach. Głównie o dupach z pobliskiego miasteczka. W knajpce na rynku zachodniopomorskiej mieściny schodzą się prowincjonalne, głodne wielkiego świata laski. Szansa, aby „zakutasić", jest niewielka, ale optymizm psiego stada uganiającego się za suką nie ma sobie równych w przyrodzie.

Na ostatniej stronie gazety Mateusz znajduje kącik literacki.

– Panowie, posłuchajcie! – krztusząc się ze śmiechu, odczytuje zestaw patriotycznych wierszy. Napisanych rzekomo przez żołnierzy.

Chłopcy rechoczą, a jemu wpada do głowy zabawny pomysł. Niestety, na następne spotkanie porucznik nie przychodzi: „Panie pułkowniku, to skrajny element antysocjalistyczny, ja nie daję rady". Do sali pełnej podchorążych, na „tak poważnie zagrożony odcinek walki ideologicznej", wkracza jego przełożony. Pułkownik jest człowiekiem grzecznym i stanowczym. Ma niespełna metr pięćdziesiąt pięć wzrostu, niezłomny charakter lwa, ukrywający wszystkie kompleksy poszturchiwanego od dziecka kurdupla. Jest szczwany. Przed spotkaniem z nimi adiutant wnosi paczki luksusowych carmenów, kawę, ciastka. W tamtym czasie papierosy i kawa są na wagę złota. Pali się chłam, w dodatku racjonowany. Kilka sztuk dziennie na głowę. Starcza do śniadania. Przez resztę dnia robi się skręty. Adam przywozi z przepustki zdobyte gdzieś kilka kilogramów popularnego tytoniu na wagę. Poniewierają się w nim kawałki łodyg, ogryzki filtrów. Zmiecione odpadki z fabryki podłych papierosów.

Pułkownik wprawnie otwiera paczki carmenów, zaprasza do palenia. Chłopcy z lekkimi oporami wyciągają ręce. Wkrótce salę zasnuwają kłęby aromatycznego dymu. Fajka pokoju?

– Śmiało, panowie, nie ma żadnych tematów tabu, rozmawiamy tutaj otwartym tekstem, jak Polak z Polakiem. – Drań uwodzi miękkim, pojednawczym tonem. Zderza się ze ścianą milczenia.

Nie można rozkazać dyskutować. Może się tylko przymilać, za co ich jeszcze bardziej nienawidził. Mateusz nie wytrzymuje napięcia albo chce mu nadać jeszcze bardziej groteskową formę.

– Panie pułkowniku. – Chrząka niepewnie. – My w takiej sprawie...

– No śmiało, podchorąży, śmiało. – Dygocze ze skwapliwej gotowości wejścia w „patriotyczny rodzaj uczciwego dialogu".

– My tu z taką inicjatywą... – Mateusz wpada w głupkowato-uległy ton ambitnego działacza, który pragnie się zasłużyć. – My z podchorążym Wojciechowskim napisaliśmy kilka wierszy...

Pułkownik podchodzi, gotów niemal wyrwać Mateuszowi plik kartek z ręki.

– Wiersze? – upewnia się nieufnie.

– Tak... do „Żołnierza Wolności". Chcieliśmy wysłać do redakcji... prosić pana pułkownika o zgodę.

– No, najmilsi, na to nie trzeba mojej zgody – obrusza się jowialnie.

– Ale jak to, poczta jest chyba cenzurowana, listy czytane...

– Podchorąży, stan wojenny miał swoje twarde prawa, ale się już zakończył. Był to, najprościej mówiąc, stan wyższej konieczności. Podjęto nadzwyczajne środki... – przerywa, widząc, że zapędza się w rutynową demagogię. – Ale wracając do tych wierszy... Hmm, czy mogę je przeczytać?

– Oczywiście, panie pułkowniku.

– To pozwolicie, że się zagłębię.

Chłopcy milkną taktownie, wpatrują się w niego, tłumiąc śmiech. Pułkownik siada przy stole, wygładza kartki. Czyta uważnie, w miarę lektury twarz mu purpurowieje. Zaczyna czytać na głos:

– „Nocny patrol. Głęboka czerń nocy zapada nad głowami. Jak śmiertelny kir. Mrok, w którym czai się nieprzyjaciel u bram. Upadam ze zmęczenia i boli mnie całe ciało. Trwam na posterunku. Moje serce czuwa jak u wezgłowia chorej matki. Ojczyzna w potrzebie".

Pułkownik kończy, zapada napięta cisza. Mateusz słyszy lękliwe bicie własnego serca. Kurwa, już po mnie! Przegiąłem! Pułkownik składa starannie kartki, wstaje, podchodzi do Mateusza z poważną miną.

– Panowie, dziękuję. To było piękne. Pozwolicie, że pożyczę, pokażę kolegom. – Uśmiecha się szeroko. – A wysłaniem zajmę się osobiście...

Na następne spotkanie zostają wezwani przez adiutanta. Pułkownik wkracza triumfalnie z naręczem gazet. Niecierpliwie czeka, aż się uciszą.

– Podchorążowie, mam radosne wieści. Wasze wiersze zostały opublikowane i nagrodzone przez redakcję „Żołnierza Wolności". – Czyta ich nazwiska, tytuły historycznych książek, którymi zostali obdarowani. – Jesteśmy z was dumni, gratuluję wam w imieniu całej jednostki. – Podchodzi do nich i ściska im dłonie.

Przestaje być zabawnie. Mateusz chce zakopać się pod ziemię. Pułkownik, wręcz odwrotnie, odnajduje w nim skarb. Jednostkowa „sala tradycji". Skromna izba pamięci, jaką udało mu się urządzić w siedzibie dowództwa. Oczko w głowie. Sól w jego oku. Nie na miarę chwalebnych tradycji jednostki. A już na pewno nie na miarę jego ambicji. Mateusz oprócz smykałki do słów ma też talent plastyczny. W trakcie niekończącej się nigdy konserwacji czołgu T-55 (jego załoga pucuje i szoruje codziennie tę kupę sowieckiego złomu na tak zwanym placu manewrowym) siedzi bezczynnie na wieżyczce i z nudów szkicuje. Architektura, ludzie, twarze, co mu wpada interesującego w oko. Zapełnia notes rysunkami budzącymi zachwyt żołnierzy. Proszą o portrety, szkice czołgu, pełni wdzięczności gotowi płacić przemycaną wódką, papierosami. Któryś z nich nie wytrzymuje, chwali się jego dziełami dowódcy. Maciejak wzywa go do siebie i z powagą w głosie proponuje namalowanie swojego portretu – dowódca kompanii w galowym mundurze. Zanim jednak Mateusz zdąży się do portretu porucznika przymierzyć, „wybitny talent podchorążego" przejmuje pułkownik. Wydzierają go sobie z rąk jak gestapowcy biednego Brunona Schulza w Drohobyczu. Mateusz też chce przeżyć.

– Rozumiecie, podchorąży, ostatnia w historii oręża polskiego szarża kawaleryjska. W bitwie o Wał Pomorski. Trzeba tę salę tradycji od nowa zaprojektować, nowocześnie, z rozmachem. Mam na to środki. Będziecie podlegać tylko mnie. Dam wam kwaterę, małe mieszkanie koło jednostki, na osiedlu dla oficerów. Do czołgu już nie zajrzycie. Będziecie pracowali jak kadra, osiem godzin, potem jesteście wolni. Zapłacić wam nie mogę, ale częste wyjazdy, przepustki do domu.

– Panie pułkowniku, to ogrom roboty. Sam nie dam rady, potrzebna będzie dokumentacja, masę zdjęć innych sal tradycji z doborowych jednostek. Podchorąży Adam Wojciechowski byłby świetnym wsparciem. Nie tylko dobrze redaguje teksty, ale jest świetnym fotografem.

– No to na co czekacie?! – huczy pułkownik. – Dawać go tutaj!

Podszepty komunistycznego diabła? Łaskawa opieka anioła stróża? Koniec z poligonem, na którym Mateusz płacze z zimna i wyczerpania. Koniec z czołgiem, w którym rzyga od smrodu i klaustrofobii. Koniec udręki codziennego absurdu i poniżenia. Czuje w krzyżu metafizyczny dreszcz. W walkach o Wał Pomorski zginął starszy brat jego ojca, stryj Kazimierz. Poszedł na ochotnika z Drugą Armią, aby pomścić śmierć ukochanego brata (drugi stryj, Stanisław, zginął na początku wojny podczas bombardowania Lublina). Poszedł i już nie wrócił. „Zaginął na polu walki" – do dziadków dotarła lakoniczna informacja z frontu. Los stryja, okoliczności śmierci, jego grób pozostały dla bliskich nieznane. Wojna zabrała jego ojcu obu braci. Jemu stryjów, których obecność mogła odmienić jego życie.

Mateusz nie jest nawiedzonym patriotą. Jednak czuje potrzebę rodzinnej, męskiej lojalności. Ich pamięci należy się szacunek. Ma okazję, by go wyrazić, udokumentować. Jesteś Polakiem – od historii nie uciekniesz. Na zawsze zarażony krwią przodków, jak po ugryzieniu przez wampira. Widzi rękę stryja wyciągniętą z nieba: przybij piątkę, drogi bratanku, ty coś dla mnie, ja coś dla ciebie.

Kolaboracja z komuną? Kara boża za szydzenie z patriotyzmu? Nitki polskich losów od zawsze nieziemsko poplątane. Pułkownik jest komuchem, ale szczerym Polakiem. Gdyby weszli Sowieci, walczyliby obaj jak lwy. Ramię w ramię w obronie ojczyzny. W odróżnieniu od opozycyjnych, złotoustych demokratów (którzy tradycyjnie zmyliby się do Paryża). Nikt nie jest bardziej skłonny do prywaty, cynicznej zdrady ideałów, każdej hucpiarskiej nieprzyzwoitości niż banda wykształconych i wygadanych polityków, redaktorów. Czy sam do nich nie należy?

– Adam, czy nie myślisz, że daliśmy wtedy dupy? – pyta przyjaciela po latach.

– Przeciwnie, nie daliśmy się frajersko ruchać przez idiotów.

Pułkownik dotrzymuje słowa. Żyją jak pączki w maśle. Rano projekty, wieczorem imprezki. Alkohol, marycha, najlepsza muza (Adam przywozi z domu sprzęt i najświeższe płyty). Panienki z pobliskiego miasteczka na ich widok „ściągają majtki przez głowę". Jest czas na lektury, rozmowy. Wynoszą notorycznie z osiedlowej biblioteki wojskowej książki. Najnowsza literatura współczesna – niedostępna w księgarniach – przychodzi tam w grubych paczkach z urzędowego rozdzielnika. Ukrywają pod grubymi wojskowymi kurtkami te wszystkie perły rzucane przed wieprze, niedotykane przez nikogo (często z nieporozcinanymi kartkami) tomy Faulknera, Bellowa, Rotha. Niedostępne w normalnym, cywilnym świecie, najnowsze egzemplarze prozy iberoamerykańskiej: Cortazara, Borgesa, Marqueza.

– Kobiety są jak mleko: niedotykane, odstawione kwaśnieją. Książki mają gorzej, bo wtedy umierają! – peroruje Adam.

Więc je ocalają. A przy okazji siebie. Upojeni nowym, pozawojskowym życiem, własnymi myślami, nocnymi dyskusjami. I tym, przynależnym młodości, brakiem wahań, skrupułów.

Kiedyś wszystko było prostsze, nawet szarość kompromisów mieniła się pastelowo. Dzisiaj nic już nie jest ani czarne, ani białe. Kompromisy dotyczą wyłącznie kasy i sławy, mają kolor i zapach gówna. Jak w takich kurewskich czasach zachować elementarną przyzwoitość?

Mateusz pisze w wolnym czasie ambitną powieść *Voodoo child*. Żyje z coraz krótszych i bardziej powierzchownych tekstów. Pichconego scenariusza serialu. Brakuje mu czasu, weny. Nienawidzi ludzi za ich postępującą w kosmicznym tempie głupotę. Nienawidzi siebie, bo nie tylko z niej żyje, ale mimowolnie jej schlebia i ją gruntuje. Obraca słowami jak prostytutka dupą. *Love for sale*. Brakuje mu talentu i charakteru. Jak wymknąć się z łap tego komercjalnego, cynicznego molocha? Z głów zaślinionych klientów, wpatrzonych w szpalty kolorowych gazet, w ekran telewizora. Sprzedaje siebie za wygodne pseudożycie. Na pseudoluksusowym Wilanowie. U boku seksownej laski, którą coraz mniej rozumie. Którą męczy, podobnie jak siebie, zarażając frustracją, nie umiejąc jej uszczęśliwić.

MONIKA

Upinając misterny kok, myśli, że powinna coś zrobić z włosami. Nie chce ich ścinać. Długie, proste, popielatoblond są ważną częścią jej „ja". Może powinna zapleść warkocz? Taka poetycka, przerośnięta dziewczynkowatość à la Agnieszka Osiecka. Kiedy kobieta zmienia uczesanie, to znak, że zmieniła mężczyznę – powiedział francuski reżyser czy dyktator mody. Zawodowi znawcy kobiet – wzdycha ironicznie do lustra i w tym samym momencie myśli o Adamie. Spotkali się już kilka razy. Wczoraj wpadł do Wilanowa, „poczuł nagle, że musi ich zobaczyć". Jednak zanim zdążyli usiąść, Mateusz dostaje nerwowy telefon z produkcji: główny aktor podczas kręcenia upiera się zmieniać teksty scenariusza.

– Zmieniać raczej znacząco – sugeruje wściekły reżyser.

Mateusz blednie ze złości i gna na plan.

– Ten serial wykończy go psychicznie. Ciągle jakieś afery – niespokojnie zwierza się Monika.

– Filmy to małpi biznes. Za dużo cwaniaków przy tym mąci i za dużo wyciąga potem ręce po swoje. W rezultacie wszyscy się czują pokrzywdzeni. Trzeba mieć grubą skórę, a Mateusz to wrażliwy facet... – Adam zawiesza głos.

Monika nie odpowiada. Nie chce rozmawiać o rzekomej wrażliwości męża. Kiedy Mateusz ich nagle opuszcza, czuje, jakby ktoś zwolnił dla niej miejsce. Nie jest zbyt pewna siebie w tym wyszczekanym światku artystycznej warszawki. Ambitnie spiętym albo nienaturalnie wyluzowanym – szyderstwem, trawą czy alkoholem. Adam jest inny. Jego pewność siebie jest wspaniałomyślna – jest wobec niej uważny. Słucha, nie odrywając wzroku, sprawia, że to, co ona ma do przekazania, wydaje się cenne. I te dobrotliwe chochliki w oczach, gotowość do żartu. Nadmierna powaga Mateusza ją przygnębia. Jest w tym niemoc i egoizm.

Możliwe, że Adam ją uwodzi. To miłe, znaczy tyle, że ją lubi. Zabiega o sympatię, stara się rozbawić. Z nim czuje naturalną łatwość. Jest żywa. Ważna.

Ważna. Wyjątkowa. Przyciągająca podziw, uwagę. Jedyna...

Jej ojciec, prosty kolejarz z Wejherowa. Po swojemu się starał. Nie mógł jednak zrekompensować córce braku miłości matki. Zimnej, sfrustrowanej kobiety w ciągłych pretensjach. Faworyzującej syna z drugiego małżeństwa. Monika, od kiedy pamięta, nie była kochana. Na dobre słowo musiała zasłużyć. Coś z siebie dać, wyróżnić się, wybić. Niezaspokojone ambicje matki, jej bezwzględna, egotyczna tresura. W rodzinnym domu czuła się przygarniętym kundlem. Przymuszanym do udawania rasowca.

Matka, atrakcyjna fryzjerka, nienawidziła ojca, swojego z nim życia. Marzyła o wielkim świecie. Przez lata potajemnie romansowała z gdańskim szemranym biznesmenem. W końcu zaszła w ciążę i wyprowadziła się na dobre. Porzucony ojciec pił na umór. Ogarnął się dopiero przed maturą Moniki. Za namową kumpla przeszedł kurację, zapisał się do AA, został trzeźwym alkoholikiem. Na zawsze złamanym, ale obowiązkowym. Poświęcającym się dla „jedynaczki" facetem, którym córka gardziła.

Ojcu wydawało się, że ją kocha, kiedy był z niej dumny. Tego potrzebował najbardziej – bycia z niej dumnym. „Córeczka tatusia". Monika stała się lojalnym instrumentem jego samozadowolenia. Masażystką kompleksów, podtrzy-

mywaczką nastroju. Może dlatego czuła się tak ważna. Po-
rzucona przez matkę, zastąpiła ją i była od niej lepsza.
Miała władcze poczucie triumfu. Była niewolnicą odwza-
jemnionej ściemy: ty mi podróbę szczęścia, ja tobie podróbę
miłości.

Od najmłodszych lat uczyła się żyć w chorobliwej sym-
biozie z mężczyzną. Czy życie z Mateuszem nie jest powtó-
rzeniem tamtej traumy?

Faceci podkładają się sami. Wielu z nich pod fasadą twar-
dziela kryje potrzeby rozkapryszonego maminsynka. Szu-
kają w kobiecie oparcia, ukojenia. Mateusz siedzi czasem
przy biurku i spogląda na nią tęsknym, rozżalonym wzrokiem zbitego psa. „No chodź tutaj, przytul się do mamusi",
ma ochotę przywołać go przesłodzonym głosem. Takie
ludzkie – w końcu wszyscy byliśmy kiedyś małymi dziećmi, garnącymi się do matczynego ciepła. Mąż jest jedynakiem wychowanym przez porzuconą kobietę. Potrzebuje
czułości jak kania dżdżu. To jest w nim ujmujące. Choć czasem wkurwia. Zwłaszcza wtedy, gdy chciałoby się mieć
przy boku prawdziwego mężczyznę.

Takiego jak Adam? Przyjaciel jej męża na biednego, po-
trzebującego wsparcia chłopczyka nie wygląda. Przeciwnie,
bije od niego władcza energia. Mocne, ciemne włosy posta-
wione na jeża, opalona twarz kontrastująca ze śnieżnobiałą
koszulą. Ciemna marynarka w świetnym stylu. Siwiejąca,
kozia bródka à la Al Pacino, paradoksalnie, zamiast posta-
rzać – odmładza. Jest w niej artystyczna frywolność, rys
młodzieńczego indywidualizmu. Zmarszczki wokół oczu
świadczą o poczuciu humoru. Mocna szczęka faceta z charakterem. Białe, zadbane zęby. Trochę za głośno mówi, ale
jej słucha jak nikt dotąd. Patrzy na nią zachłannym wzrokiem. Czy taki fascynujący facet fascynuje się nią?

Palą papierosy na tarasie. Dym niczym parawan oddziela ich od reszty świata.

– Napijesz się czegoś mocniejszego?

– Chętnie. Chociaż nie powinienem, jestem samochodem. Ale co tam. – Adam macha ręką. – Najwyżej wrócę taksówką.

– Możesz zostać u nas. Nie ma żadnego problemu, pościelę ci w gościnnym pokoju.

– Kusząca propozycja, ale dzięki, muszę wrócić.

– Ktoś na ciebie czeka? – Gryzie się w język.

– Na szczęście nie. – Wybucha śmiechem.

Zręcznie wykręca się sianem. Wyczuwa jej intencje? Nie chce go pytać wprost o związek z Joanną. Są nierealni – piękni, bogaci, wyrafinowani. Z lepszego świata, o jakim marzyła zawsze jej matka. Między Joanną i Adamem jest coś, co jej nie daje spokoju. Tych dwoje łączy jakiś sekret. Mogą być razem i oddzielnie. Osobliwy rodzaj magicznego przymierza.

– Lśnienie męsko-kobiecej harmonii, koegzystencja przeciwieństw – górnolotnie zachwycał się nimi pijany Mateusz. – Ta para odkryła coś intrygującego i pięknego, mają to dla siebie, na własny użytek – perorował bełkotliwie.

Właśnie to Monikę niepokoi i drażni – ich niespotykana, udana formuła szczęścia. Czy jest wobec nich zawistna? Czuje się małą dziewczynką – dorośli ukrywają przed nią coś dobrego i nie chcą się z nią podzielić. Niczym bogowie olimpijscy kryjący przed ludźmi sekret ambrozji, pokarmu przynoszącego nieśmiertelność. Chciałaby tych bogów z Zalesia dotknąć. Ściągnąć na ziemię. A może sama zamienić się w taką boginię? Joanna ją onieśmiela. Traktuje Monikę z wyrachowaną sympatią. Nie czyni nigdy żadnego protekcjonalnego gestu, raniącego komentarza. Ale o przyjaźni nie może być mowy. To się czuje. Jest niedostępna na swój miły, ekscentryczny sposób. Monika nie potrafi przestać o nich myśleć. Męczy swoją ciekawością Mateusza, ale ten, zawsze taki wygadany, na temat związku Adama nabiera wody w usta. Jakby było coś do ukrycia. Może tak pojmuje męską lojalność. A może podejrzewa, że żona jest o męską przyjaźń zazdrosna? Z Joanną Monika pogaduje miło i raczej

zdawkowo. Gdyby nie Adam, czułaby się z ich trójki wy-
kluczona. Mateusz nie chce o tym rozmawiać. Na pytania
Moniki reaguje alergicznie, jakby go coś osobiście dotykało.
Syczy jej w twarz zniecierpliwiony:
– Daj spokój! Ludzie mają swoje układy, dlaczego to cię
tak kręci?
O co w tym wszystkim chodzi? Są dla niego ważniejsi?
Oganiając się od zwykłych ludzkich pytań, Mateusz ogania
się właściwie od Moniki. Pojawienie się Adama i Joanny
zmieniło ich małżeństwo. Była już neurozą męża przydu-
szona, tamta para wniosła powiew świeżości. Potem zaczęła się niepokoić. Tych wzajemnych spotkań jest za dużo,
są zanadto intensywne. Inni znajomi zniknęli z pola widzenia. Adam jest w swoich propozycjach dla nich niezmożo-
ny. Teraz też wpada niezapowiedziany. Dzwoni dopiero,
kiedy stoi pod domem. Siedzi naprzeciwko żony przyjaciela, popija drinka. Obezwładnia diabolicznym uśmiechem.
Jeśli nadużywa jej gościnności albo ją sobą męczy, to czemu
go zatrzymuje?

MATEUSZ

Źle maskowana niecierpliwość. Coraz krótszy lont i coraz więcej powodów do wybuchu irytacji. Zmowa rzeczy martwych, wrogo przeciw niemu usposobionych, przekracza masę krytyczną. Wygląda to na spisek. Umykająca rączka prysznica oblewa mu twarz i koszulę. Pęknięty plastik worka na śmieci, z którego wypływa jakaś gnijąca maź, atakuje wypastowane półbuty. Końcówka klucza pozostaje w czeluściach zamka. Mateusz trzyma w ręku jego groteskowy kikut i ma ochotę wbić go sobie w skroń.

– Kurwa, kurwa, kurwa! – wydobywa z siebie agresywny jęk.

Na domiar wszystkiego ten burdel w kuchni, zostawiony przez Monikę. Okrutna, nielicząca się z nim, beztroska. Szczotka do włosów na kuchennym stole, zgniła torebka po herbacie ekspresowej w zlewie (dlaczego nie w kuble na śmieci?). Resztki jajecznicy na szklanym blacie elektrycznej kuchenki.

– Pieprzona fleja! – Z obrzydzeniem usuwa ślady jej śniadaniowego pośpiechu. – Dłużej tego, kurwa, nie wytrzymam!

Siada na podłodze. Opiera plecy o kuchenną szafkę i zapala papierosa. Zaciąga się głęboko, z metodyczną regularnością. Strzepuje popiół na podłogę, gdzie popadnie. Depcze peta obcasem na kuchennej posadzce.

W nocy męczą go koszmary. Wędruje po jakimś ponurym pociągu, zagląda do przedziałów. Nigdzie nie ma wolnych miejsc. Ludzie przyglądają mu się podejrzliwie. Wreszcie mocnym szarpnięciem otwiera kolejny przedział. W kącie siedzi samotny Adam, patrzy na kumpla z niechęcią. Mateusz wchodzi, Adam wściekle wypycha go jakimś ogromniejącym materacem, który mu wyrasta jak ogon. Przydusza nim do ściany korytarza. Mateusz budzi się z bólem serca, brakiem tchu. Co ten sen może oznaczać? (Może sam mu się wepchnąłem do życia jak do pustego przedziału? W którym zamierzał podróżować samotnie? A może to ja jestem nim zanadto przytłoczony?). Wspomina wczorajszy dzień. Wspólny lunch w knajpie, potem Adam robi zakupy w Merlinie. Mateusz mu towarzyszy, z zazdrosnym żalem obserwuje samozadowolenie przyjaciela. Aktywność nie zżera mu sił, wręcz napędza. Adam przypomina hybrydowy samochód. Krząta się z wigorem po sklepie, wdaje w rozmowy ze sprzedawcami, mierzy, oblicza, kombinuje. Obcina głodnym wzrokiem przechodzące laski, tryska humorem.

Pewno palant sra codziennie rano – odwieczny regularny stolec – rozkoszując się przedtem smakiem na czczo pitej kawy. Mateusz, choć się tego wstydzi, jest wobec Adama małostkowo zawistny. Jego własne poranki przypominają torturę zmartwychwstania. Otwiera i zamyka oczy, jakby nie potrafił się zdecydować. Przełyka ślinę, odkorkowuje uszy. Rozkurcza embrionalnego siebie. Sięga po laptopa. Potrzebuje niusa niczym elektrody podłączonej do uśpionego mózgu. Może jakaś kolejna narodowa katastrofa? Upadek strefy euro? Wybuch wojny na Bliskim Wschodzie?

Dodatkowa frustracja, ukrywanie tej mordęgi przed Moniką. Poranny teatrzyk entuzjastycznej werwy z pełnym radości przeciąganiem się i dowcipnym zagadywaniem od dawna ma za sobą. Zresztą może to nie do końca teatrzyk, raczej naturalna lekkość człowieka zakochanego. Fabryka hormonalna robi wtedy na trzy zmiany, produkując dobry nastrój. Wszystko nabiera blasku i sensu. Ciało zdaje się nie mieć wagi, Ziemi odebrano prawo ciążenia. Pamięta to błogie falowanie młodzieńczego zapału: chodźmy, zróbmy, jedźmy, zostańmy!

Łał, kurwa, łał! Nieustanna sraczka pozytywnych wibracji. Trwa może rok. Potem dochodzi do głosu „prawdziwa natura". Cały ten nieprzenikniony zestaw jestestwa, produkujący po swojemu myśli, upodobania, wybory. I zaczyna się codzienny mozół. Strome schody odkrywanej krok po kroku niekompatybilności. Potrzebna dla dobrego nastroju ilość snu, pory i rodzaje posiłków, częstotliwość seksu. Upodobania estetyczne, intelektualne. Poglądy, smaki, przekonania.

Syzyfowa praca nieustannych negocjacji. Nieszczerych ustępstw, wielkodusznych gestów. Małostkowych machnięć ręką. Salwy przekonań o tym, co słuszne. Głucha cisza wściekłości przemilczanej: „Pierdol się, głupia babo!", wykrzyczanej: „Wal się, smętny dupku!".

Mateusz jest tym wszystkim zmęczony do granic ostatecznego zniechęcenia. W jego głowie pojawiają się fantazje: wyjechać, odpocząć. Potrzebuje prawdziwego wyciszenia. Chwile spokoju są efektem chwilowych pojednań, a te są skutkiem bolesnych konfrontacji. Nienawidzi konfliktów i boi się ich. Budzi się w nim mały chłopiec, przerażony wściekłymi głosami rozjuszonych rodziców. Tamte awantury kończyły się nieodmiennie trzaśnięciem drzwi i następującą po tym dramatyczną ciszą. Jakby ktoś odszedł, umarł. Słyszy bezgłośne chlipanie matki, której nie umie i nie chce pocieszać. To przecież przez nią JEGO TATUŚ tak strasznie się rozgniewał, że ich opuszcza. Słyszy bicie własnego serca. Skołataną główkę zasnuwa lęk nadchodzącej grozy o końcu świata.

Już sam nie wie, czy kłótnie z Moniką są podświadomym przerabianiem dawnych traum (jaka ulga – nie trzasnęła drzwiami, nie opuściła go), czy raczej przesadne unikanie konfliktów (łykanie gówna frustracji, wchodzenie w rolę świętego, rozumiejącego, kiedy nie rozumie, wybaczającego, kiedy nie wybacza, obojętnego, kiedy płonie z niechęci czy wściekłości) doprowadza do ich nieuchronnej erupcji?

Zawodzi i zwodzi ją i samego siebie. Pasożytującego na nim tasiemca samooskarżeń stara się zagłuszać. Robi to nieporadnie. Przebijają słowa, nawet całe zdania. Najwyraźniej te najbardziej bolesne – pytania wiecznego grzesznika: Jak mogłeś? Dlaczego nie potrafisz? Po co niszczysz?

W rezultacie jeszcze bardziej nie lubi siebie. I oczywiście Moniki, bo to ona jest głównym sprawcą tego, że tak trudno jest mu siebie znosić. Potrafi być bezwzględna. Rzuca w niego kamieniami oskarżeń jak fanatyczny muzułmanin.

– Jesteś taki bystry i wykształcony, a potrafisz być kompletnym idiotą!

Wpada w zimny ton, który doprowadza go do szału. Niby przejaw troski, ale jakże nienawistnie aroganckiej i raniącej. Jest w tym jej toksycznym truciu bezczelne, zadufane przekonanie istoty szlachetnej, poświęcającej się dla niego. „Mówi to wszystko dla jego dobra". Zna ten rodzaj tortur – tak latami postępowała z nim jego własna matka. Cierpiętnica – męczyła siebie i jego w imię rzekomej prawdy, która pozwoli zrozumieć mu siebie, lepiej żyć. Powinien jej być za te starania wdzięczny. A teraz z pokorą przyjmować rewelacje jej następczyni, wygłaszane w protekcjonalnym stylu:

– Zamiast umyć twarz, przecierasz lustro, w którym odbija się twoja brudna facjata.

Kłócą się o Matyldę, dwudziestoletnią córkę Mateusza, z którą ma sporadyczne, coraz rzadsze kontakty. A chciałby być dobrym ojcem. Albo przynajmniej za takiego w oczach świata uchodzić. Wybiera się na festiwal literacki (ma poprowadzić kilka rozmów z pisarzami) do Krakowa, gdzie jego córka studiuje filozofię. Dzwoni do niej z prośbą o spotkanie, ale Matylda odmawia. Wykręca się nawałem zajęć. Co za *bullshit*! Zwierza się Monice. A ta wybiera najgorszy moment, by na niego naskoczyć. Kobiety wykorzystają wrednie każdy przejaw męskiej słabości.

– I ty się dziwisz? Zostawiłeś jej matkę, opuściłeś dziewięcioletnią córeczkę, złamałeś jej serce. Kochała cię jak Boga! Ona ci tego nigdy nie wybaczy! I nigdy nie zaufa. Żadnemu mężczyźnie. Niby walczyłeś o nią. Zdrowy instynkt kazał jej zostać przy matce. Matka – dobra czy kiepska – jest z dzieckiem na dobre i złe. Ty byłeś pięknym, dziecięcym snem, który zamienił się w koszmar. Teraz możesz się tylko starać... i cieszyć tym, co dostaniesz. Za wszystko w życiu trzeba płacić!

Mówi o Matyldzie czy korzysta z okazji? Wykrzykuje własny ból porzuconej córki? Mateusz czuje wszechogarniające rozdrażnienie. Dziko reaguje na światło, dźwięki, zapachy. Mieszanka kaca, depresji i nadchodzącej migreny. Zamyka oczy i myśli tylko o jakimś azylu: uldze czasowego niebytu, błogości nieczucia, niemyślenia. Trzeba zadzwonić do Pawła (znajomego lekarza), niech coś przepisze.

Paweł od wielu lat jest jego cierpliwym, spolegliwym kumplem. Mateusz przypomina sobie z rozrzewnieniem ich pierwsze spotkanie. Obóz harcerski w Kamienicy Królewskiej, gdzieś na Kaszubach. Mają po dwanaście, trzynaście lat. Przyjechali z Puław. Rozbijają duże namioty, sami budują prycze, wypychają sianem materace. Kopią w lesie ogromną latrynę. Kilka solidnych drewnianych drągów zawieszonych ponad dołem wygrzebanym w piachu. Całość nakryta płachtą zielonego brezentu. Potem srają do tego dołu. Siedząc rzędem na gałęziach jak kury, wypinają dupy, pierdzą i dowcipkują w zgodnej komitywie smrodliwej akrobatyki. Paweł nie potrafi tak publicznie. Buduje własną, prywatną latrynkę. Prawdziwe cacuszko. Skombinował skądś gładkie deseczki, przemyślnie osadza je na palikach. W oddali, w gęstych krzakach, znajduje zaciszną polankę. Mateusz nakrywa go przypadkowo, szukając poziomek. Na widok srającego po kryjomu Pawła dopada go pusty, triumfalny śmiech. Pomieszany z przemożną ochotą narobienia mu megaobciachu. Już ma plan – sprowadzi chłopaków, podkradną się i w odpowiednim momencie wyskoczą na pojeba z rykiem. Chce zaraz lecieć z tym do obozu, ale coś go powstrzymuje. Odkrywa, że czuje coś w rodzaju zrozumienia. Jest sobą i swoimi pomysłami zawstydzony.

Kiedyś w nocy pełnią razem wartę. Mateusz ma sprawdzić oddalone od obozu magazyny. Po kilkunastu niepewnych krokach w ciemnym lesie skrewia. Odszukuje patrolującego drugą stronę obozu Pawła. Prosi go, by poszli tam razem. Trudna decyzja, trzeba zostawić obóz na łasce losu. Paweł się zgadza – bez komentarzy. W trakcie tego patrolu, lojalnego wobec kumpla i wysoce nielojalnego wobec śpiącej reszty, Mateusz przyznaje się do strachu przed ciemnością. Paweł przyjmuje to ze spokojną akceptacją. W zamian dostaje gwarancję dochowania sekretu o jego prywatnej toalecie.

W ufnie dzielonej słabości siła. Zrodzona tamtej bezksiężycowej nocy szczególna komitywa „dwóch cieniasów" trwa do dzisiaj. Paweł jest jednym z przyjaciół z dzieciństwa, Mateusz może zawsze na niego liczyć. Świetny lekarz i średnio szczęśliwy gej, którego prywatne życie przypomina zwielokrotnione przygody Robinsona Crusoe. Klasyczny los samotnego rozbitka. Bezludna wyspa z kolejnym, pojawiającym się cudem, Piętaszkiem. Ocalonym przez zamożnego Pawła z nędzy, długów, z rąk hazardu, narkomanii, z rąk mafijnych, bezwzględnych kanibali. Piętaszka ubieranego, odkarmianego, cywilizowanego na zagranicznych wyjazdach i wytwornych salonach. Do czasu kolejnej katastrofy – wdzięcznie wiernego.

Przyjaciel lekarz to dla mężczyzny bojącego się chorób świetna rzecz. Dla starzejącego się mężczyzny, nieznoszącego służby zdrowia, przyjaciel lekarz to dar losu. Mateusz nie czuje się ostatnio najlepiej. Powraca z ogromną siłą uczucie niestrawności, które w mniejszym lub większym stopniu odczuwa przez całe życie. Już w czasach przedszkolnych, zmuszany do poobiedniego leżakowania, zwijał się ściśnięty w kłębek. Walczył z bólem, dotkliwie odczuwanym przez jego wrażliwą chłopięcą duszyczkę. Dręczoną demonami okrutnych emocji: strachu, tęsknoty za ciepłem matki, poczuciem ostatecznego osamotnienia.

Od dziecka nie trawi. Bezduszna symbolika tej samonarzucającej się interpretacji nabiera trywialnego znaczenia w czasach dorosłości. „Nie trawi" ogromnej masy rzeczy: zjawisk, poglądów, niektórych ludzi. Przybiera to konkretną postać fizjologicznych przypadłości komplikujących życie: nieżytu żołądka, zgagi, wzdęć, gazów, zaparć, nieświeżego oddechu. Cała gama gastrycznych objawów mówi swoje. Najbardziej wiarygodnym językiem dotkliwej, fizjologicznej ostentacji.

Sartrowskie egzystencjalne mdłości. Jest mu od rana niedobrze, odbija mu się. Cokolwiek zje, kręci go w kiszkach. Pierdzi. Odbija mu się bytem. Jest jednym wielkim psychosomatycznym potwierdzeniem niezaprzeczalnej jedności duszy, psychiki i ciała. Zaburzonej konwulsyjnie wewnętrznej alchemii, odpowiadającej za poziom energii i nastrój. Za naturalny dobrostan codziennego zadowolenia. Jednym słowem, za chęć do życia.

NOLI ME TANGERE! W takich chwilach jego dusza przesiąknięta jest bezgłośnym wezwaniem. Prośbą na krawędzi krzyku: nie zniosę tego dłużej. Zostawcie mnie w spokoju, nic ode mnie nie chciejcie. Półsierota, ubogi z domu, z dotychczasowej nędzy, poplątanego i skundlonego życia. Wstyd. Poczucie wstydu. Nie znajduje miary, niechybnych oznak tego, że to uczucie jest objawem poczciwej przyzwoitości. Dowodem, że nadal ma prawo czuć się członkiem malejącej z każdym dniem kasty kulturalnej, cywilizowanej ludzkości. Albo ten wstyd jest autodestrukcyjną emanacją jego własnej niepewności. Krecią robotą wewnętrznego krytyka, gotowego do bezwzględnych ocen i podcinającego skrzydła.

Mateusz miota się między bezwstydnym, kompensacyjnym puszeniem się narcyzmu, tego wszechobecnego, infantylnego, jebanego Ja!, Ja!, Ja! – wyzierającego zewsząd, z gazet, telewizji, wywiadów, blogów, twitterów-świtterów, a skromną, odważnie bezkompromisową oceną własnych zdolności i potencjału. Nie chce wiary w siebie. Chce spokojnej i pewnej wiedzy o sobie. O swojej sile, odporności, wiedzy, talentach. Wiedzy pewnej i niezachwianej, niepodatnej na zawistne piekło innych. Na piekło własnego zwątpienia.

Podtrzymywanie wiary w siebie – modlitwą do siebie? Absurdalne rozszczepienie. Który głos miałby wybrać? I dlaczego właśnie ten? Odzwierciedlałby prawdę nieskalanej natury? Uzewnętrzniał siłę charakteru? A może byłby głosem wydobywającym się spod głazu utajonej depresji? Pokrytego nalotem pokornej szarości?

Nie jest to pokora szczera, wynikająca z siły. Raczej efekt smutnego otępienia i niedostatku energii. Senna, pasywna rezerwa ostrożnej rezygnacji. Lękliwe unikanie wyzwań, tłumienie zdrowych pragnień i ambicji. Paraliżujący lęk przed możliwością zranienia. Przed bólem porażki, sukcesu. Przed bólem istnienia.

JOANNA

Słucha wywodów Mateusza w skupionym napięciu. Intryguje ją odwaga gorzkich refleksji.

– Fundament chrześcijańskiego mitu: pramatka kurwa i jej przygłupi partner. Nieudolne i nierozgarnięte dzieci ukarane przez rozzłoszczonego, autorytarnego ojca, który nie zadbał o ich rozwój. Obarczył biedaków winą za własną bezmyślność, wyrzucając z raju, na który rzekomo nie zasługują... Co za nieludzkie, kosmiczne chujstwo, którym trujemy się od wieków, oblepieni gównem grzechu pierworodnego. Czyżby bezsens krótkotrwałego ludzkiego istnienia domagał się tak brutalnie nienawistnej wykładni? Którą tak beznadziejnie heroicznie próbuje znosić Chrystus ze swoją hurraideologią miłości?! Miłości, do której nie potrafimy się wznieść, której nie umiemy udźwignąć. Kochaj albo zdychaj w samotnej rozpaczy! I tak zdechniesz, a prawdziwej miłości nie zaznasz... bo jesteś na nią za głupi, za pożądliwy, za grzeszny, za żywy. Za ludzki! Powiadam wam, nie ma bardziej antyczłowieczej religii niż chrześcijaństwo. – Mateusz blednie, wyczerpany tyradą. Niczym egzaltowany student, który ośmielił się objawić publicznie własne zbuntowane prawdy.

– A temu co? – Adam niepewnie rozgląda się po twarzach kobiet.

Monika siedzi w fotelu nieporuszona, z nieodgadnioną

miną. Joanna pochyla głowę i marszczy czoło. Walczy ze sobą, zaskoczona faktem, że agresywne prawdy Mateusza do niej trafiły. Jest zbita z tropu ich patosem. Nikt jak dotąd w ich towarzystwie nie zdobywał się na tak bezobciachową brawurę. Nie wszczynał dyskusji na tematy poważne w sposób tak pozbawiony lekkości. Ale tłumiona pasja w głosie Mateusza, blask namiętności w rozognionych oczach...

– Zabrzmiało to trochę jak Nietzsche w ustach Woody'ego Allena. – Adam popisuje się erudycją, dewaluując Mateuszową.

– Miłość nieludzka? – dziwi się prostodusznie Joanna. – Zawsze mi się zdawało, że to ona wyróżnia nas ze świata zwierząt, uczłowiecza.

– Mateusz sądzi – przerywa jej Monika – że nas na nią nie stać.

– Miłość to pojemne słowo – wtrąca Adam pojednawczym tonem. – Chrześcijańska miłość niewiele tej pojemności ujmuje... Tym bardziej że chrześcijaństwo każdy pojmuje trochę inaczej.

– Zwłaszcza polscy katolicy – sarkastycznie dorzuca Joanna.

Widzi, że Mateusz siedzi milczący, wpatrzony w okno. Oni taktownie podtrzymują wątek, który nikomu nie przypadł do smaku. Kolejne spotkanie, którego przyjacielską atmosferę Mateusz sabotuje.

Coś tego chłopaka strasznie gryzie – myśli Joanna współczująco. Obserwuje dyskretnie reakcje Moniki i Adama. Są podobne – powściągliwie zdegustowane. W spojrzeniach, jakie ukradkiem wymieniają, oprócz zniecierpliwienia jest komitywa.

Pogoda wariuje. Połowa października, a lato nie zamierza abdykować. Krystalicznie błękitne niebo, lekkie podmuchy ciepłego, afrykańskiego powietrza. Adam proponuje spacer po lesie. Joanna odmawia, z wdziękiem pantery przeciąga się w fotelu. „Woli zostać, posiedzieć w ogrodzie, napić się zielonej herbaty, którą właśnie dostała od znajomego z Chin". Mateusz postanawia jej towarzyszyć. Monika – co nie uchodzi uwadze Joanny – reaguje lekkim, niemal niewidocznym wzruszeniem ramion.

– No to jak sobie chcecie, gnuśni niewolnicy nieróbstwa. – Adam jest rozczarowany odmową.

– A ty, Monika, wybierzesz się ze mną? – Uśmiecha się do niej zachęcająco.

W jego pytaniu nie ma prośby. Pobrzmiewa swoboda i pewność wobec precyzyjnie wyrażonego pragnienia, które nie ma prawa się nie spełnić. Takiej męskiej charyzmie Monika nie potrafi się oprzeć. Kiwa głową, wstaje i rusza za nim.

– Niewierność jest po prostu słabością. – Zacietrzewiony Mateusz upiera się perorować. Tym razem na tematy męsko-damskie. Zaprosiła go do swojego ogrodu, zaparzyła czarodziejski napar z białej chińskiej herbaty. Półleżą obok siebie (gawędząc i popijając niczym biesiadujący Rzymianie) na wygodnych leżankach z tekowego drewna. Bambusowy gaj szumi kojąco, ogromne ryby wachlują w zwolnionym tempie zielonkawą toń stawu. Joanna opiera głowę na poduszce i wpatruje się w gościa spokojnym, pełnym afirmatywnego skupienia wzrokiem. Przychodzi to jej z łatwością. Odnajduje w Mateuszu bratnią duszę.

– Ludzie chcą być uczciwi. Nie chcą żyć w chaosie sprzecznych uczuć. Pragną ładu i bezpieczeństwa, jak dzieci kojone przed snem dobrą bajką. Najbardziej lubią siebie lubić. Zdrada jest z autopogardy i jeszcze ją napędza... – Mateusz zamyka dłonie, jakby chciał wycisnąć z siebie sok ostatecznej konkluzji. – Dlatego, szykując się do zdrady, robią wszystko, żeby obrzydzić siebie partnerowi, zasłużyć na odepchnięcie. Co chcę powiedzieć... – Patrzy na Joannę przepraszającym, świadomym pretensjonalnego tonu nadętych rozmyślań wzrokiem. – Prowokują kłótnie, konflikty, bo potrzebują żalu, pretensji partnera do samousprawiedliwienia.

Joanna marszczy brwi, oparta na łokciu, unosi się. Odzywa się mocnym głosem, nieco za ostrym:

– Trochę to pokrętne. Jeśli ludziom ze sobą dobrze, to myśl o zdradzie, taka potrzeba w ogóle się nie pojawia. – Uśmiecha się odrobinę protekcjonalnie i opada na poduszkę, odprężona wygodą tej oczywistości.

Boże, sama chciałabym w to uwierzyć – przemyka jej przez głowę. – Pewno ma mnie za naiwną idiotkę – myśli Joanna z przestrachem. Czemu uparł się rozmawiać o niewierności? Niepokoi go przyjaciel i własna żona? Wspólny spacer do lasu, ich wyczuwalna, przynajmniej dla niej, wzajemna sympatia? Adam tryska humorem, częściej bywa w Zalesiu. Zawsze emanował tym swoim pieprzonym ADHD, ale ostatnio nie jeździ bez przerwy do pensjonatów, nie zamęcza Joanny namolnymi telefonami. Jest też mniej szyderczy.

Nigdy nie był specjalnie uczuciowy. Nie utrzymuje kontaktów z najbliższą rodziną. Jego rodzice nie żyją, z braćmi nie widuje się od lat. Jeden z nich dawno temu wyemigrował do Australii, ale młodszy – Jacek, znany biznesmen z branży reklamowej, mieszka w Warszawie. To przez współpracę z jego firmą poznała Adama. Robiła dla nich kampanię reklamową, jej biuro wygrało przetarg. Ogromne zamówienie – wielki sukces, wielka kasa, na koniec przyjęcie w hotelu Victoria. Pamięta ten wieczór. Kilka miesięcy po rozwodzie z Grzegorzem. Była swobodna, jej pięcioletnia Haneczka odstawiona na wieś do dziadków. Rozpierała ją duma z samej siebie. Ze swojej odporności, przebojowości. Czuła się wyzwolona, nierozważna i nieromantyczna. Suknia bez pleców, na nogach niebotyczne szpilki. W nosie kokaina i również to, co myślą o niej zazdrosne żony kolegów. W połowie imprezy Jacek przyprowadził do niej rozbawionego przystojniaka.

– Joanna, poznajcie się: Adam, mój wyrodny braciszek. – Pamięta, jak wtedy objął ją w pasie i szepnął konfidencjonalnie do ucha: „Uważaj na niego, straszne ziółko!".

Nie wzięła tej rady na poważnie, przeciwnie, czuła dreszcz podniecenia.

Teraz zna już Adama za dobrze. Oszalał na punkcie Mateusza, jakby odnalazł po latach ukochanego brata. Może zastąpił nim brakującego rodzonego (śmiertelnie obrażonego o niesprawiedliwy podział spadku), Jacka. Ale to uwodzenie Moniki? Męska rywalizacja? Romans z żoną najlepszego przyjaciela? Adam to kawał cynicznego drania, jednak do takiej podłości nawet on nie jest zdolny.

– Rozpacz często pcha ludzi do nikczemności, choć oczywiście jej nie usprawiedliwia. No, może trochę, w końcu zbrodnia w afekcie to czynnik łagodzący – Joanna mówi to poważnym głosem w przestrzeń, nie patrząc na Mateusza.

Brzmi osobliwie, jakby tłumaczyła coś samej sobie. Zwraca do swojego gościa opaloną twarz. Siada na leżaku, opiera bose stopy na ziemi. Mateusz umyka wzrokiem. Jest stanowczo zbyt piękna... i może też zbyt stanowcza w tym swoim kazaniu.

– Zdradzający to nieszczęśnicy. Zawiedzeni w uczuciach; ktoś ich odrzucił, zranił. To daje odwagę egoistycznej bezwzględności. Stępia wrażliwość, pozbawia hamulców i skrupułów. Nieszczęście nie pozbawia sumienia, tylko je zawiesza, znieczula. Ogarnia człowieka wyzwalające poczucie, że krzywda daje prawo do zadośćuczynienia, zemsty. Albo łaskę osłody chwilami złapanego szczęścia.

Joanna mówi z narastającą pasją i przekonaniem. Gorzkie słowa osoby doświadczonej i... nieraz zdradzanej. A także zdradzającej. Widzi w oczach lekko zmieszanego Mateusza, jak bardzo się odsłania. Ale to jej nie powstrzymuje. Bo widzi w nich coś jeszcze – oznaki głębokiego zrozumienia. Myśli też o eskalacji pogardy i nienawiści zdradzającego do zdradzanego. Pewność siebie ofiary, jego niewinna niewiedza może doprowadzić do szału, jest tak głupi, że niczego się nie domyśla. Obojętnie nieuważny, nie widzi ewidentnych oznak niewierności. Głupkowato zadufanemu nie przyjdzie do głowy, że ktoś jemu – pieprzonemu jeleniowi – może przyprawiać rogi. Nie zasługuje więc na nic innego, jak tylko na swój los robionego w ciula półgłówka.

Żałość po prostu bierze, z kim ja się muszę męczyć! –

Joanna przedrzeźnia w myślach swoje cyniczne przyjaciółki biorące zdesperowany odwet za lata upokorzeń. W takich zemstach jest coś zrozumiałego, ale też odstręczającego. W gruncie rzeczy zdradzające kobiety nie odbiegają poziomem od swoich „dupków". Ich potajemne romanse są właściwie głuchym krzykiem rozpaczy. Równie tandetnej jak sposób dotychczasowego życia, które je do rozpaczy przywiodło. Sama kiedyś tego doświadczyła. No cóż, ludzie są tylko ludźmi – wzdycha do swoich myśli. A życie jest tylko jedno. W dodatku najczęściej nas boli i przerasta. Szukamy chwilowej ulgi i jakoś się przez nie przemykamy – czasami z chaotycznie nadstawianym tyłkiem. Choć to krańcowa porażka. Hańba dla miłości, za którą tak tęsknimy.

Mateusz zaciska wargi, kiwa głową. Patrzy na nią z podziwem i prośbą w oczach. Joanna milczy wyczekująco. Ale on się nie odzywa. Odwraca wzrok, patrzy w górę, skąd dochodzą dziwne dźwięki. Niebo nad nimi przecina klucz dzikich gęsi.

ADAM

Lubi ją oderwać od Mateusza i ich wspólnego towarzystwa. Mieć przez chwilę dla siebie. Podarować ją samej sobie. Kiedy są razem, Monika staje się bardziej naturalna. Jej śmiech jest jaśniejszy, z twarzy znika napięcie. Nie słychać już tej histerycznej napinki w jej głosie. Czy chodzi o Mateusza? A może o Joannę? W ich towarzystwie Monika sztywnieje. Toczy niedorzeczną walkę z krytyczną, wymagającą samą sobą. Wypowiada pełne wahania, urywane w połowie myśli, jakby jej brakowało powietrza. Spycha siebie do wyimaginowanego narożnika.

Intelekt to nie jej siła. Nie żeby była głupia. Wręcz przeciwnie. Tyle że jej inteligencja pochodzi z intuicji. Mądrości niewydumanej, nieerudycyjnej. Najprawdziwszej, najbardziej kobiecej. Wdzięk, autentyczność bycia. Bo Monika, choć czasem sprawia wrażenie nieobecnej, intensywnie jest. A najbardziej, najpiękniej – *sauté*, w sosie własnym. Nieskażonym wyczytanymi w mądrych księgach przyprawami.

Jednak, ze szkodą dla siebie samej, upiera się udawać. Adam z utajoną wściekłością obwinia o to przyjaciela. Przeintelektualizowany głupek, zabawia się okrutnie w ambitnego Pigmaliona *à rebours*. Z pełnokrwistej, namiętnej kobiety rzeźbi zimny, alabastrowy posąg. Osądami krępuje jej naturalną prostolinijność. Nieświadomie ją dołuje, pogłębiając jej kompleksy. Tłumi jej temperament, naturalny apetyt na bardziej zmysłowe życie. Jest tak głupio niepewny siebie czy zazdrosny?

Bojąc się, że kogoś stracisz, właściwie go tracisz. Może świadomy tego Mateusz z takim lękiem sobie nie radzi. Więc osłabia Monikę. Podkopuje, prowokując jej zagubienie. A ona, im mniej pewna siebie, tym bardziej go potrzebuje. Usidla ją wtedy protekcjonalną troską dumnego posiadacza, który chce dla niej jak najlepiej. Bo ją bardzo kocha i taki rodzaj bycia z nią sobie wymyślił, i się go trzyma. A ona jego. Chce go zadowalać. Arogancki Pan Bóg, stworzyciel fałszywych, małżeńskich niebios i jego wdzięczna wyznawczyni.

Adam ma wrażenie, że wychodząc z Moniką na spacer, uwalnia ją z łańcucha. Brodzą niespiesznie w rozjaśnionym plamami słońca leśnym poszyciu. Lekko, uroczyście. Monika, kiedy nie musi mówić, trwożyć się o kształt i jakość następnej myśli, w naturalności odzyskanego luzu lśni. Oczy jej błyszczą, uśmiecha się tajemniczo i uwodzicielsko. Słowiańska Marilyn Monroe w rozkwicie dojrzałej kobiecości. Adam nie może oderwać od niej wzroku. Nie kryje zachwytu. Także zachwytu nad sobą, że się do takiego rozkwitu przyczynia. Odczuwa niemal fizyczny ból, że nie może jej wziąć za rękę, objąć.

Dotknięcie świętości. Czy o tym marzy, tego najbardziej potrzebuje? Uważa siebie za twardo stąpającego po ziemi realistę. Dalekiego od poetyckich uniesień, wysublimowanych wzruszeń. W swoim życiu odleciał może ze dwa razy. Niezapomniany, krótki przebłysk miłosno-magicznego zespolenia z Fanny w Londynie. Potem, znacznie później, ten natchniony tydzień z Joanną na Santorini. No i ostatnio, jakieś dwa lata temu, wspólna podróż z nią do Izraela. To był właściwie jej pomysł. Wiosna tamtego roku nie mogła się zdecydować. Joanna chorowała, paskudna grypa, potem przyplątało się zapalenie oskrzeli. Kaszląca, wymęczona, tęskniła za zmianą klimatu. Za ciepłem, słońcem. Wykupili wycieczkę do Ejlatu, nad Morze Czerwone. Najbardziej idiotyczne miejsce na ziemi. Przypominało rozgrzaną patelnię.

Niewielki port z wydzielonym spłachetkiem brudnej plaży, naćkany wieżowcami hoteli o obrzydliwej architekturze i złodziejskich cenach. Pełno pijanych, hałaśliwych Rosjan. Opalone na heban, uszminkowane dziwki, gangsterzy w jaskrawych podkoszulkach. Namolni naganiacze z wyżelowanymi fryzurami, wciągający do podejrzanych knajp i klubów. Setki kramików pełnych chińskich podróbek. Radosne dźwięki disco moscow, fałszywej, po kacapsku niefrasobliwej muzyczki. Nienawistne dla jego ucha tony, które pamięta jeszcze z dzieciństwa w komunie. Cyrkowy styl zakłamanego obywatelskiego szczęścia. Sowiecka propagandowa komedyjka pt. *Świat się śmieje*.

Gdyby musiał, z jakiegoś chorego powodu, wyobrazić sobie piekło... byłoby bliskie temu. Zalew tępoty, bezguścia i wulgarnego nuworyszostwa.

Rano idą do najbliższej wypożyczalni samochodów. Nie mija godzina, jak z uczuciem ulgi mkną klimatyzowaną mazdą przez pustynię Negew na północ Izraela. Po kilku godzinach żółtoszarej martwoty wjeżdżają do Galilei. Wita ich przyjazna, zielonosoczysta kraina łagodnych wzgórz opadających do Jeziora Tyberiadzkiego. Odsypiają poprzednią noc w przyjemnym hotelu i wczesnym rankiem wybierają się na spacer po Tyberiadzie. Nie ma upału, w powietrzu wibruje ożywczo krystaliczna cisza. Jest święto Paschy, miasteczko jeszcze śpi. Tylko ptaki śpiewają radośnie w koronach dorodnych drzew. Nad wodami jeziora, po którym ongiś przechadzał się Jezus, unoszą się mgły.

Usiedli na dużym, zanurzonym w toni kamieniu, blisko siebie, zapatrzeni milcząco w mityczny krajobraz. I wtedy nad wodami jeziora pojawia się tęcza. Oniemieli. Adam czuje na wargach słony smak łzy. Zaskakuje go i zawstydza przypływ uniesienia. Joanna siedzi wtulona w jego plecy, nieświadoma tego, co się z nim dzieje. Nie odwraca się do niej. Nie potrafi, może nie chce się tym podzielić. Upaja się trwaniem.

Być może jakaś część jego duszy, ta najlepsza, pozostała tam, nad tymi wodami. Wsiadają do samochodu i przez zamroczoną upałem, pagórkowatą Magdalę jadą do Kafarnaum. Droga wije się wśród szafirowych wzgórz, krajobrazy mają w sobie rajski, intymny majestat. Bije z tej krainy siła i łagodność. Adam czuje, że pochodzi stamtąd, z praziemi. Miejsca, z którego tak przemożnie emanuje miłość, światło, sens. Gdzie zbiega się istota bytu. Myśli, że to jego poruszenie musi mieć jakieś głębokie, osobiste powody. Odzywają się w nim żydowskie geny? Albo jest – czy mu się to podoba, czy nie – chrześcijaninem? A może kiedyś tu już mieszkał? Atrakcyjna, wobec nieuchronności końca, idea reinkarnacji objawia kusicielsko swoje poetycko-magiczne argumenty.

Wkrótce wraz z gromadą przybyszów z całego świata przechadzają się alejkami Kafarnaum. Zmęczeni upałem, przysiadają na trawie w cieniu oliwnego gaju.

– Jesteśmy wygładzeni jak prawdziwe baranki boże – szepcze do Joanny zapatrzonej w tysiącletnie, grubo ciosane kamienie świątyni. Mówi to z dozą odruchowej ironii, której użycia nie jest w tym momencie do końca pewny.

– Pewno tak czuli się pierwsi chrześcijanie – rzuca Joanna z uśmiechem. Na późny obiad jadą do oddalonego o kilkadziesiąt kilometrów ekologicznego kibucu. Duży stół na tarasie położonego w środku rozległego ogrodu. Harmonijna muzyka zapracowanych pszczół i rozleniwionych cykad. Tęgie kobiety natychmiast zastawiają stół dziesiątkami przysmaków. Przymilna paplanina jidysze mame, serdeczna zażyłość i chęć dogodzenia klientowi splatają się zgrabnie z cyniczną dbałością o żywotność interesu.

Wyczuwa w tej familiarności coś swojskiego. Przypominają mu się sceny z dzieciństwa, wyprawy z babcią na bazar Różyckiego. W chłodzie szarego jesiennego dnia grube, cwane baby w waciakach sprzedawały domowe pyzy. Pamięta ich bezczelną pewność siebie, wyszczekaną pogwarkę. Patrzył zafascynowany na ich tłuste, różowe paluchy. Wyłaziły jak ogromne glisty z wełnianych rękawiczek bez palców, liczyły banknoty, kroiły chleb, z podgrzanego we wrzątku słoika wydłubywały widelcem parujące pyzy. Układały je zręcznie na wyszczerbionych, niezbyt czystych talerzach. Prowizorka nikogo nie raziła, roześmiani klienci zajadali się daniem, stojąc w błotnistej alejce. Tłuszcz i skwarki skapywały im po brodach. Zapach przysmażonej cebuli rozchodził się po całym bazarze. Jeszcze po powrocie do domu Adam czuł go na ubraniu, we włosach. Obrzydzenie pomieszane z fascynacją. Praskie klimaty. Obco brzmiąca gwara, proletariacki naturalizm słów i gestów. Sekretna atmosfera podejrzanych geszeftów. Mętność półświatka handlującego luksusowymi towarami. Stosy francuskich kosmetyków, amerykańskich dżinsów, szwajcarskiej czekolady. Kosmiczne ceny, dobra niedosiężne w normalnych sklepach. Chłonął te skarby z szeroko otwartymi ustami, jak Alibaba w jaskini rozbójników. Wszystko na wyciągnięcie ręki, a jednak nieosiągalne. Bałamucące wyobraźnię odpryski przepychu. Nie być gorszym, mieć jak lepsi, żyć lepiej. Być lepszym.

Czy właśnie tam narodziły się jego ambicje? Czy były w nim od początku jako oczywista manifestacja odwiecznych polskich kompleksów? Fundament polskiej energii – walka o biologiczne przetrwanie, walka z poczuciem gorszości. Zdobiona od wieków w wielkopańskie gesty. Fasadowo-destrukcyjny sznyt szlacheckiego „postaw się". Pretensje, kompleksy. Maskowane i racjonalizowane patetycznymi gestami. Pseudożarliwością poglądów, pozerstwem luzu, szastaniem mądrościami. Cała ta wielkopańska degrengolada mentalnie skorumpowanych ludzi. Nieprzyzwoitych. Łaknących blasku i znaczenia – polityków, dziennikarzy, ludzi kultury. Żałosny tragizm takiego pajacowania od zawsze przeżera Polskę jak trąd.

– Familiarność trochę jak z filmów Felliniego – przerywa tok jego myśli Joanna.

Niestety, w odróżnieniu od włoskich lokali w tym kibucu nie serwują kawy. Właściciel restauracji żachnął się teatralnie, tak jakby kawa nie należała do świata wegetarian, jakby produkowano ją z tłuszczu zabijanych fok czy barbarzyńsko tuczonych gęsi. Adamowi zepsuło to świętą perfekcję dnia.

– No cóż, jak się nosi takie imię, to nawet w raju czekają człowieka niemiłe niespodzianki – żartuje kwaśno, popijając nanę, napar ze świeżej mięty.

Kelner z przepraszającym uśmiechem donosi kolejną paterę wykwintnych minideserków. Tłumaczy starannie akcentowanym angielskim, z jakich zrobione są owoców, na jakim miodzie, z jakimi ziołami... Troska (ocierająca się o granicę przesłodzonej namolności) dogodzenia ich podniebieniu, przypomina Adamowi dawne lata.

– Wyobraź sobie – opowiada znudzonej Joannie – rok osiemdziesiąty, jestem przejazdem w Toruniu. Głodny jak wilk zachodzę do hotelowej restauracji, gdzieś w centrum miasta. Starawy kelner podchodzi do mnie z entuzjazmem wieśniaka odrabiającego pańszczyznę. Na rękawie marynarki ma ogromną, czerwoną opaskę z napisem „Solidarność". Grzecznie go proszę o kartę dań. „Karta? Jaka karta?", warczy. „Jest pomidorowa i mielony".

– Tak – zgadza się Joanna. – Dorastaliśmy wszyscy w nędzy i upokorzeniu. Pamiętam tamtą beznadzieję i panoszące się wszędzie chamstwo. Ale powoli się z tego wygrzebujemy.

– Podróże czasem frustrują. Obnażają bezlitośnie, ile jeszcze mamy do nadrobienia – kwituje Adam z goryczą.

On the road. No właśnie. Podczas wspólnej podróży na kilka, nie dłużej niż kilkanaście dni stają się idealnym związkiem. Superzgranym, rozumiejącym się teamem. Może pomaga w tym sam ruch. Potęga własnowolnej, nieustannej zmiany. Magia nowych miejsc, barw, zapachów. Brak osaczającej rutyny. Dla Joanny to najważniejsze. Jest urodzoną nomadką, świadomą wewnętrznych kajdan eskapistką. Dla istot takich jak ona, nieznoszących tak zwanego normalnego życia, podróże są wybawieniem. Czynią ją lekką, wielkoduszną. Adam po kilku dniach świeżego zapału i udzielającej się od niej ekscytacji wpada w lekką apatię. Wszystko staje się męczące. Zwiedzanie, egzaltowana celebracja wyjątkowych miejsc. Skrycie marzy o powrocie do domu. O własnym łóżku, znanych mu od dziecka kształtach, miejscach, smakach.

Z wiekiem ta skłonność się pogłębia. Dobry kryminał w ogrodowym hamaku, cygaro pod ukochanym platanem... Albo tak jak dzisiaj – spacer po okolicznym lesie w towarzystwie Moniki. Zapach igliwia, butwiejących liści, dymu z ognisk. Błękitne sztylety bladego światła rozcinające korony rozpłomienionych drzew. Piękne witraże polskiej jesieni. Niech się schowają te wszystkie Bali czy inne Zanzibary.

Wracają do domu w zgodnym milczeniu. Monika idzie przed nim, zgrabnie omija wykroty, przeskakuje leżące gałęzie. Adam korzysta z okazji i wgapia się w jej atrakcyjny tyłek. Wysila przy tym umysł, aby ją przeniknąć. Zrozumieć jej uległość wobec Mateusza. Skąd to cholerne zatracanie się w drugim, nazywane szumnie empatią? Boską umiejętnością wczuwania się. Przecież jest oznaką słabości. Nie potrzeba się automatycznie dostrajać do drugiego. Niewolniczy adaptacyjny mechanizm zależności. Od pańskiej łaski, humoru. Tylko kobiety, istoty od wieków zniewolone, mogły to w sobie wykształcić. Ewolucyjna konieczność przetrwania. Kurewski dowód odwiecznego podporządkowania, które nadal podświadomie kultywują.

Jedyne prawdziwe feministki to lesbijki – przekonuje sam siebie z narastającą irytacją. Reszta to kury! Wystarczy, że masz ziarno w ręce i zakrzykniesz czule: cip, cip, cip... sypniesz im pod pazury. Zaraz zbiegnie się do twoich stóp całe stado, jeszcze się nawzajem o ciebie podziobią.

MATEUSZ

Ironiczny komentarz Adama, w którym wyczuwa nie-
chętną pobłażliwość. Nieprzeznaczony dla jego uszu. Słyszy go przypadkowo, przechodząc korytarzem do toalety.
Nie jest to czułe pokpiwanie dobrego kumpla, ale wred-
ne wyższościowe lekceważenie. Jasne, jego serial to żadne
dzieło sztuki, ale w porównaniu z innymi jest całkiem przy-
zwoity. Mateusz, jego autor, jest w tym pełnym podpitych
gości salonie jedynym, który może na ten temat ironizować.
Czasem pozwala sobie na autoszydercze komentarze. Ten
Adama o „przewidywalnym jak choroba terminalna ta-
siemcu" boli go do żywego. Adam wciąga wszystkich we
własny serial. Kolejny odcinek bezkrwawej, nie licząc dzie-
siątkującej przybyszów krwawej mary, „Bonanzy". Sobotni
wieczór w jego Ponderozie. Towarzystwo świetnie prospe-
rujących biznesmenów, ich eleganckich żon. Mateusz dobrze się bawił, ale komentarz Adama zepsuł mu humor.
Siedzi w kącie, rozparty w fotelu, spowity otoczką źle ma-
skowanej urazy. Nie pije alkoholu, dzisiaj prowadzi. Ziewa
ostentacyjnie, spogląda na zegarek. Luźna poza znudzonego patrycjusza z wielkomiejskiej bohemy. Czuje na ramieniu ciepłą rękę, omal jej z siebie nie strząsa.

– Dobrze się bawisz? – Głos Moniki zdradza, że jest już
nieźle pijana.

– Super! – Stara się nie zabrzmieć zanadto szyderczo.

– No to super! – Żona się ulatnia w tłumie gości.

Wychodzą po północy. Mateusz, milcząc, prowadzi samochód przez ciemny las. Włącza długie światła, przewidująco zwalnia. Obawia się spotkania z sarnami, przed którymi ostrzegają znaki. Monika, odchylona w fotelu, zrzuca ze stóp pantofle na obcasach. Chichocze do swoich myśli w euforii alkoholowego upojenia. Mateusz czuje jej gorący oddech przesycony ginem. Krótka spódniczka obnaża jej zgrabne uda. Kładzie na nich rękę, ona automatycznie je rozchyla. Ośmielony podjeżdża wyżej, dotyka jej majtek w kroku. Są wilgotne. Czuje wzwód, ożywcze uderzenie krwi, które wypiera kiepski nastrój. Przychodzi mu do głowy myśl, że nigdy nie kochali się w samochodzie.

– Kochałeś się kiedyś w aucie? – pyta Monika zdławionym z podniecenia głosem.

Mateusz szuka szerszego pobocza czy zatoczki, gdzie mógłby zaparkować. Po chwili reflektory oświetlają wąską, ubitą drogę przecinki prowadzącej w głąb lasu. Hamuje i skręca, po kilkunastu metrach się zatrzymuje. Wyłącza silnik.

– Chodź tu do mnie. – Obejmuje ją w pasie, całuje szyję. Gmera ręką w jej biustonoszu, czuje nabrzmiewający sutek.

– Czekaj. – Monika przerywa namiętnym szeptem. Odpina i zsuwa spódnicę razem z majtkami. Jest ciasno, ale udaje jej się umościć na siedzeniu bokiem. Wypina ku niemu wilgotny srom. Stara się przy tym nie zawadzić o rączkę zmiany biegów, sterczącą perwersyjnie w pobliżu obnażonego pośladka. Mateusz przygarnia jej biodra do siebie, wchodzi w nią. Wzdychają jednocześnie. Z ulgą jak para zwolnionych z cierpień męczenników. Dają się porwać rytmowi swoich ciał. Coraz mocniej, szybciej, głośniej, w skorupce rozkołysanego samochodu.

Finalna erupcja nagłego pożądania zaskakuje obfitością. Monika wygrzebuje z torebki jakieś skrawki papierowych serwetek. Wyciera się starannie.

– Chcesz? – Podaje mu wilgotny płachetek do ręki. Mateusz kładzie go delikatnie na penisie, jakby przytykał do otwartej rany. Odchyla głowę, zamyka oczy. Co znaczy ta nagła, niecierpliwa namiętność? Czy zazdrośnie znaczy swój teren? W jakimś biologicznie archetypalnym porywie upewnia ją i siebie o wzajemnej przynależności? Sklejeni miłosnymi sokami, ośmielamy się mówić: Moja miłość, moja miłość... moja bardzo wielka miłość!

Po półgodzinnej, szybkiej jeździe przez uśpione miasto docierają do Wilanowa. Cumują w przystani małżeńskiego łoża. Mateusz tuli głowę do poduszki. Nicość bezmyślenia wciąga go pospiesznie w sen. Pijana Monika kręci się w pościeli. Jej wyobraźnia kleci z powidoków i odczuć kuszącą kontynuację namiętnej zabawy. On nie ma na to ochoty. Trwożliwe rozważania, czy powinien to zamaskować. Czy jego niesforny wacek przystanie na tak wyśrubowane warunki. Przystanie – jakże odpowiednie słowo.

Pizda to ma dobrze! Mokra, wyczekująca dziura kojarzy mu się z nienasyconym jamochłonem. Ukrytym pod kępą ciemnorudego zarostu, zaczajonym pasywnie na biednego kutasa. Pełen obaw, ale i dobrej woli przykłada dłonie do jej gorących piersi. Niczym obowiązkowy, cierpliwy masażysta. Żona odwraca się do niego i przytula. Jej wdzięczna czułość go podnieca.

Budzi się przed świtem. Za oknem szarzeje. Monika pochrapuje, otulona kokonem kołdry. On bezszelestnie wychodzi z sypialni. Parkuje przy kuchennym stole, z kubkiem kawy w ręce. Papieros w drugiej byłby naturalnym dopełnieniem, ale zwalcza pokusę nerwowym pogryzaniem orzeszków.

Mowa ciała. Dla Mateusza, obsesyjnego deszyfranta ludzkich zachowań, to najbardziej wiarygodny, choć nie do końca czytelny kod pragnień i emocji. Nieustannie przygląda się ludziom, temu, co robią z własnym ciałem. Albo co ciało robi z nimi, bo są najczęściej siebie nieświadomi jak marionetki. Intrygują go miny, gesty, spojrzenia, uśmiechy, barwy głosu. Mikroświat, który prześwietla jak szpieg kamerą przenikliwego oka. Gromadzi w pamięci archiwum pożytecznej wiedzy, najmniej kwestionowanych przeświadczeń na temat ludzkości.

Monika w towarzystwie Adama ożywia się, poprawia fryzurę. Zazwyczaj wybiera miejsce naprzeciw niego. Widać, że go lubi. Dziecinna potrzeba wyłączności: patrz na mnie, mów do mnie, bądź tylko dla mnie?

– Chyba bardzo Adama lubisz? – nagabuje ją kiedyś Mateusz neutralnym tonem.

– Czemu pytasz? – odgradza się pytaniem, wykrawając kilka sekund na własną odpowiedź.

Taktyka cwanych terapeutów – odpowiadanie pytaniem na pytanie – jest jej zupełnie obca. Pewno kombinuje, co chciałbym usłyszeć – myśli Mateusz. Samcza próżność przesłania samczy, egotyczny niepokój. Czy powinien się pojawić?

Zazdrość. Z tym uczuciem Mateusz nie potrafi walczyć. Nie dopuszcza go do siebie. Był zdradzany przez eksżonę, zanim się rozstali. Oczywiście to on był wszystkiemu winny. Teraz jest w szczęśliwym związku z Moniką. Od kiedy pojawił się Adam, coś się zmieniło. A może wcześniej? Po raz pierwszy pozwala sobie na skrupulatną analizę jej słów i zachowań. Odszukuje w pamięci, układa cierpliwie jak rozsypane kawałki puzzli. Powoli wyłania się z chaosu fragment większej całości. Czuje tłumiony od pewnego czasu niepokój, wkradający się do żył smużką jadowitej trucizny. Powoli dociera do serca i go paraliżuje. Wkrada? A może łomoce do drzwi, a on zachowuje się tak jak te buddyjskie małpy zakrywające sobie oczy, uszy, usta.

Prawda, której nie chce sobie uzmysłowić, jest żałośnie prosta – jego żona zakochuje się z wzajemnością w jego najlepszym przyjacielu.

Co może z tym zrobić? Najłatwiejsze jest zaufanie. Do obojga. Wzajemna sympatia czy nawet silna fascynacja na granicy zakochania nie musi prowadzić do zdrady. Męska lojalność. Nie mówią o niej, nie ma takiej potrzeby. Na tym polega prawdziwa przyjaźń. Pewne rzeczy się wie, słowa są zbędne. Nie trzeba szumnych deklaracji, teatralnych gestów, żałosnej celebracji ściskających sobie ręce polityków. Solidność aliansu obejmuje, w oczywisty sposób, wzajemny respekt dla damsko-męskiego związku. Żona przyjaciela to świętość podobnie jak kochanka.

Mateusz żyje na tym świecie trochę lat, nie jest durniem. Zakazany owoc, jego obezwładniająca siła. Mityczne źródło wszelkiego zła na tej ludzkiej ziemi. Potęga libido. Jesteśmy w nie wyposażeni niczym rakiety w paliwo, zdolne wynieść w kosmos. To podstawa biologicznego trwania. O czym w ogóle mówimy? Zniewolenie biologią kontra ludzka przyzwoitość? Lepiej jednej i drugiej nie wystawiać na próbę.

Wierność, czy jej jakoś nie przecenia? Kobieta, którą wybrał z miliona innych, ma być lojalna. Czyli uprawiać seks wyłącznie z nim. Chodzi tylko o seks czy o inne rodzaje bliskości? Czy także o intymność, zaufanie, wyłączność uczuciową, oznaczającą, że kocha tylko jego.

Co to właściwie znaczy? Tylko jego pragnie? Tylko jemu oddaje swoje ciało, tylko jemu zwierza się z bolesnych tajemnic? Tylko przy nim czuje się spełniona, szczęśliwa, na właściwym miejscu?

Czy tak się czuje Monika? Mateusz tę pewność zgubił. Odpowiedzieć może tylko ona. Bałby się pytać. Więc ma powody do swojej niepewności. I nie chce ich usłyszeć, bo sam się do nich przyczynia. Jeśli nie jest z nim szczęśliwa, jeśli tego szczęścia szuka gdzie indziej, to jest to w pewnym stopniu jego własna wina. Być zazdrosnym, domagać się wierności, na którą się z wielu powodów nie zasługuje? Nie potrafi sobie poradzić z tą bolesną schizofrenią.

Bądź uczciwy, przynajmniej sam ze sobą! – napomina się przytomnie. Kolejna myśl rani. Mateusz przeczuwa, że nie zaspokaja Moniki. Jej niespożyte pokłady łapczywości, pragnienie wielokrotnych orgazmów. W miłosnym skowycie żony gdzieś na dnie jęczy rozczarowanie, nie do końca dobrze ukrywane: „Nie mam dosyć, chciałabym jeszcze". To budzi w nim mściwą nienawiść: „Chcesz, zdziro, to zaraz dostaniesz!". Wstyd powiedzieć, miewa fantazje o orgiastycznym seksie w trójkącie. Najchętniej z Adamem. Biorą ją we dwóch. On ostro od tyłu, Adam daje jej do buzi, potem zmiany, podwójna penetracja. Przyjmuje to prawie postać zbiorowego gwałtu, o jaki ona się właściwie cały czas prosi. Ssąc podczas stosunku jego kciuk, ponaglając krzykliwie: „Mocniej! Szybciej! Jeszcze!". Mateusz nie daje rady. Często właśnie wtedy, obawiając się przedwczesnego wytrysku, zwalnia tempo. Ma tylko jednego kutasa, tylko dwie ręce, stać go tylko na jeden orgazm dziennie. Jest od niej dwadzieścia lat starszy.

Nigdy ostatnio nie miał satysfakcjonującego poczucia, że zerżnął ją odpowiednio, do końca. Do wyczerpującego dna. Nie widzi tego, co chciałby zobaczyć – szczęśliwej, ogłupionej orgazmami, wdzięcznej samicy. Opuszcza pospiesznie rozbabrane łóżko z zastygającą na poduszce żoną. Na jej twarzy błądzi wyraz porzucenia. Rozczarowania? Obwinia siebie, że jej nie uszczęśliwia. Nienawidzi jej za kobiecą niemożliwą do zaspokojenia seksualność.

MONIKA

Wychodzi wcześniej do pracy, pod pretekstem inwenta-
ryzacji. Jedzie do Łazienek. Od czasu przeprowadzki do
Warszawy to jej ulubione miejsce. Ma nawet własną ławkę
nad stawem, z widokiem na pałac. Rano jest mało ludzi.
Wokoło pawie przechadzają się dostojnie, od czasu do czasu przejmująco pokrzykując. Uwielbia ten krzyk. Współgra
z jej własnym? Dzisiaj znowu obudziła się u boku męża nieszczęśliwa. Z niezaspokojonym głodem czułości. Można się
do tego przyzwyczaić? Pewno tak, ale czy warto?

Jerzego spotykała na międzynarodowej konferencji w Trój-
mieście, gdzie była hostessą. Co prawda on mieszkał
w Warszawie, ale często wpadał do Gdańska w interesach.
Był właścicielem kilku firm rozrzuconych po całym kraju.
Przystojny, kulturalny, w separacji z żoną „tuż przed nieuchronnym rozwodem". Po kilku miesiącach ognistego romansu sprowadził Monikę do Warszawy. Kupił dużą, wy-
godną kawalerkę, załatwił jej pracę w firmie u znajomego.
Niby mieszkali razem, ale Jerzy często znikał. Podróże
służbowe, no i sześcioletni synek, mieszkający z mamą, za
którym bardzo tęsknił. Córka kolejarza rozumie, że mężczyzna pojawia się i znika.
    Była zakochana. „Nieuchronny rozwód" się przeciągał.
Brak czasu, kłopoty z firmą, kłody pod nogi rzucane przez

sprytnych adwokatów jego byłej. Wierzyła mu i nie nalegała. Czekała cierpliwie. Nie było to aż tak trudne, bo niczego (poza jego stałą obecnością) do szczęścia nie brakowało. Nieźle zarabiała, ubierała się w modnych butikach, fryzjer, kosmetyczka. Dbała o siebie. Lubiła, kiedy Jurek kraśniał z dumy, że ma tak reprezentacyjną kobietę. W coraz częstsze samotne weekendy odwiedzała ojca, dawnych przyjaciół w Wejherowie. Chodziła ze znajomymi po modnych klubach. Dorabiała jako hostessa. Na luksusowych imprezach spotykała sławnych, wpływowych ludzi. Próbowali ją podrywać, obsypywali komplementami. Czuła się atrakcyjna. Prowadziła życie, o jakim zawsze marzyła jej wredna, zakompleksiona matka.

Potrafi długo tkwić w sytuacjach, które nie są dla niej dobre. Tego nauczyła się w młodości. Układać się tak, by mniej bolało. Jakby nie wierzyła, że potrafi coś zmienić. Mateusza poznała w trudnym momencie. Miesiąc wcześniej rozstała się z Jerzym, po ośmiu latach. Mimo obietnic, przeprowadzek, wspólnych wyjazdów i planów jej wspaniały kochanek porzucił ją i wrócił do żony. Popadła w depresję. Mateusz swoim entuzjazmem przywrócił ją do życia. Pokochała go, wzięli ślub, była szczęśliwa. Ale lęk przed porzuceniem tkwił w jej sercu. Ciągłe, utajone napięcie. Co myśli, kiedy nic nie mówi? Dlaczego jest taki smutny? Stawała na rzęsach, by czuł się przy niej szczęśliwy. Rozumiała go, często usprawiedliwiała. Starała się nie złościć, nie zrzędzić. Dla niego, dla bycia z nim traciła siebie. Czuła się gorsza i wadliwa.

Dzisiaj rano, na fali wzbierającego smutku, uświadomiła sobie swoją samotność. W trudnych momentach nie oczekuje od nikogo wsparcia. Nie chce być problemem. Woli odegrać pogodny nastrój. Nie chce się izolować, ale nie potrafi się obnażyć. Czasem czuje, jakby świat był sceną, a ona przyzwyczaiła się do występów przed publicznością. Nie tylko nie potrafi rozpoznawać swoich uczuć, ale obawia się o nich mówić. Jeszcze sprawi komuś przykrość. Ktoś się obrazi, odwróci, przestanie ją lubić albo, nie daj Bóg, pomyśli, że jest głupia albo przewrażliwiona.

Do jej parkowej ławki dosiadają się jacyś utyskujący staruszkowie. Wstaje, przechodzi kilkadziesiąt metrów do położonej w sąsiedztwie kawiarni. W cieniu dorodnych kasztanów wróble buszują za okruszkami, lądując bezczelnie na stolikach. Z krzaków migają rudymi kitkami płochliwe wiewiórki. Lubi to miejsce. Mroczny cień drzew. Intymność. Siada przy bocznym stoliku. Obok, tyłem do niej, dwóch pogrążonych w rozmowie młodzieniaszków.

– Problem w tym, że jesteś intelektualistą.

– Co to znaczy?

– Nie wiesz?

– Nie do końca. Chyba nie to, że za każdym razem, jak mam wolną chwilę, biorę książkę pod pachę i idę do kawiarni.

– No sam widzisz.

– Ale nie czytam.

– A co robisz?

– Rozglądam się za laskami.

– Normalne. Jesteś normalny facet. Ale książka leży pod ręką?

– Cały czas... oczywiście nie ciągle ta sama. Zmieniam.

– No to masz odpowiedź.

Podchodzi kelnerka. Młodzieńcy obcinają Monikę zaciekawionym wzrokiem. Widzi w ich oczach uznanie. Młodzi faceci, nieuchronnie wyrosną na dupków! A jednak uwielbia mężczyzn, nie wyobraża sobie bez nich życia.

Jerzy okazał się psychopatycznym skurwielem. Wytropiła Monikę jego żona. Nie żeby gnębić, tylko oświecić. Przyniosła całą dokumentację na temat męża: rachunki, zdjęcia, krótkie filmy. Monika przez te wszystkie miłosne lata była utrzymanką seksoholika. Nie jedyną. Jej facet nie wiódł podwójnego życia, raczej poczwórne. Polska to duży kraj, Jerzy miał firmy w Katowicach, Gdańsku, Poznaniu. Zapracowany biedak potrzebował ciepła, namiastki domu. Czy dom może mieć filie? Czemu nie.

Monika w to wszystko nie wierzyła.

Wtedy pojawił się Mateusz. Dobry rycerz z bajki. Po dwóch latach małżeństwa zamienił się w zionącego niechęcią smoka.

Czy ona ma życiowego pecha? Nierealistyczne oczekiwania? Nie chce od życia tak wiele. Szuka kogoś, kto ją zaakceptuje, zachwyci, rozczuli. Będzie zawsze przy niej i dla niej. Niestrudzony. Sobie też stawia wysoko poprzeczkę. Chce dobrze wyglądać, być miła, mówić właściwe rzeczy. Kiedy jej się nie udaje, jest sobą zawiedziona. Szuka wsparcia. Zawsze w mężczyźnie.

JOANNA

– Za nami tyle rozczarowań, Joasiu – wzdycha Adam.
Joanna przygląda mu się nieufnie, próbując odgadnąć, do czego zmierza.

– Twój życiowy realizm, ten, jak to nazywasz, brak iluzji, jest iluzją, która powoduje jeszcze większy głód iluzji – odpowiada łagodnym głosem. Widzi, że jej kochanek się krzywi.

– Nie dziwię się, że tak dobrze dogadujecie się z Mateuszem. On też dzieli każdy włos na czworo.

Siedzą u niej. Zaprosiła go na kolację. W kulinarnym wyrafinowaniu przeszła samą siebie. Przystawki o bajecznych formach i kolorach są miniaturowymi dziełami sztuki. Maleńkie zapiekanki z truflami, tartinki z prawdziwym kawiorem. Różowe krewetki obramowane koronkami majonezu na łódeczkach awokado. Zielono-złocista zupa z owoców mango, smakująca curry i posypana okruchami migdałów. Kaczka po seczuańsku. Tiramisu przekładane poziomkami. Wino z południowej Afryki o wysyconej barwie ciemnego rubinu.

Gawędzą niezobowiązująco. Pensjonaty Adama. Joanna je zna, bywali w nich kiedyś razem. Ten większy, mazurski, prowadzi wzorowo Andrzej z żoną Anną. Przyjaciel jeszcze z warszawskiego podwórka. Adam poratował ich kiedyś, gdy po pierwszym boomie lat dziewięćdziesiątych padła im firma reklamowa. Przyszli z prośbą o pożyczkę, dławiły ich kredyty. Pochodząca ze Szczytna Anka nienawidzi „pieprzonej warszawki". Marzy o przeniesieniu się na wieś. Propozycja poprowadzenia pensjonatu spada na nich jak gwiazdka z nieba. Odwdzięczają się solidną pracą i polotem biznesowej kreatywności. Pensjonat pod nieco pretensjonalnie prowokacyjnym szyldem Siedem Zmysłów („A ten siódmy to niby jaki?", goście często zadają to pytanie, na co Adam ze śmiechem odpowiada: „Zmysł do biznesu") przez cały rok tętni życiem. Ania wprowadziła system świetnie rozreklamowanych, atrakcyjnych szkoleń i konferencji. Z kolei Jędruś odkrył w sobie talent do gotowania. Adres staje się w pewnych kręgach legendarny. Adam, właściciel i pomysłodawca Siedmiu Zmysłów, spija w spokoju miodek. Uczciwe, pracowite pszczółki przelewają na jego konto spore sumy.

Gorzej się dzieje z pensjonatem śląskim. Szefuje w nim od niedawna inny przyjaciel. Nie tak bardzo trzeźwy, jak to Adamowi obiecywał, alkoholik.

– Muszę tam jutro jechać i zrobić porządek, wyrzucić tego kretyna. Poszukać kogoś na zastępstwo – zwierza się.

Joanna się nad nim nie roztkliwia. Adam prowadzi luksusowe życie rentiera. Opowieści o jego pensjonatach stały się nudne. Wątek jej sympatii do Mateusza jest bardziej interesujący. Zastanawia się, jak do niego wrócić. Delikatnie poszperać, może coś ciekawego z Adama wydłubie. Widzi, że coś się z nim dzieje. Topnieje w przyspieszonym tempie jak arktyczny lodowiec.

Zmiany klimatyczne w duszy kochanka. To jest ciekawe. A nie prawdziwe czy urojone kłopoty jego firmy. Czy to objaw czegoś istotnego? Czego? Jego osobistych problemów, realnego zagrożenia przyszłego bytu? Śmiechu warte.

Jak faceta nie zbywać, skoro skarży się i puszy? Prześlizguje nad tym, co w życiu naprawdę ważne. Nad sensem, głębszymi uczuciami. Nad istotą bycia. Mami ją i siebie pseudoproblemami i pseudorozwiązaniami. Prymitywnie zakłamany światek polskich mężczyzn. Jak bardzo można się dać upodlić, by udawać, że w życiu chodzi tylko o kasę i władzę? Egzystencjalne półgłówki.

– Polska to niemożliwy kraj – nagle odzywa się Joanna. – Czy ci się to podoba, czy nie, nurzasz się bez przerwy w trywialnej toksynie.

Adam prostuje się w krześle osłupiały. Kto jak kto, ale ona bardzo dba o to, aby żyć w swoim szczęśliwym wyalienowaniu. Polska obchodzi ją akurat tyle co zeszłoroczny śnieg. Chce jej odpowiedzieć, otwiera usta, ale Joanna wstaje.

– Wiesz co, Adam, chodźmy do łóżka!

ADAM

Nie może sobie pozwolić na akceptowanie jej oskarżeń. Zresztą ona już ich nie formułuje jasno i konkretnie pod jego adresem. Domyśla się powodów, dla których przestała. Odkryłaby wtedy przed nim swoją bezbronność.

Czuje, że oboje są przez nią szantażowani. Bez argumentów, samo jej cierpienie jest wystarczająco obciążającym, niewypowiedzianym aktem oskarżenia. Reszta to ostrzeżenie: „Nie podchodź, nie dotykaj!". To budzi w nim niepokój i złość. Paraliżuje ludzkie odruchy. „Zostaw mnie samą, choć okrutnie się męczę, ale nic tu po tobie. Jesteś zbędny w tej swojej idiotycznej litości pozbawionej wyczucia". Samotnie wściekła. A on samotnie rozżalony. Nie wie, czy jest zła za to, że coś zrobił, czy że czegoś nie zrobił? Może za to, że jest tępy i nieczuły?

Nie znosi jej pokręconego sadomasochizmu. Nie wie, o co w tym chodzi. Nie rozumie szarego świata Joanny. Pozacierane znaczenia. Rozmazane kontury. Bolesna magma, ćmiąca we łbie jak migrena. Niesprawiedliwe traktowanie drugiego człowieka. Przeklina dzień, w którym pierwszy raz napotkał szalony błysk jej zielonych, kocich oczu.

Od czasu do czasu z Joanną dzieje się coś dziwnego. Opuszcza świat i siebie. Znika z powierzchni, wkopuje się pod ziemię, do swoich tajemnych korytarzy, jak spłoszony kret. Adam obserwuje z boku jej nieporadną krzątaninę, której ona za wszelką cenę usiłuje nadać pozór artystycznej pasji. Nie, nie ujmuje jej talentu ani wagi jej dokonaniom. Obrazy Joanny traktuje z szacunkiem, podziwem nawet. O ironio! – właśnie wtedy, gdy ma dla niej coś cennego, intymnego, ona staje się niedostępna.

– Czy mogę coś dla ciebie zrobić? – wyrywa się z beznadziejnym pytaniem.

Ucieka w sprawstwo, w konkretną aktywność. Nie radząc sobie z czyimś bólem, uśmierza własny. Jeśli nie potrafi czemuś zaradzić, nie potrafi tego znieść. Chce od tego uciec. Joanna właściwie ma rację, twierdząc, że on myśli tylko o sobie. Więc w takie dni krąży wokół niej cierpliwie, zredukowany do delikatnych gestów. Zanosi pocztę ze skrzynki pod drzwi jej pawilonu, wiesza na klamce świeże pieczywo, nabiał z pobliskiego gospodarstwa. Myje jej samochód, podlewa ogród. Wysyła znaki czujnej gotowości, oszczędne, informacyjne SMS-y: „Jajka masz na ganku", „Gdyby coś, to jestem u siebie". Cierpliwa pozycja *stand by*. Szlachetna rezerwa rozumiejąco-nierozumiejącego przyjaciela. Najwyższy rodzaj człowieczeństwa, na jaki potrafi się zdobyć.

Gesty obcych, sąsiadujących ze sobą plemion. Przypominają sceny z westernu *Tańczący z wilkami*. Skwapliwość Costnera, gdy wciska Indianom worek cukru, przekonując namolnie, jak apetyczną szykuje im frajdę. I dla kontrastu ta milcząca powściągliwość indiańskiego wodza. Oszczędny gest, jakim rzuca mu w podzięce drogocenną wyprawioną skórę pod nogi. Czy podobnie zachowuje się Joanna? Rzuca mu do łóżka swoją skórę?

Po tylu latach nadal się taksują, testują. Zjednując sposobami, którymi nasiąkli w odległych galaktykach swojego dzieciństwa. „Chcesz ją uszczęśliwić, uczyń ją zadowoloną z samej siebie!" – przypomina sobie obiegową mądrość na temat kobiet. Efektowne aforyzmy, pozorne prawdy kojące popierdoloną ludzkość. Mity o kobietach i mężczyznach, interpretowane nienawistnie przez różne dżenderowe cipcie. Obnażanie patriarchatu, męscy oprawcy. Patetyczna walka o płciową niepodległość. Przebudzone waginy mogą sobie monologować do końca świata. Nic i tak z tego nie wyniknie, poza wyrzygiwaniem swojego ocipienia! Nie znosi polskich feministek. Mądre kobiety, a feministek za takie nie uważa, nie kierują się w życiu negatywnymi emocjami, niechęcią. To nie pozwala na zbliżenie. Na wyważone, dociekliwe studiowanie obiektu swojej nienawiści.

Nic dziwnego, że pozostają na zdystansowanym poziomie arystokratek. Naturalna ciekawość, akceptacja staje się wyuzdaniem. Feministki międlą w nieskończoność kilka stereotypowych inwektyw na temat samca. Pospolicie skretyniały nie czuje, nie czyta, niewiele kuma. A przede wszystkim nie chce wiedzieć. Musiałby wtedy się zmienić, zrozumieć kobietę, którą – takim właśnie nieuświadomionym sobą – niezmiernie krzywdzi. Fanatycznie antymęska i antyintelektualna postawa. Jeszcze jeden dowód pasywnej kobiecej bezmyślności, zadowalającej się emocjonalnymi sztonami.

Poglądy zamienione w osądy. Bezustanne konfrontacje, prymitywne sprzeczki. Wszystko w oparach nadaktywnego szaleństwa. Tak samo debilne i skuteczne jak potrząsanie grzechotką nad głową dziecka. Feministki. Mieszanina rozpaczy i upokorzenia. Czego właściwie chcą, domagając się uwagi i zrozumienia od „idiotów"? Zrozumieć kobietę, negując własną męskość? Opłakane skutki dżenderowej rewolucji. Aseksualne, trzymające się za rączki, zrośnięte główkami rodzeństwo! Jałowy rodzaj międzypłciowego braterstwa. Rozumiejąca przyjaźń lesbijek z pedałami. Ich wrodzona, chora perspektywa. Adam potrafi uczciwie przejrzeć siebie, swoje męskie libido. Tyle w nim agresji. Lęku przed waginą, kastracją, impotencją.

Odmienność, a to jest esencja kobiecości, nieodparcie budzi fascynację maskującą lęk. Cóż tam kobiecość, odmienność drugiego człowieka! Ledwo rozpoznany, nieznacznie dotknięty stopą kontynent bliźniego. Z jego resentymentami i pragnieniami. Nieprzenikniony labirynt cudzego umysłu. Statki na oceanie nieświadomości. Nieporadne wymachiwanie chorągiewkami w uzgodnionym alfabecie Morse'a. Żałość pytań: Skąd jesteście? Dokąd płyniecie?

Spotkanie z kobietą jest łatwiejsze. To rzucenie się wpław do fizycznej bliskości. Ciepła, zapachu, smaku ciała. Wilgotna lepkość chwilowej symbiozy. Poza słowami. Poza meandrami kodów, interpretowanych na miliony sposobów znaczeń. Nad którymi nie zamierza się głowić. Mistycyzm takich spotkań, smak przygody.

MATEUSZ

– Powiedz: czy ty jesteś szczęśliwy?

Monika zastrzeliła go tym nieoczekiwanym pytaniem. Zadanym ot tak, z pozornie naiwną prostolinijnością prowincjonalnej cwaniary. Co ma jej odpowiedzieć? Kto dzisiaj jest szczęśliwy? Chyba tylko jacyś narcystyczni durnie na kokainie. I to zaledwie przez moment. Szydzić bezradnie każdy może, pieprzyć słodkie farmazony też.

Mateusz za wszelką cenę chce być trzeźwy. Staje się wtedy oschły, nieufny. Kiedy pije, budzi się w nim beztroska. Pokusa despery, czegoś w rodzaju *Take a walk on the wild side*. Przestraszony, walczy z ochotą świrowania. Szalonego odreagowania kibucu dzieciństwa, rodzinnego domu obłąkanych? Niszczy go utajony gniew, który potrafi spacyfikować tylko bólem. W przeciwnym razie musiałby kogoś zabić. Kogo? Własnych rodziców? Szlachetnie umartwia samego siebie.

Chroniąc się przed światem, samym sobą, pisze powieść. Nadaje jej pretensjonalny tytuł: *Voodoo child*. Bohaterem jest niejaki Abe. Dziecko dwojga hipisów, młodej Niemki Marii von Schiktel i Holendra Petera Ruudego. Los jedynaka, w którym ma się odbijać i przeglądać europejska historia ostatnich lat. Trochę jak *Forrest Gump*, tylko mniej groteskowo.

Jego Abe przychodzi na świat w 1968 roku na wyspie

Isle of Wight podczas trwającego tam słynnego festiwalu muzyki rockowej. Kiedy pojawia się Jimi Hendrix i zaczyna tym słynnym riffem (z użyciem przystawki wah-wah) swój utwór *Voodoo child*, Maria von Schiktel pogrążona w krańcowej ekstazie dostaje porodowych skurczów. Przeniesiona niemal na rękach przez zahipnotyzowany muzą tłum do wyjścia, gdzie ma podjechać karetka. Leży na trawie w ramionach kołyszącego ją i siebie partnera. Reszta idzie piorunem, a raczej z wodami spływającymi na ręce Petera (byłego studenta medycyny w Amsterdamie, a teraz heroinisty i skołowanego ojca). Pierwsze krzyki Abego zagłusza wrzask wielotysięcznej, zaćpanej wspólnoty.

Maria pochodzi z małego miasta południowych Niemiec, zapadłej dziury w okolicach Monachium. Jej ojciec, ponury alkoholik, bił ją i napastował seksualnie. Matka umarła, kiedy Maria była mała (popełniła samobójstwo; wódka + rohypnol = wieczność, dość popularna w tamtych czasach kombinacja indywidualnego „ostatecznego rozwiązania"). Wychowuje ją Ewa, babka ze strony ojca. Kreatura nie lepsza od swojego pojebanego synalka. Autorytarna faszystka, przechowująca z pietyzmem najeżony krzyżami i medalami mundur męża, poległego pod Stalingradem „w obronie cywilizacji europejskiej".

Maria ucieka z domu, kiedy tylko kończy osiemnaście lat. Marzy o morzu i ukochanym malarstwie Vermeera. Gdy wgapia się w reprodukcje jego obrazów, świat wraca do ładu. Nasycona fiołkowym światłem intymność pozwala znosić horror. Z Vermeerem przed oczami zawiesza się w harmonii spokojnego trwania. Dla Marii to wybawienie, emanacja kosmicznego ładu, który przeczuwa i do którego tęskni.

Przenosi się do Holandii. Przemieszkuje w hipisowskich komunach Amsterdamu. Oddaje się za odrobinę ciepła, za skręta z haszem, czyjeś natchnione słowa o nowym, lepszym świecie. Peterowi robi się jej żal. Jest taka krucha pod warstwą hinduskich kolorowych szmat. Łazi z nią cierpliwie po muzeach, poi ciepłymi ziołami. Chcą sypiać tylko ze sobą, zostają za to wyrzuceni z komuny. „Zawłaszczając siebie, łamali normy wolnego współżycia". Dostają pokój na jakiejś farmie, Peter pomaga właścicielom przy hodowli tulipanów. Na mniejszą skalę marihuany. Wieczorami Peter z Marią siedzą objęci, słuchając Boba Dylana. Marihuaną głuszą poczucie nieszczęścia. Maria zachodzi w ciążę. On nie chce słyszeć o dziecku. Ona w amoku macierzyńskiego świra. Przestaje palić trawę, zaczyna się racjonalnie odżywiać.

– Jak się powiedziało miłości A, to trzeba powiedzieć B! – tłumaczy mu rozpaczliwie. – A jak ci się nie podoba, to spadaj! – grozi.

Peter wzrusza ramionami, stoicko pyka fajeczkę z haszem. W końcu przytula się do jej pęczniejącego brzucha.

– I co ty na to, chłopcze? – zagaduje. – Naprawdę tak chcesz do tego kurewskiego świata?

Kiedy dzidziuś za bardzo się w niej rozkopie, śpiewa mu cierpliwie mantrę *Hare Kryszna, Hare Rama*. Trochę jakby na złość Marii nazywa dzieciaka AB. Tak już zostanie – po urodzeniu rejestrują chłopczyka pod dziwnym imieniem Abe.

To jego historię Mateusz upiera się opowiedzieć. Konstruuje poplątany życiorys. Rysunki postaci wypełnia kolorami emocji, charakterów. W tle buduje kulisy historycznych wydarzeń. Kontrkulturowy ruch provosów w Amsterdamie, akcje Czerwonych Brygad, powstanie i dzieje skinheadów, ruch Greenpeace, prowokacje niemieckich neonazistów. Cierpliwy, znudzony Demiurg. Czasem porywa go wymyślona akcja. Zapomina wtedy o sobie i całym świecie jak rozemocjonowane zabawą dziecko. Zdania pączkują, kark sztywnieje nad laptopem. Kiedy podnosi się w końcu znad biurka, nie może się wyprostować. Skurczony groteskowo karakan, truchta pospiesznie do łazienki.

Życie, które tworzy, nad którym panuje. Życie, które nie może go zranić ani dotknąć, upokorzyć. Przejmująca i bezpieczna kombinacja fikcji. W których się pławi, na które się luksusowo zżyma. Czyż każdy z nas nie żyje w jakiejś realnej fikcji, którą sam tworzy? Jesteśmy jej autorami i aktorami. Widzami własnych dramatów. Ważna świadomość, rytm i proporcje. Nie można ich zwichnąć, za bardzo przywiązać się do którejś z ról. Większość ludzi to szamocący się na scenie życia aktorzy. Chaos i bezustanna improwizacja. Brak reżysera, scenariusza. Nakazy podświadomości niczym podszepty pijanego suflera. Nudny, brzydki happening amatorów.

– Nie jesteś głodny? – Monika uchyla drzwi do sypialni, gdzie siedzi na łóżku podparty poduszkami, z laptopem na kolanach.

– Wróciłaś? Nie usłyszałem, kiedy weszłaś...

– Spaghetti za pięć minut – oznajmia Monika rzeczowym tonem. Wycofuje się. Nawet nie zdążył się jej przyjrzeć, zorientować, w jakim jest nastroju. Przygotować? Właściwie do czego? Do codziennego kontaktu z własną żoną?

Siedzą przy kuchennym stole. Ona nieprzerwanie gada: Kasia to, Justyna tamto. Baśnie z tysiąca i jednego dnia. Magiczny sposób, w jaki jej opowieści, unoszone nieprzewidywalnymi podmuchami nastrojów, przynoszą ze sobą te wszystkie kolorowe obrazy z jej codzienności. Sceny, sytuacje, konteksty. On własnym okiem w ten kręcący się kalejdoskop zagląda i po swojemu go odbiera.

Zagaduje go opowieściami domowej Szeherezady. Odwleka własną śmierć (w tym wypadku symboliczną), czyli jego odtrącenie? Czy taka jest uniwersalna prawda tej baśni? Chodzi w niej o brak emocjonalnej bliskości między mężczyzną i kobietą? O egzystencjalny dramat kobiety – „istnieję, dopóki mnie męskie oko widzi, męskie ucho słyszy, męski umysł zaciekawiam, męskie serce poruszam"?

Wszystko na użytek podtrzymania więzi. Stosownie dostrajając siebie. Dobierając tematy, sposób mówienia, akcenty, timing.

Kłamliwe bajki dla niegrzecznych chłopców. Od wystraszonych, niegrzecznych dziewczynek. Codzienny, nieświadomy mozół na rzecz trwałości związku. Od pewnego czasu męczy ich oboje.

MONIKA

Zaczyna Mateuszem gardzić. Naczynia połączone – kiedy narasta niechęć, maleje potrzeba szacunku. Wyrządza jej krzywdę, której nie może mu wyrzucić. Okrada ją bezkarnie z czegoś, bez czego życie traci blask. A ona nie umie nic z tym zrobić. Gadając mu o innych, właściwie milczy o sobie. Nie, to nie tak, że jest niewart tego, żeby mu coś tłumaczyć. A może jednak? Sama się już w tym gubi. Boi się nieuchronnej katastrofy.

Czy jest od niego, od bycia z nim uzależniona? Pogarda to w istocie słabość rozżalonego, który nie potrafi się uwolnić. Niemoc bezradnego, który jest na pogardzanego skazany.

W pogardzie Moniki jest rozczarowanie. Ból odtrącenia niewyrażany wprost. Mateusz pozbawia ją nadziei, gwałci pragnienia. Miał być inny. „Czy to ja jestem ta dawna, której obiecywałeś, czy nowa, która nie ma prawa być zawiedziona, bo przecież ty się nie zmieniłeś?". – „Przecież zawsze taki byłem". A może jej się nagle otworzyły oczy? Co daje odwagę, żeby zobaczyć inaczej? Komentarze przyjaciółek, opinie z lektur. A może umocnił ją zachwyt Adama? Jej zachwyt nim. Obnaża wszystkie braki Mateusza i daje pewność siebie. „Stać mnie na kogoś lepszego".

Nie lubi takich myśli. Złości się na siebie, kiedy odkrywa, że nie jest taka szlachetna, jaką udaje. Boi się zła, które w sobie przeczuwa. Co z nim zrobi, kiedy zacznie z niej wyłazić, triumfować, nie daj Bóg, przejmować władzę? Dlatego stara się kierować sercem. Szkopuł w tym, że serce nie ma kości, szkieletu. Żadnego kręgosłupa. Może w tym właśnie największy problem. Rytmiczne pulsowanie trwania, zaburzane nawałą uniesień, niespełnionych tęsknot, zapaściami samotności.

Najważniejsze to się nie bać – przekonuje sama siebie Monika. Nie gnębić negatywnymi uczuciami. Jak mówi terapeuta jej przyjaciółki Justyny: „Sztuka życia to być dla siebie dobrym interpretatorem!". No właśnie. Jest bystra, energiczna, ładna. Może żyć, jak chce. Ufać sobie. Nie musi się trzymać Mateusza jak bezradna dziewczynka. Codzienność z mężem można zreformować, wykroić więcej wolności dla siebie. Ma do niej święte prawo. Kobiecy strach przed niezależnością jest też strachem przed zazdrością, przemocą ze strony mężczyzny. Bo faceci czują się aktywnością kobiet zagrożeni.

Przypomina sobie humory Mateusza, kiedy ona gdzieś na dłużej wychodzi albo, nie daj Bóg, wyjeżdża. Szalał, ukrywając agresję do niej pod maską zimnej obojętności. Fałszywy pocałunek na pożegnanie. Czy jej potrzeba własnego życia naprawdę mu zagraża? Obnaża jego egocentryczną pustkę. Jeśli jej mąż woli trwać w apatii niż przyznać się do słabości, to jego sprawa. Ona nie może stać się zakładniczką jego pokręcenia. Nie odpowiada za nie. Nie chce dłużej być jego ofiarą.

A jeśli Mateusza już nie kocham? – pierwszy raz w życiu dopuszcza do siebie taką myśl. Coś jest na rzeczy – prawdziwa miłość nie wymusza tłumaczeń. Nie poszukuje wyjaśnień, nie szuka usprawiedliwień. Jest raj, nie ma winy, nie ma winnych. Jest błoga nieświadomość oczu szeroko zamkniętych. Albo bezbolesne poświęcenie: robię to dla niego, bo go kocham. Wtedy ból z powodu czyjegoś egoizmu, czyjejś nieczułości nie pojawia się. A jeśli nawet, to jest natychmiast zagłuszony, osłodzony romantycznie – oczywi-

stym wyrzeczeniem na rzecz drugiego. Co podbija i dowodzi miłości: muszę go bardzo kochać, inaczej bym tego nie
zniosła. Masochistyczna, perwersyjna pułapka! Można kochać „dlatego że", ale można kochać też „pomimo". Sama
miłość to za mało. Trzeba się czuć z jej powodu dobrze, nie
tylko cierpieć.

ADAM

Ewentualna niewierność kobiety go nie dręczy. Erotyczna lojalność? Nigdy nie jest żadnym dowodem ani potwierdzeniem czegokolwiek. Jeśli mu w ogóle do czegoś jest potrzebna, to raczej do utwierdzenia go w przekonaniu, że jest lepszy od innych. Lojalność kobiety odbiera po swojemu – jest dowodem jego wyjątkowości.

Jednak ewentualna niewierność Joanny, rywalizacja z innymi o własną „najlepszość" nie zaprzątają mu głowy. Czyżby sama rola kochanka, dawcy i biorcy erotycznej ekstazy, przestała mieć znaczenie?

Już nie łaknę seksu jak dawniej – odkrywa któregoś dnia ze zdziwieniem. Podobnym do tego, jakiemu towarzyszy wypatrzenie pierwszej siwizny, zadyszki na półpiętrze. Poprzedniego dnia odpuścił jakiemuś młodziakowi pospieszające zganianie go reflektorami z lewego pasa. Niewiarygodne, spokojnie zjechał na prawy, dając wyprzedzić swojego mocarnego jeepa jakiemuś opelkowi.

Pierwsze objawy starzenia? Siedzi samotnie w kawiarni ogródka jordanowskiego przy alei Niepodległości. Lubi to miejsce. Modernistyczna architektura przysadzistego budynku chroniącymi ramionami obejmuje park. Otwarta brama wejścia. Po bokach sympatyczne knajpki. Duże parasole bez reklam zacieniają proste, wygodne meble. Zaciszna, odgrodzona od ulicy enklawa. Przed nim kilkanaście klonów, zacieniających plac zabaw. Młode matki, pochylone nad swoimi pociechami, wypinają kusząco tyłki. Opięte szorty, krótkie spódnice... Jeszcze do niedawna jego wzrok łowcy ślizgał się po nich łapczywie. Dzisiaj chętniej zatrzymuje się na ruchliwych figurkach dzieci. Przygląda się im z czułością. Świadomość, że nie będzie nigdy dziadkiem, boli. A właściwie dlaczego nie mógłby zostać ojcem? Ma przecież zaledwie pięćdziesiąt sześć lat. Wiek ludzkiego życia bardzo się wydłużył. Mógłby, dbając o zdrowie, towarzyszyć swoim dzieciakom do ich dorosłości. Ma znajomych, którzy zaczynali jeszcze później. Wyobraził sobie dwójkę roześmianych własnych dzieci. Z Joanną o rodzinnych planach nie mogło być mowy. Od kiedy dowiedział się o tragicznej śmierci jej córeczki, nie poruszali tematu. Zresztą w czasie ich separacji pojechała do berlińskiej kliniki i poddała się zabiegowi sterylizacji. Powiedziała o tym znacznie później, już w czasie ich „nowego dealu", kiedy zostali sąsiadami i przyjaciółmi.

– Podwiązałam sobie jajniki – oświadczyła sucho, kiedy z jakiegoś powodu poruszył temat jej antykoncepcji.

– Aha – odparł zszokowany treścią i formą komunikatu.

Niedawno Mateusz zwierzał mu się, że po rozwodzie z Krystyną i opuszczeniu Matyldy nie chcę już więcej dzieci.

– Nawet nie wiesz, jakie przeszedłem piekło. Może nie znam siebie zbyt dobrze, ale jednego jestem pewny, nie nadaję się na ojca.

– Monika o tym wie?

Mateusz wzrusza ramionami. Adam to dobrze zna. Ciężar nierozwiązywalnego konfliktu. Przemoc stanowczej odmowy, niszcząca w zarodku wizję szczęśliwej rodziny. Dla partnera to brutalna informacja o inwalidującej na resztę życia chorobie. Z którą należy się pogodzić. Albo odejść.

A może nadszedł czas, aby coś w swoim życiu zmienić? Dotychczasowy patent się wyczerpał, już nie działa. W ostatnim czasie do lotu podrywali go wyłącznie Mateusz i Monika. Joanna, burzliwie układana z nią trudna, żeby nie powiedzieć: niemożliwa, damsko-męska przyjaźń – to już nie był ten obsesyjny *drive* co kiedyś. Już nie budził się rano z jej imieniem w głowie. Z pomysłami, jak ją uwieść, czym zaskoczyć, uszczęśliwić. Odzyskana przyjaźń Mateusza jest cennym darem losu. Jeśli gdzieś są strzępki prawdy i sensu pozwalające opierać się absurdowi, to w takiej bliskości. A Monika? Czuje dławienie w gardle. Myśli o niej. Perspektywa spotkania, rozmowy. Takie silne, takie nowe...

Brakuje mu prawdziwej pasji. Opędza się od uczucia egzystencjalnej czczości. Sam siebie podkręca klaskaniem w dłonie. Rutynowe, fałszywie energiczne ruchy trenera zagrzewającego chłopaków przed wyjściem na boisko. Jak miliony przed nim i miliony po nim próbuje pobudzić się do codziennego działania. Udaje przed sobą, że dokądś biegnie po wyimaginowane zwycięstwo. Kasa, seks, alkohol, dobre samochody... Na trasie wyciągają się do niego ręce pełne wysokokalorycznych dopalaczy, bez których ten morderczy wyścig nie trwałby długo.

Od kiedy pamięta, chciał być bogaty. Kupić sobie wolność i dostatnie życie. Zaczął skromnie – stragan z płytami, potem dorzucił tam książki. Wkrótce otworzył własny, niewielki sklep – antykwariat ze starymi i nowymi płytami na zapleczu Nowego Światu. To dobry punkt. Miał dużą klientelę, poznawał masę zakręconych ludzi: obsesjonatów, artystów, narwanych panienek, wyprzedających się ze wszystkiego alkoholików i narkomanów. Potem założył wypożyczalnię wideo. W latach dziewięćdziesiątych ludzie dostali amoku na punkcie zachodnich filmów. Odrywały od stresu wielkich zmian, dawały posmak luksusu. Oglądane we własnym domu, na własnych prawach, dowolnie przewijane i powtarzane, wciągały narkotycznie. Interes kręcił się jak złoto. Poznał wtedy innych ludzi – policjantów, biznesmenów, gangsterów. Bezkrytyczna miłość do Rambo czy Terminatora, bez granic ani podziałów. A on, Adam, znawca i dostarczyciel rozkoszy, budził powszechny szacunek i sympatię.

Przerzucił się na pralnie chemiczne. Ludzie ubierali się w kosztowne, coraz lepsze ciuchy. Nie potrafili, nie mieli czasu ani głowy, aby się o nie odpowiednio zatroszczyć. Najczęściej odwiedzały jego pralnię zamożne kobiety. Zestresowane bizneswoman, rozkapryszone żony zamożnych facetów. Intratny interes stał się źródłem ekskluzywnych kochanek. Wystarczyło pachnieć old spice'em, pochylić się ze znawstwem i czułością nad ulubioną spódnicą. Wywabić obrzydliwą plamę z trendowej marynarki.

Świetne czasy, sam biznes rutynowy i nużący. Niezbyt prestiżowy. Pralnia, brzmi trywialnie. „Pierzesz tam pieniądze?" – dowcipkowali znajomi. Poszedł na całość, otworzył trendową knajpę w Śródmieściu. Jego Patelnia stała się ulubionym miejscem spotkań dziennikarzy i polityków. Znał niemal wszystkich. Był na topie.

Gehenna wczesnego kapitalizmu. Szantaże mafii, horror skorumpowanej od góry do dołu biurokracji, presji, nacisków. Polskie piekło układów i układzików. Samobójstwo wspólnika. Własny alkoholizm. Pod koniec tej wspinaczki miał skórę grubą jak nosorożec. Poruszał się swobodnie na tej do cna przegniłej planecie sukcesu. Nic go już nie dziwiło. Nic go nie ruszało. Ale czuł się wyjałowiony. Znudzony i zbrzydzony warszawką. Wpadł na pomysł pensjonatu. Chciał się odciąć, odetchnąć świeżym powietrzem. Całą kasę wpakował w Siedem Zmysłów. Może czasem traci zapał, ale nigdy nie traci nosa do interesów. Strzał w dziesiątkę. Otworzył drugi pensjonat w okolicach Babiej Góry. Czy tam właśnie jest jego ostateczna meta?

A może jej nie potrzebuje? Jest biegaczem uzależnionym od samego biegania. Nakręcony (chorą?) ekstraenergią jak ten różowy królik z reklam baterii Duracell. Kiedy patrzy na siebie z boku, ogarnia go pusty śmiech. Fale zniechęcenia spychają do rowu. Położyć się na trawie, zagapić w obłoki, oddychać. Ale podróże go męczą, kobiety po jakimś czasie nudzą. Kumple nie są zabawni ani potrzebni. Nie potrafi się nigdzie, w niczym zatrzymać. Łaknie ciągłych zmian, na usługach władczej adrenaliny. Zagłuszającej co? Samotność długodystansowca?

Nie potrafi chłonąć. Chce zarządzać, budować, kontrolować. Zmierzać. To chyba jest słowo klucz. Dzisiaj nie bardzo wie gdzie, nie bardzo wie po co.

MATEUSZ

Wścieka go napięty jak struna penis. Wierny jej sługa. Lojalny w tej swojej psiej, niewolniczej gotowości. Mateusz, jego niby-pan, leży przy Monice w bezsenne noce i walczy z pokusą ostatecznej rezygnacji. Ale wystarczy, że dotknie żony, poczuje wibrujące ciepło jej pośladka, potulny wacek reaguje momentalnie bezkrytycznym obrzmieniem. Napalony dureń. Irytująca niekompatybilność. Umysł dryfuje w negatywizmie, rozważa, jak się „po angielsku" wymknąć z nudnej imprezy życia, a ten palant, jakby dla kontrastu, budzi się do działania! Gotowy do radosnego spółkowania, euforycznej *Ody do radości*.

Mateusz czuje się świadkiem zmagań mitycznych tytanów. Dwa potężne instynkty toczą w nim odwieczną walkę. Jego wola i świadomość nie mają nic do powiedzenia. Skuty łańcuchami o ogniwach tyle niejasnych, co ostatecznych, miota się w pościeli. Nachodzi go perwersyjna ochota, żeby w Monikę wejść, nie budząc. Jakby to jej nie dotyczyło. Chce jej tylko użyć. Skorzystać z pizdy dla własnej rozgrywki ze śmiercią. Uśmierzyć egzystencjalny ból. Samotność u jej boku. Niedostępna dostępność. Przytula się do niej bolesnym wzwodem. Ma jednak nadzieję, że się obudzi i zagarnie go w swoje kojące ciało. Po chwili odsuwa się od niej z rozczarowaną złością. Godziny zmagań, podniet, nadziei. Poczucia absurdu. Fantazji o płatnej dziwce czy zawsze dostępnym androidzie. Wciskasz guzik i piękna blond lala szepcze ci do ucha rozmarzonym altem: „Nie możesz spać, najmilszy? Może się pokochamy?".

Monika nigdy się nie budzi. Nie okazuje erotycznej empatii. Czasem zamruczy coś jękliwie. Może jego karesy przywołują w niej erotyczne sny. Poszczęściło mu się raz, na wakacjach w Hiszpanii. Ocknął się w środku nocy z uczuciem rozpływającej się po całym ciele błogości. Leżał z odrzuconą kołdrą, a jasna głowa Moniki unosiła się i opadała miarowo w okolicach jego bioder. Upłynęło kilka sekund, zanim zdał sobie sprawę, że ta przyjemność płynie z jego penisa. Otaczające go miłe, wilgotne ciepło to głodne usta jego żony. Onieśmielony cudem tamtego gestu, nie potrafił o nim wspomnieć. Pytać, dochodzić. W analitycznych dywagacjach cała magia pryska. Nie chce rozmawiać o seksie. Nie przez zawstydzenie czy brak słów. Delikatna aura ulotnego uniesienia przypływa instynktownie. Faluje niewysłowiona. Analiza tęczy go nie interesuje. Nie liczy też na półsenne przyzwolenie. Półświadome, wilgotne rozchylenie. „Wejdź we mnie, gościu... siądź pod mą lipą... rozgość się w cipie". Czułe zaniepokojenie bezsennością partnera. Monika nie jest też seksualnym robotem, który można bezceremonialnie uruchomić. Nacisnąć guziczek w pilocie: *oral*, *anal*, *vagina intense* czy *vagina medium dry*.

Mateusz wymyka się bezszelestnie z małżeńskiego łoża i przenosi na sofę w salonie. Otwiera laptop i wyszukuje strony z porno. Przegląda urywkowo setki filmików, z których wybiera najbardziej naturalnie pierdolące się pary. Lubi, jak pościel jest niebieska, blondynka ma wypukłe czoło i małe piersi. Jęczy w miarę naturalnie, a ruchający ją facet nie jest obrzydliwcem w tatuażach. Zaledwie kilka skromnych warunków, a – mimo zalewu filmików – trudnych do spełnienia. Wacek współpracuje spolegliwie niczym starorzymska gawiedź, podnosząc lub opuszczając kciuk. W końcu godzą się na jakiś filmik. W pracowitej harmonii ręki, oka i umysłu Mateusz uwalnia napięcie. Wypływ letniej konsystencji wchłanianej przez spodnie piżamy. Nareszcie można zasnąć. Samotność nieobywania się bez miłości czy jeden z nieseksualnych sposobów korzystania z seksu? Nazbyt intymny i egoistyczny, by domagać się w tej kwestii przyzwolenia albo zrozumienia od kobiety.

Na pewno nie kobiety pokroju Moniki. Z nią nawet tak zwany chybcik nie jest możliwy. O szybkim, spontanicznym seksie nie ma mowy. Sucha i nieprzystępna, w dzień i w nocy. Rozgrzewa się coraz wolniej, wymaga coraz dłuższych i czulszych zabiegów gry wstępnej. Walka o wilgotną gotowość. Benedyktyńska praca nad jej orgazmem. Mateusz traci miłosną motywację.

Przejęty sobą, odsuwa się w poczuciu urazy. Ona tym bardziej chce czułości. Błędne koło. Miłosna tkliwość musi mieć swoje źródło. Nie jest nim głowa. Intelekt jest chłodny, nastawiony na korzystną wymianę. Czułość jest dobroczynnym darem bezwarunkowej serdeczności. Duchową pieszczotą bez zobowiązań, intencji. Niemal bez namiętności. Zbliża się długi weekend. Adam namawia ich na wspólny wypad do Siedmiu Zmysłów. Mateusz się waha. Gdyby nie gderająca Monika, nie ruszyłby tyłka z domu. Joanna odmawia, nie siląc się na żadne usprawiedliwienia. Po prostu nie ma ochoty.

– Nie mam na nią żadnego wpływu – tłumaczy Adam. – Żyje całkowicie po swojemu.

– To jednak imponujące. – Mateusz wyraża podziw dla konsekwencji kochanki przyjaciela.

– Jest upartą egotyczką, i tyle – kwituje bezceremonialnie Adam. – Nie zamierzam jej przekonywać. To już było, namowy, okresy obojętności. Ona znosi to o wiele lepiej. – Śmieje się gorzko.

W końcu wyjeżdżają na kilka dni do luksusowego spa. Ale sami, bez Joanny i Adama. Nuda obnażonej pustki, jaka wyrasta między nimi, kiedy muszą dzielić się wspólnym czasem. Udają przed sobą, że cieszą ich rowerowe przejażdżki, nasiadówki w jacuzzi, romantyczna kolacja w stylu slow food w opustoszałej restauracji. Mateusz ma gest. Macha na wszystko przyzwalająco ręką, nie liczy wydatków. Jakby za chwilę się miał skończyć świat. Może się właśnie kończy? Ośmielona Monika korzysta z kosztownych masaży, upiększających zabiegów. Wraca z nich urzeczona jak z pozaziemskich podróży do krainy piękna.

Kobieca próżność nasączona naiwną głupotą. Czyżby naprawdę wierzyła w te wszystkie nachalne ściemy o cudownych właściwościach antywiędnięcia, antybrzydnięcia? Terror strachu przed utratą urody, starzeniem. Miliony kobiet (czy to naprawdę jest w ich życiu najważniejsze – podobać się?) nabierane przez pomysłowych cwaniaków. Ludzkość ogłupiona lękiem przed śmiercią, przemijaniem. Bombardowana reklamami. Rozjuszona zdjęciami pięknych kobiet i mężczyzn z elity. Wszystko coraz bardziej żałosne, niepoczytalne.

Mateusz dekuje się z laptopem w kawiarni. Nie potrafi się jednak skupić. Obserwuje gości, podsłuchuje rozmowy. Większość dotyczy żarcia: co zjedli, na co mają ochotę, co lubią zjeść. Czasem jest o piciu: co pili, czego by się napili. Inne tematy to zakupy i ubrania: w czym się dobrze czują, co im się podoba. Te najbardziej wyrafinowane są o tym, gdzie byli i co widzieli: stary kościółek, zamek, ruiny... albo co zamierzają zwiedzić: pobliskie, urocze miasteczko, ryneczek z podcieniami.

Sprowadza się to wszystko do mniej lub bardziej konsumpcyjnych gustów. Przypomina strony Facebooka. Krótkie, najwyżej dwu-, trzyzdaniowe stwierdzenia. Aprobujące komentarze, wzajemne nagradzanie się lajkami. Zamożni, dbający o siebie Polacy. Elita klasy średniej. Życie umysłowe ograniczone do dylematów: kupię – nie kupię, lubię – nie lubię, warto – nie warto. Nie dostrzega ani jednej interesującej twarzy. Źle ubrane i jeszcze gorzej uczesane, tęgie kobiety. Nieporadnie walczące z tuszą. Babo, nie żryj wieczorem jak sfrustrowana, ochlasz się czerwonego wina i zaczyna ci być wszystko jedno – ma dla nich klarowną w prostocie, darmową poradę. Ich towarzysze życia. Nadaktywni, łysiejący faceci ze smartfonami w garści. Rozglądający się na boki, jakby ich ktoś śledził.

Intryguje go milcząca para. Są w średnim wieku, mają kilkuletniego synka, kręcącego się między stolikami kawiarni. Ona, urodziwa blondynka, blada jak śmierć, w ciemnych okularach przeciwsłonecznych. Gwiazda filmowa na odwyku. Facet rudobrody, z wodnistymi oczami psychopaty. Przypomina podoficera z niemieckiego U-Boota. Ubrany w biały T-shirt, z wielkim napisem „Bensin" na plecach. Synek plącze się między nimi, zagaduje. Odpowiadają mu półsłówkami. Mateusz przygląda się im spod przymkniętych powiek. Kobieta wychodzi bez słowa. Pozostawia na stoliku nietknięte lody. Facet patrzy za nią wzrokiem bez wyrazu, zapala kolejnego papierosa. Synek nie reaguje, chyba przyzwyczajony do takiego zachowania mamy.

Tego samego dnia, po południu, Mateusz spotyka ich na basenie. Matki z nimi nie ma, ojciec i synek moczą się w jacuzzi. Ale osobno, w sąsiadujących basenikach. Po chwili wahania wybiera ten z chłopczykiem. Zanurza się po szyję w ciepłej wodzie, pyta grzecznie, czy może włączyć bąbelki. Malec kiwa głową. Mateusz wciska guzik, zanurza twarz w kaskadach musującej piany.

Ojciec chłopca patrzy na nich obojętnie, wychodzi z wody i kieruje się do leżaka po hotelowy szlafrok. Ma na plecach spory tatuaż. Gdzieś na wysokości nerek wydziarany faszystowski orzeł. Synek nie idzie za ojcem. Uparcie moczy się z Mateuszem w pianie. Zagląda mu w oczy, szukając z nim kontaktu. Mateusz czuje się nieswojo. Wychodzi z wody, wyciera się pospiesznie ręcznikiem, wycofuje do przebieralni. Nie chce wracać do pokoju, decyduje się na kolejną kawę. Na tarasie kawiarni siedzi samotnie matka chłopca. Jeszcze bledsza (o ile to możliwe) niż przed południem. Wygląda na wyssaną przez wampira.

Co się dzieje między tymi ludźmi? Widzi ich nienawistne, miłosne zaplątanie. Zagubienie malca, rozpaczliwy labirynt jego uczuć. Niewinny cherubinek w małżeńskim piekle rodziców.

Mateusz wspomina pierwsze wczasy z matką nad morzem w Międzyzdrojach. Jest w wieku tego chłopca, może mieć sześć lat. Biały dom wczasowy, okolony kolumnadą. Gwizd przejeżdżających pociągów ze Świnoujścia. Zapach przypalonej zupy mlecznej. Czerwone sukno na schodach, luksusowo tłumiące kroki, przybite w tajemniczy sposób złotymi guzami do kamienia. Beztroski śmiech sąsiadki za ścianą, energicznej, śniadej brunetki. Dołeczki w policzkach jej pyzatej córeczki, równolatki Małgosi, z którą mu przyszło spędzić te dwa tygodnie. Niemal dzień i noc. Zabawowe mamusie szybko łączą swoje interesy. Co druga, trzecia noc dla każdej wolna. Pamięta te wieczory przed zaśnięciem, towarzystwo pulchnej Małgosi. Jej włosy pachniały budyniem. Była miękka, miła w dotyku.

Szczęśliwe matki godzą się na dziecinne fanaberie. Codzienne lody, plażowe piłki, łopatki, wiaderka, latawce. Tylko helikopter za drogi, mama odmawia stanowczo. Płacz. Sympatyczny pan rusza mu na ratunek. Fundator zabawki, jego „nowy wujek", towarzyszy im do końca wczasów. Mama bardzo go lubi, dobrze się czuje w jego towarzystwie. Wniebowzięta, roześmiana. Wujek jest dla niego czuły i opiekuńczy. Daje mu potrzymać wędkę na molo, zabiera do wesołego miasteczka i na długą przejażdżkę prawdziwym okrętem.

Mateusz tęskni za ojcem. Ale wtedy czuje chłód, kłopotliwy cień rodzinnej, męskiej lojalności. W małej główce roi się od myśli i uczuć. Część ich nie jest przyjemna. Mama nie powinna trzymać wujka za rękę, kiedy idą na spacer plażą. Kiedy leżą razem na kocu obok siebie, bez przerwy się dotykają. Wujek dał się kiedyś zakopać w piachu po szyję. Mateusz chce do końca, sypie mu piachem na głowę. Matka go powstrzymuje histerycznymi krzykami.

Niemiły osad dławi w gardełku. Czuje się nie w porządku. Daje się przekupywać. Wewnętrzny instynkt podpowiada mu, że wszyscy zachowują się niewłaściwie – mama, wujek, on sam. A także mama Małgosi i ich nowy wujek – często spędzają czas na plaży w szóstkę. Kiedy on z Małgosią robią zamki z piasku, mamy z wujkami grają w karty albo w coś innego. Smarują się nawzajem olejkami. Poklepują, obejmują, ukryci za palisadą z gałęzi i ręczników w głębokim grajdole. Jest tam wesoło, chichotliwie. Brzdąkają butelki z piwem, gra tranzystorowe radio. Kiedy wracają do Warszawy, mama jest smutna. Długa podróż w przepełnionym pociągu. Towarzyszy im nowy wujek. Środek nocy, nie ma taksówek. Idą ciemnymi ulicami, wujek dzielnie targa ich walizki. Docierają do ich oświetlonego dużą latarnią podwórka i wtedy mama mówi, ściszając głos: „To tu, tutaj mieszkamy". Choć jest jeszcze ze sto metrów do ich klatki schodowej, żegnają się. Wujek całuje mamę po rękach i we włosy. Szepczą, ona płacze.

Jest w tym wszystkim coś dziwnego. Nastrój jakiejś tajemnicy, osobliwej konspiracji. Wujek znika w mroku. Mama, stękając z wysiłku, dźwiga walizy do drzwi. Otwiera im rozbudzony ze snu ojciec. Ma na sobie pasiastą piżamę i przylizane włosy, ściśnięte pod ciasno przylegającą do głowy czarną siateczką. Całują się z mamą radośnie. Ojciec ma uszczęśliwioną twarz.

Przed chwilą tuliła się równie czule z wujkiem. Właściwie obcym panem, który dyskretnie wycofał się w noc. Dlaczego nie chciał się spotkać, poznać tatusia? Zachował się jak złoczyńca, jakby robił coś złego. Mama rozpromieniona chwali się swoją opalenizną, obnaża ciało. Tata klepie ją po pupie. Mateuszowi każą maszerować do łóżka. O wujku nie wspomina nigdy nikomu. Instynktownie rozumie, że powinien trzymać język za zębami. Odczuwa pogardliwą nieufność do wszystkich dorosłych.

Wobec matki czuje coś w rodzaju fascynacji i głęboko tłumionego obrzydzenia. Coraz lepiej odczytuje powtarzające się oznaki jej, wobec ojca, niewierności. Kiedy tata wyjeżdża (dwa, trzy razy w miesiącu kilka dni w służbowej podróży), mama wychodzi. „Do kina, teatru, odwiedzić znajomych". Wieczorem pojawia się u nich jedna z zamówionych cioć, która ma położyć go do łóżka. Matka na długo przed wyjściem zamyka się w łazience. Mateusz słyszy przez drzwi odgłosy kąpieli, szum suszarki do włosów. Delikatne, posuwiste odgłosy maszynki, którą goli sobie nogi. Matka nuci przy tym lubieżnie. Przeboje Szczepanika – „Kochać, jak to łatwo powiedzieć", Sławy Przybylskiej – „Pamiętasz, była jesień... staruszek portier z uśmiechem dawał klucz...". W mieszkaniu unosi się duszący zapach acetonu, którym zmywa stary lakier z paznokci. Przy oknie w kuchni („tutaj najlepsze światło") odbywa godzinny rytuał makijażu. Mateuszowi udziela się podniecające napięcie. Podpatruje natchnioną cierpliwość matki malującej sobie rzęsy. Rozdziela je, jedna po drugiej, zaostrzoną zapałką. Nakłada na powieki warstwy zielonego czy niebieskiego tuszu, pudruje nos. Szminkuje wydatne wargi. Nie daje mu już rytualnego całusa na pożegnanie, żeby go nie usmarować pomadką. Nachalnie przytulający się do niej synek może zepsuć efekty wielogodzinnych zabiegów.

W przedwyjściowym zamieszaniu jest mnóstwo napięcia. Radości, grzesznego poczucia winy. Dionizyjskiego, erotycznego rozedrgania. Złej i dobrej energii, od jej nadmiaru odczuwał mdłości. Wydany na pastwę nudnej, gapiącej się w telewizor ciotki, obłudnie nim przez chwilę zainteresowanej. Współczujący ojcu, któremu matka tak bezczelnie przyprawia rogi. Pogardliwie na niego wściekły. Zaniedbując matkę i syna, ojciec skazuje go na męską nielojalność. Na upokarzające sekundowanie puszczalskiej matce. Kurwie, którą ubóstwia. Którą gardzi. O którą jest śmiertelnie zazdrosny. Której, w takich momentach, szczerze nienawidzi.

Teraz czuje podobnie, ilekroć Monika szykuje się do wyjścia na coraz częstsze „spotkania z przyjaciółkami". Towarzyszy temu podobna atmosfera szczególnego, niespokoj-

345

nego poruszenia. Zamyka się na długo w łazience (picuje się tak dla koleżanek?). Chmura perfum, warstwa ochronna kremów. Krzątanina kogoś, kto chce coś ukryć. Kto nie do końca ma czyste sumienie. Mateusz wyczuwa to instynktownie, robi mu się od tego niedobrze.

Siedzi przy komputerze, niby pracując nad powieścią. Udaje tolerancyjnego partnera, przyjmującego w naturalny sposób, że jego żona potrzebuje się spotkać z ludźmi, rozerwać. A jest, mówiąc prawdę, odrętwiały i sam nie wie, co w takiej sytuacji powinien czuć i myśleć. Wypytywać, gdzie idzie? Z kim? Dlaczego? Spokojnie się godzić? Ostrożnie upewniać? Prostolinijnie ufać? Zawistnie, małodusznie protestować? Zazdrośnie, paranoicznie się wkurwiać? Lekceważąco machnąć ręką? Sprytnie uniemożliwiać, rywalizować propozycjami? Po cichu sabotować? Wpychać się samemu do towarzystwa? Proponować alternatywy? („Może zaproś znajomych do nas?"). Wspaniałomyślnie rozumieć? Małostkowo się urażać? Neurotycznie nie projektować? Przesadnie się tym wszystkim nie przejmować?

Jak z tego wybrnąć z twarzą, bez narażania na szwank rozumu czy męskiej dumy? Głęboko upokorzony, syczy do siebie z nienawistną, mściwą satysfakcją: „Leć, leć, goń się, suko!".

Zasługuje na taki, podobny do ojca los? Nie umiejąc jej uszczęśliwić tak, jak by chciała. Ale czy ona na pewno na to zasługuje? W takich chwilach nienawidzi jej i siebie. Pogrążają się w beznadziejnej rozgrywce, w której nie ma nic do wygrania. Można osuwać się w bagno bez dna. Nie chce tak żyć. Nie chce Moniki stracić, nie potrafi się dla niej zmienić. Nie wie, czego ona od niego naprawdę chce.

A może jest kolejną nieszczęśliwą kobietą, zagubioną w obłędzie sprzecznych uczuć i pragnień, rojącą sobie naiwnie, że można zjeść ciastko i mieć ciastko. Gdy tymczasem wpieprza jakieś okruchy zebrane z pańskiego stołu. Ulepione w kulę oszukańczej „bajadery", z wierzchu polanej czekoladą namiętności. Jak to na początku każdego romansu. Czy się do tego przyczynił? Czy to jego wina, że nie jest Adamem? Nie wydziela identycznych feromonów, nie zarabia takich pieniędzy, nie ma tej samej lekkości braku skrupułów, tego poczucia humoru nadwiślańskiego „desperado" bez czci i sumienia.

Wściekłość na Monikę. Może to gniew na kobiety narastający w nim od dziecka? W dorosłym życiu niezawodnie nakazujacy mu wybierać na partnerki zdradliwe kurewki, usprawiedliwiając jego pierwotną, słuszną nienawiść. Kolejna puszczalska poszła w las – myśli. Już nie musi trwać w nieznośnej frustracji, licząc dni i godziny, aż kurewskie szydło wyjdzie z worka.

ADAM

– Kocham samochody – wyznaje bez cienia zażeno-
wania.

– Kochamy zazwyczaj to, bez czego nie potrafimy się
obejść – zauważa sentencjonalnie Mateusz. – W gruncie rzeczy to poczciwa strategia.

– Czasem takich rzeczy nienawidzimy – rzuca trzeźwo
Adam.

Od zawsze miał słabość do samochodów. Wolność i poczucie kontroli. Bezruch w wygodnym fotelu i szybkie
przemieszczanie się w przestrzeni. Krajobrazy, zmiany tem-
pa, zawieszenia w czasie. Medytacyjny niemal stan skupienia. Obecna nieobecność, w której przemierza latami setki
tysięcy kilometrów. Popijając kolejną kawę, zmieniając płyty czy radiowe stacje. Jeśli jest miejsce, w którym czuje się
najlepiej (nie w kobiecie), jest to fotel kierowcy.

Centrum dowodzenia. Królewski majestat samozwań-
czego tronu. Imponuje samemu sobie gracją na drodze. Elegancka brawura precyzyjnych mikroruchów. Intuicja bystrych, przewidujących (jakby nadwidzących sytuację)
zwolnień, ósmy zmysł hamowań. Wciskający w fotel odjazd
przyspieszeń. Jego nowy jeep reaguje na rozkazy z wrażliwym, niemal wzruszającym oddaniem. Upojna radość ste-
rowania coraz droższymi, coraz bardziej wyrafinowanymi
maszynami. Arabskie wierzchowce, z którymi się po swoje-

mu zżywa, pieści przydomkami. Tkliwie dba o urodę i kondycję kolejnego nabytku.

Polska miłość do pojazdów. Postsarmackie pospolite ruszenie na zatłoczonych drogach. Odwieczna kawaleryjska fascynacja „jazdą". Stadne otumanienie ruchliwych, wiecznie kombinujących Polaczków. Tłumnych indywidualistów. Niewolników pośpiechu, miłośników niesubordynacji, przepychania się, wymuszania, porykiwania. Maniackiej, nadwiślańskiej krzątaniny początku XXI wieku. Sam jest jej twórcą i uczestnikiem.

Gna niecierpliwie na Śląsk dopilnować interesu. Właściwie to teraz jego jedyne zajęcie – łatanie nielicznych dziur pojawiających się w poszyciu jego luksusowej łodzi. Żegluje swobodnie na Wyspy Szczęśliwe. Ale gdzie one właściwie są? Jego busola wariuje. Nie zwalniając, wyjmuje z przegródki płytę Pet Shop Boysów. Popowa rafinada. Finezyjne aranże i magiczny wokal Tennanta. Jest w nim coś chłopięcego, pedalsko wykwintnego. Londyńskie klimaty. Pachnąca zwiewność życia z tamtych lat. Światła dyskoteki, puls basów, zapach perfum. Podniecony tanecznym transem, rozerotyzowany tłum. Euforia i świadomy ulotności wszystkiego, cierpliwy ból.

Wtóruje płycie, nucąc *Being boring*. Myśli o Monice. To przez nią czuje się jak drink Jamesa Bonda: wstrząśnięty, niezmieszany. Spotkali się kilka razy w Warszawie. To był jej pomysł. On sam nie ma skrupułów wobec przyjaciela. Są dorosłymi ludźmi, każdy ma prawo do własnego życia. Jak Monika układa to sobie z Mateuszem, nie jego sprawa. Jedno jest pewne – nie jest z nim szczęśliwa. Myśli poważnie o rozstaniu. Miłość. Co to takiego właściwie jest? Adam w nią od dawna nie wierzy. To jakiś mityczny stwór. Zwierzoczłekoupiór: instynkty, poplątane ludzkie emocje i jakieś odpryski kosmosu, nieodgadnionego braterstwa dusz. Ludzie za tym czymś tęsknią. Opisują, gonią, potrafią się z jego powodu zabijać. Niektórym udaje się go schwytać. Hodować cierpliwie w klatkach swoich serc. Jemu nie jest to dane.

Ważne jest samo życie, nie romantyczne dyrdymały. Monika jest trzeźwą kobietą. Realistką tak jak on. Wyobraża sobie ich wspólną przyszłość. Ona odchodzi od Mateusza, wyjeżdżają razem do pensjonatu na Śląsk. Ta jej idiotyczna praca w butiku, zwykłe hodowanie frustracji i żylaków. Marnowanie luksusowej kobiety. Jak ten pacan Mateusz mógł na to pozwolić? Jej doświadczenie, uroda, nienaganny styl hostessy... idealna menedżerka Siedmiu Zmysłów. On sprzeda Ponderozę. A Joanna? Co z Joanną? Słyszy w wyobraźni strzępki nieuchronnego dialogu:

– Co cię właściwie łączy z Joanną?
– Wieloletnia przyjaźń.
– Sypiacie ze sobą?
– Zdarza się.
– A gdybym cię poprosiła, żebyś przestał?
– Musiałabyś mi podać jakiś powód.

WEDŁUG MATEUSZA

Zdaje sobie sprawę z własnego wyrachowania: ewentualny romans Moniki jakoś mu się opłaca. Jest miła, spolegliwa. Nagroda za niewierność? O ile do niej doszło. Dręcząca niepewność nie opuszcza go ani przez chwilę. Woli to niż cios nieodwołalnego werdyktu. Przypomina chorego z objawami postępującego nowotworu, odsuwającego lękliwie wizytę u specjalisty. Związane z nią ryzyko prawdy. W momentach nieznośnej desperacji, złagodzonej kilkoma drinkami, fantazjuje o zatrudnieniu detektywa. W dzisiejszych czasach technika tak poszła naprzód, że śledzenie kogoś stało się dziecinnie proste. Przegląda w necie strony ze sprzętem. Nagrywarki w długopisach, maleńkie elektroniczne pluskwy podpinane do torebki czy ubrania. Minikamerki, podsłuchy, podglądy. Wszystko dostępne, łatwe w obsłudze. Pełna gwarancja efektu. Zdrada żony w najlepszej jakości *high definition*.

Ale czy chce znać prawdę, zamkniętą w twardych konkretach słów i obrazów? Czy woli ją odsuwać, karmiąc się wątpliwościami. Już w dzieciństwie zdzierał sobie strupki, boleśnie podważając paznokciem. Nadrywał stopniowo, sycząc, dmuchając na rany, rozkrwawiając, wysysając krew. Mażąc nią dziwne figury na udach czy przedramieniu. Kiedy boli, ma nie boleć, by za chwilę bolało. Wszystko na własne życzenie, pod kontrolą. Obłaskawiał cierpienie, od którego i tak nigdy nie będzie potrafił uciec? Nawet niewierność Moniki może mieć zalety. Jeśli nie chce od niego odejść, skazana na kłamstwo ukrywa prawdę w najprostszy sposób – usypiając jego czujność pseudonormalnością. Odpłaca niecne uczynki przymilną, seksualną dostępnością. Nie musi już upokarzająco starać się i zabiegać o nią, jak to było ostatnio. Monika oddaje mu się chętnie, podejrzanie bezwarunkowo. Skończyły się marudzenia o brak czułości za dnia, wkurwiające krygowanie się księżniczki, masaże stóp. Nie ma walki z postępującą oziębłością. Batalii o trudno pojawiającą się wilgotność, przedłużania gry wstępnej do granic zniechęcenia.

Jest chętna, wilgotna, gotowa do penetracji. Reaguje niczym czujna gejsza na każdy przejaw gotowości sztywniejącego penisa. Pomysłowo aktywna. Po seksie odprężona, zadowolona. Marzenie każdego normalnego faceta. Niezakłócone niepokojem o to, czy ją wystarczająco zadowolił, czy się sprawdził. Czy jej orgazm był prawdziwy. Prawdę mówiąc, Mateusz ma to gdzieś. Usprawiedliwiony z egoizmu zadbania głównie o własną frajdę (bez przesady – zawsze lojalnie czeka na nią z własnym orgazmem), bardzo się w łóżku wyluzował. Ale pierdoli ją z mściwą satysfakcją. Pragnie zadać ból, doprowadzić do poddańczo-upokarzającego zatracenia: a masz! a masz! a masz! Jej paznokcie wbijają się w jego falujące biodra. Słyszy jej, ogołocone z dumy, błagalne szepty. Zredukowana do kopulacyjnego amoku suka. Sponiewierana i ogłupiona. Liże jego palce, wysysa resztki spermy, wgryza się w ramiona. Mateusz traci poczucie realności. Wola, pamięć, powinności, niepokoje, zamiary, nieuchronności, obligacje – cały ten kryzysowy, nieustępliwie frustrujący go sztab centralnego dowodzenia, źródło nieustannego stresu, idzie na chwilę się jebać.

Siedzi na balkonie, spokojnie zaciągając się papierosem. Czy jest w tym wszystkim wobec siebie uczciwy? Tropi prawdę czy raczej stara się korzystnie dla siebie interpretować wybrane jej fragmenty? Czy takie postępowanie nie jest najszczerszą prawdą o naszym zakłamanym życiu? Na czym zależy mu najbardziej?

Może to niemęskie, ale jak dotąd ma satysfakcjonujący seks tylko wtedy, gdy jest uczuciowo zaangażowany. Inaczej zawsze coś szwankuje. Miewa kłopoty z potencją, zdarza mu się przedwczesny wytrysk. Bywa niecierpliwie egoistyczny. *Love is giving?* Kiedy kocha, zależy mu, by kobietę uszczęśliwić. Więc także i siebie. Jakby uczucie było przepustką do erotycznego spełnienia. Ponoć tak reagują kobiety, otwierają się na seks sercem.

A jak zachowuje się teraz Monika? Kiedy jest prawdziwa? Co się dzieje w jej głowie? Przerażające i zawstydzające, właściwie nie zna swojej żony. A czy siebie zna wystarczająco? Ostatnie miesiące wybiły go z takiej pewności. Jest mentalnie i duchowo wykolejony. Co teraz? Co najważniejsze? Za czym podążać? Czym się kierować? Do tej pory zawsze wiedział – na nos, na brzuch, na zdrowy rozum. Nie mając poczucia, że błądzi.

Nie tylko nie chce go dopuścić do głosu, ale też nie słucha. W jej nieprzerwanym monologu pobrzmiewa odreagowywana samotność. Głód uwagi, potrzeba czyjejś atencji. Lęk przed dialogiem. Przed prawdziwym kontaktem. Jej słowotok, wartki strumień myśli, pozostawia go na drugim brzegu, w roli słuchacza.

Po kilku taktownych, nieudanych próbach przeprawienia, przebicia się do niej Mateusz się poddaje. Dorota nie chce lub nie potrafi być z nim bliżej. Tych kilkanaście wspólnie spędzonych nocy sprzed kilku lat zostawiło w niej gorzki osad rozbudzonych nadziei. Dziś dochodzi dręcząco zmartwychwstała pokusa, z którą nie umie sobie poradzić. Po kilku latach milczenia nagła prośba o spotkanie mogła ją wprawić w stan zalęknionego, podekscytowanego pomieszania. Drżą jej ręce. Udziela mu się jej napięcie. Po półgodzinie tej dziwacznej randki nie randki jest wyjałowiony. To nie był dobry pomysł. Nie czują się ze sobą komfortowo. Żadnych śladów dawnego naturalnego dostrojenia. Osuwa się w zrezygnowany, ugrzeczniony dystans. Dorota wpada w popłoch.

– Jesteś nadal z Moniką?

Brutalny konkret pytania, które być może terroryzuje ją od jego telefonu, które na wszelkie możliwe sposoby usiłuje zagłuszyć, zagadać, brzmi w jego uszach jak groźba. Wewnętrzny spór o uczciwość wobec tego pytania toczy od dawna, ale jest to konflikt rozmazany. Mglisty i nieczytelny. Teraz nabiera druzgoczącej wyrazistości.

Czy jest nadal z Moniką? Sam nie wie. Ogłuszony zazdrością, znieczulony żalem, osaczony upokorzeniem. Litujący się nad sobą i żebrzący o współczucie (a może o coś jeszcze) u dawnej laski. Zawraca jej głowę poranionym sobą. Robienie jej w konia byłoby teraz obłudą do kwadratu. Prawda o własnym chaosie wewnętrznym nie przechodzi mu jednak przez gardło. Dorota jest mu teraz bliska i potrzebna, bo identyfikuje się z nią w odrzuceniu. Kat spotyka się z ofiarą, sam będąc teraz ofiarą.

– Nie wiem. – Zdobywa się na nieseksowny striptiz zakłopotanej szczerości. Rozkłada ręce w bezradnym geście.

– Jak to? – W jej niezrozumieniu słychać zaintrygowaną satysfakcję. Nutę niepokoju i nadziei.

– Trudno mi o tym mówić. Wybacz. – Pochyla głowę.

Nieruchomieje w niemej prośbie: Daj spokój, kobieto, nie męcz mnie, nie chcę o tym mówić. Prośba nie dość konsekwentna. Dorota natychmiast to wyczuwa i rozumie po swojemu. Biedny skurwiel potrzebuje pomocy i współczucia, ale się wstydzi poprosić, bo rozumie, że ona jest ostatnią istotą, od której mógłby czegoś takiego się spodziewać. W trudnym momencie wybrał właśnie ją, poprosił o spotkanie. W tym geście, oprócz rozpaczliwej desperacji, jest coś ujmującego.

Przynosi na tacy zdradzieckiego penisa. W jego pokajaniu jest raczej spryt i egoizm, nie ma skruchy, prawdziwego żalu. Cóż, tego od mężczyzn Dorota nie spodziewa się od dawna. Przez chwilę napawa się triumfem uniwersalnej sprawiedliwości – „niósł wilk razy kilka, ponieśli i wilka". Nie chce go jednak peszyć. Ani płoszyć.

– Macie trudne dni? – rzuca na przynętę.

Postanawia być przyjacielska. Bezpieczna opcja. Niczego nie zamyka, może wiele otworzyć.

– To trwa już kilka miesięcy. – Mateusz zbiera się w sobie. – Powiem ci szczerze, że niewiele z tego sam rozumiem... jakieś kurewskie zapętlenie.

Dorota współczująco kiwa głową. Jej przychylność przybiera postać łagodnie pochylonej nad nim cierpliwości. Mateusz połyka haczyk.

Jąkając się, z trudem dobierając słowa, powoli odsłania kulisy osobistego dramatu. Zacina się, zamawia kolejnego drinka. Ona taktownie absorbuje przypływ zwierzeń. Od czasu do czasu okazując zdziwienie, zrozumienie. Precyzyjnie dobiera instrumenty operacyjne ze skrzynki doświadczonego psychoanalityka: Tak? Aha. Naprawdę? Jesteś pewny? Po dwóch godzinach tej przyjacielskiej rozmowy Mateusz jest niczym świąteczny karp. Nie tylko w sieci, ale w drodze do jej wanny.

Kiedy się żegnają przed jej domem, Dorota, całując go w policzek, klei się do niego rozgrzanym ciałem. Odruchowo czy w cynicznym geście siostrzanego miłosierdzia, nieważne, jest to elektryzująco zmysłowe. Mateusz czuje sprężystość jej pokaźnych piersi. Musi opanować pijaną, drapieżną namiętność, którą jej chętne ciało obudziło do skoku. Wrrr, mruczy w nim erotyczny tygrys wietrzący świeże mięso. W ostatnim odruchu trzeźwości strzela sam sobie nad uchem z treserskiego bata. Podkula ogon i człapie do domu.

– To wygląda na początek bardzo pięknej przyjaźni. – Żegnając, ślini jej ucho bełkotliwym cytatem z *Casablanki*.

Kurwa! To wygląda na początek katastrofy – koryguje się następnego dnia rano. Z Dorotą popełnił błąd. Miała być piorunochronem, a mogła wywołać burzę. Jest na siebie wściekły – nie idzie mu z kobietą, od razu biegnie się przytulić do innej.

– Jeśli się czegoś boisz, nie umiesz tego opanować i to cię paraliżuje, pomyśl o tym, czego się boisz jeszcze bardziej. To cię uspokoi i doda odwagi. Na przykład lęk przed śmiercią. Wobec niej wszystko blednie, staje się mniej straszne, mniej ważne. W obliczu śmierci otwierasz się na prawdziwe życie. – Joanna dzieli się z Mateuszem swoją strategią, która go nieco przeraża.

– Wiesz, niektórzy w depresji czytają książki o obozach zagłady... paradoksalnie to ich jakoś krzepi.

– Nie rozumiesz – protestuje żywo Joanna. – Mnie chodzi o życie w prawdzie. Nie o trywialne pocieszanie się: „mogłam się urodzić w głodującej afrykańskiej wiosce albo zginąć w bestialskiej wojnie".

– Realność *memento mori* ma być inspiracją do szczęśliwego życia?

– W takim zderzeniu jest odwaga zmierzenia się z prawdą, a to wzmacnia...

– Trzeba być bardzo szczęśliwym i silnym – wtrąca Mateusz – albo bardzo zrozpaczonym, żeby chcieć się z tym zmierzyć.

– Desperacja nie jest odwagą, jest pseudoheroiczną histerią. Nie chodzi mi o taką samobójczą brawurę. Bardziej o postawę „twarzą w twarz" z prawdą o życiu, o sobie.

– Prawda... Nie boisz się tego słowa?

– Nie boję się dochodzenia do niej. – Joanna się uśmiecha.

Mateusz wpatruje się w białe kwiaty w wazonie z grubego, przezroczystego szkła. Tulipany są takie malarskie. Powściągliwą, niemal ascetyczną urodą. Odcinają się od ciemnego wystroju wnętrza delikatną mgiełką. Czuje je niemal w swoim sercu. Tęskni za czymś nieskończenie doskonałym, harmonijnym. Skąd ta nagła wrażliwość i bezwstydne wyostrzenie zmysłów? Czy sprawia to obecność Joanny?

Mateusz obserwuje jej szczupłą twarz. Błysk rozmarzonych, czasem zadziwiająco trzeźwych oczu. Wyraz skupionej żarliwości, lekko fanatycznej, jaki gnieździ się w okolicach zgrabnego, szlachetnie zgarbionego nosa. Jego subtelne zmarszczenia, bezwiedne, podkreślające jej zaangażowanie, uważność. Rodzaj nerwicowego przeczulenia, które on świetnie rozumie.

W tej mądrej kobiecie nie ma fałszu. To ułatwia mówienie wprost. Bez głupkowatej ironii warszawskich salonów. Owszem, czasem spierają się, ale nie wstydzą się własnej niepewności. Nie podważają szyderczo pewności drugiego. Jest w tym coś z intymnego szacunku, jaki okazują sobie ludzie o podobnej wrażliwości.

W ogrodzie u dziadków bawi się w Indian z Ewą, córką sąsiadów. Jest od niej dwa lata młodszy, ale ona nie zwraca na to uwagi. Mają wigwam w głębi ogrodu, zbudowany z gałęzi i liści. Palą fajkę pokoju (którą Ewa wraz z tytoniem podprowadziła ojcu). Są dzielnymi Apaczami, polują, oswajają konie. Planują wyprawy przeciw wrogim im Siuksom. Więzy krwi. Szczepowa lojalność wobec ducha przodków. Jest jego siostrą. Bliską istotą, wobec której odczuwa ufność i szacunek. Ramię w ramię na wojennej ścieżce, z barwami na twarzach, łukami i kołczanami pełnymi strzał na plecach. Czołgają się bezszelestnie do wioski uśpionych, podłych Siuksów, którzy ukradli im konie. Z odzyskanymi, triumfalnie wycofują się do własnego obozu. Do zacisza chłodnego, pachnącego ziołami tipi. Ewa porywa go do świata pełnego niebezpiecznych przygód. Do krainy wierności, przyjaźni. Przywodzi do raju, w którym nie ma konfliktu płci.

Mateusz siedzi rozparty w wygodnym fotelu, rozmawia z Joanną. Przypływ ufnego ciepła. Ciepła, jakiego można doświadczyć tylko w bliskości z drugim człowiekiem. To, że Joanna jest atrakcyjną, seksowną kobietą, a nie ma mię-

dzy nimi erotycznego napięcia, jeszcze wyostrza ich poro-
zumienie.

Mateusz byłby obłudnym kretynem, gdyby wobec ewen-
tualnej miłości Moniki i Adama udawał święte oburze-
nie. Prawdziwa, najprawdziwsza jest teraz ta piekielna zazdrość: to nie ja, to nie mnie, to nie ze mną!

Zakochani nie tyle w sobie, ile w miłości, której potrzebują. W braniu i dawaniu bezwarunkowego niemal uwielbienia. Boskość takiego obdarowywania, promiennej łaski
wzajemnej akceptacji. Istnienie tak wyjątkowe, tak bardzo
wypełniające światłem i sensem. Nie można się temu nie
poddać, nie ulec.

Nie odrzuca się cudu. Nie wygrywa się miliona na loterii, by w przypływie podejrzanej fali chorego „zdrowego
rozsądku" podrzeć szczęśliwy kupon. Wyrzucić go do śmieci i dalej dziergać swoją upierdliwą codzienność.

Co począć? Co jest teraz sprawiedliwe? Jak przywołać
uciekającą miłość? Przywrócić dawny ład, przekonać, namówić? Jakich miałby użyć argumentów? Do czego się odwołać? Do siły własnych uczuć, których, mówiąc szczerze,
mu jednak brakuje? Do jej moralności, rozumu? „Kobieto,
tak się nie robi, przecież sama tego nie chcesz, nie wiesz, co
tracisz, tak głupio przekreślasz, ryzykujesz". Uczciwie obie-
cywać? „Możemy wszystko zacząć od nowa, teraz wszystko będzie inaczej. Obiecuję, zmienię się, będę inny". Jaki,
kurwa, inny? Lepszy, bo przerażony utratą? Czulszy, bo
emocjonalnie zaszantażowany? Bardziej kochający, bo upokorzony zdradą? Zabawniejszy, kurwa, seksowniejszy, przy-
stojniejszy? Będę produkował te wszystkie ściemy, bo tak
prawdziwie cię kocham? A ty jesteś tak naiwna, że w to
uwierzysz?

Ze złych uczuć, z lęku, zazdrości, odrzucenia, nigdy nie
powstaną dobre. Najwyżej ich kłamliwe namiastki.

Jego samego boli ściąganie maski i konieczność jej na-
kładania. Na brzydką, zdeformowaną twarz. Codzienna

udręka zacierania śladów. Za sobą, przed sobą. Nie znosi siebie, a raczej znosi cierpiętniczo. W imię podtrzymywania nadziei zrozpaczonego, źle kiedyś traktowanego chłopca. To nie jest zdrowy instynkt trwania.

Od dziecka czuje się petryfikowany głupotą ludzką. Polska odmiana bezmyślnego okrucieństwa jest wyjątkowo zjadliwa. Uderza w najczulsze i najbardziej wrażliwe miejsce, w Mateuszowego ducha. Jego pragnienie umysłowej wolności. Chciałby swobodnie myśleć, dyskutować, czytać, oglądać, podróżować. Bezbrzeżna w swoim prymitywizmie filozofia PRL-u. Wszechobecna cenzura. Ponura ideologia proletariackiej szczęśliwości, nałożona na utwardzony mental katolickiej polskości. Anachroniczna skorupa na ożywczą kontrkulturę lat sześćdziesiątych i siedemdziesiątych. Poezję bitników, rewoltę obyczajową hipisów, nową, humanistyczną psychologię, artystyczny underground. Inspirację duchowością Dalekiego Wschodu, muzykę rockową, Boba Dylana, Woodstock, Franka Zappę.

Pochodzi z przeciętnej rodziny małomiasteczkowych rzemieślników. Żadnych tradycji intelektualnych. Ani takich aspiracji. Nie ma domowej biblioteki, ambitnych ciotek, ekscentrycznych, artystycznych wujków, umysłowo rozwiniętych dziadków, rozgarniętych nauczycieli. Pod stopami czuje piach nasiąknięty okupacyjną krwią. Miałkość cierpliwego dorabiania się, nudę małomiasteczkowego trwania, trywialność poczciwych sąsiedzkich pogwarek. Odwiecznych spotkań przy wspólnym stole („to co, kochani, zagramy w tysiączka – po złotóweczce od punkciku?"). Pospolitą rutynę tych wszystkich imienin, świąt, plotek. Mieni się to oczywiście swoim prowincjonalnym blaskiem. Ale on tego nie zauważa. Jest zażenowany i upokorzony. Brodzenie w mule tamtejszego „żyćka", doszukiwanie się w nim na kolanach pereł czy drogocenności, w stylu pijanego Hrabala albo jeszcze bardziej pijanego Pilcha, jest mu wstrętne. Tanie idealizowanie przeszłości. Sublimowanie nieszczęścia w egotycznym lizaniu własnych jaj. Opętane kibicowanie bandzie futbolowych nieudaczników z „mojego" miasta. Wierność byłemu sobie. Ze słabości charakteru, opilstwa, braku talentu do języków. Impotencji egzystencjalnego animuszu, lęku przed zmarnowanym życiem.

Sojusz z osiedlową bibliotekarką, panią Marią. Podstarzała piękność o smutnych oczach hiszpańskiej aktorki, niesfornie bujnych rudych lokach i zachrypniętym głosie namiętnej palaczki. Siła jej namiętnego świra na punkcie literatury. Dotkliwa, wygłodniała samotność przedwczesnej wdowy, porzuconej przez emigrującą do Stanów jedynaczkę. Siedemnastoletni Mateusz niczym głodna mucha wpada w jej wyrafinowane sieci. Dwuletnia, perwersyjna symbioza ambitnego nastolatka i czterdziestoletniej pasjonatki. Czas umysłowej i uczuciowej, apokaliptycznej transformacji. Dżungla grzesznych fantazji, histerycznego onanizmu (z obrazem pani Marii w głowie), ambitnych lektur. Wspólne wyprawy do lubelskich czy warszawskich teatrów. Poetyckie wieczory, intelektualne uniesienia, omamienia. Miłość. Grzeszne pokusy. Obsesyjne wizje przeprowadzki. Do idealnej, zastępczej matki.

Proponuje Monice weekend w Kazimierzu. Heroiczna próba odnalezienia dawnej bliskości. Odrobinę nachalna. Właśnie tam przed laty wybrali się na pierwszą wspólną wycieczkę. Pogoda dzisiaj im sprzyja. Wiosenne słońce mruży bursztynowe ślepia jak rozleniwiony kocur. Między nimi nerwowo, niespokojnie. Jej irytująca pewność siebie. Komenderuje nim, pod pozorami troski. Niekończący się zestaw uwag, propozycji: „Zaczynasz dzień od kawy? Nie bierzesz nic na głowę? Zmień muzykę, jest nudna jak zepsuty traktor". Ona ma szczegółowe plany. Ustala, co zrobią, w jakiej kolejności. Przy jej luterańskiej witalności poranne ciało męża przypomina rozlazłego rastamana z Jamajki. Działa jej na nerwy. W jej trosce więcej agresywnego egoizmu niż jakiejkolwiek tkliwości. Po kilku godzinach wycieczki Mateusz jest zmęczony. Nią, sobą z nią, nimi. Zamyka się obronnie w milczeniu, nie ma już siły udawać zadowolenia. Nie chce burzyć jej pewności siebie. Ale to, że ona ją buduje, upajając się władzą nad nim, przygnębia go. Chciałby jej wygarnąć: „Wiesz co, zajmij się sobą, daj mi święty spokój!". Narasta w nim gniew. Za chwilę nie będzie go potrafił zamaskować. Każda próba protestu będzie sygnałem do otwartej kłótni.

O co w tym wszystkim, do cholery, chodzi? Jej dominacja to przecież przejaw niechęci i lęku. Nie lubi go, ale nie pozwoli mu się wymknąć ze swoich rąk. Boi się być sama? Testuje granice ich wspólnoty? One kurczą się z każdym dniem. Coraz mniej radości w ich „razem". Coraz więcej irytującego mozołu. Nie ta muzyka, nie te potrawy, nie ten program w TV, nie ten czas. Rozmijają się coraz częściej i dotkliwiej, bez prób szukania kompromisu.

W Kazimierzu, na wyłożonej polnymi kamieniami uliczce Krakowskiej, dochodzi do zabawnego apogeum. Dwa lokale w odległości pięćdziesięciu metrów od siebie – kawiarnia i herbaciarnia. Docierają tam zmęczeni sobą i długim spacerem. Mateusz uznaje, że to i tak niczego już nie zmieni.

– Wiesz co? – proponuje spokojnym głosem. – Rozdzielmy się, ja wstąpię do kawiarni, a ty zostań tutaj u Dziwisza. Spotkamy się później.

Monika przystaje na to bez komentarza. Mateusz podejrzewa, że żona natychmiast skorzysta z okazji na swoje intymne machinacje z iPhone'em. Od kilku tygodni się z nim nie rozstaje. Sięga po niego jak po lekarstwo zaraz po przebudzeniu. Często odchodzi na bok, żeby odczytać lub wystukać maila czy SMS-a. Niekiedy, bez specjalnego powodu, odczytuje mu na głos przychodzące do niej informacje. Namolne reklamy, głupawe komentarze przyjaciółek czy newsy od kolegów i koleżanek z pracy. Robi to sterowana jakimś wewnętrznym przymusem. Prymitywna zasłona dymna. Ujawniając masywną nudę prawdy o swoich rozlicznych kontaktach, dezinformuje go, ukrywając te, które dla niego mają pozostać niedostępne.

Kilka dni temu przypadkiem odbiera w jej telefonie SMS-a. Reaguje automatycznie na dźwięk sygnału z iPhone'a, który zostawiła na komodzie w korytarzu. Oderwał się od pracy w gabinecie, przechodzi po coś do sypialni, odruchowo wciska guzik. Tekst od Adama. Czyta urywek, coś rubasznego o gołych cyckach. Odkłada zmieszany. Uderza go rodzaj intymnej zażyłości, jego erotyczna konotacja. Zawstydza własna niedyskrecja – prywatna korespondencja to świętość. Odkrycie, że podtrzymują osobisty kontakt, raczej go nie dziwi. Bardziej fakt, że utrzymują to w tajemnicy. Ukłucie zazdrości, niepokój, zaciekawienie... ale też dziwny rodzaj zrozumienia, ulgi. Uspokaja go, że nie ma paranoi. Zachował zdrowe zmysły, słuszne intuicje.

Nigdy nie ufał kobietom. Są nielojalnymi dziwkami z natury. Do nas, facetów, należy, aby ta natura nie dochodziła do głosu. Nie chodzi tu o zamknięcie w klatce patriarchatu. Sztuka polega na „miłosnym" hodowaniu dobrowolnej lojalności. W którą w wykonaniu kobiet i tak nie wierzy. Więc w sumie jest istotą godną ubolewania. Domaga się od partnerki rzeczy, której nie jest zdolna spełnić. Jeszcze jeden paradoks, który z całą mocą ujawnia jego mizoginię.

Inna sprawa z Adamem i nim samym. Bardzo chce wierzyć w męską lojalność. Jest jednak przekonany, że w gruncie rzeczy zawsze decyduje kobieta. Coraz więcej na to antropologicznych dowodów. Męskie umizgi, pawie ogony, strategie uwodzenia – to wszystko pic. Mężczyźni są marionetkami. Kobiety wybierają, przywołują. Świadczy o tym naukowo przeanalizowana mowa ciała. Masa zachęcających sygnałów, niedostrzegalnych dla świadomości: „Chodź tu, facet, rusz tyłek, podobasz mi się, postaraj się, zawalcz o mnie. Jak się sprawdzisz, to mnie dostaniesz". Więc Adama zwalnia z odpowiedzialności. Fakt, że przyjaciel mógł zwariować dla jego żony, przyjemnie łaskocze męskie ego. Rywalizacja brania się na rękę, dowód lepszości, przewagi. A może także wiarygodny, bardzo surowy test jakości jego kobiety. Monika go oszukuje. Czy ukrywanie prawdy jest oszustwem? Czy ona nie ma prawa do własnego intymnego życia? A może to on się nią znudził, wypalił uczuciowo? Pozwala jej nie tylko zrujnować ich związek, ale wziąć za to odpowiedzialność?

Jest cynicznym dupkiem, który z makiaweliczną perfidią pcha żonę i przyjaciela w romans. Może z czystym sumieniem skrzywdzonego zostawić ich w gównie występku. Zręcznie się wymknąć z kolejnego, własnoręcznie spierdolonego związku? Prawda. Trzeba nie tylko być wobec siebie uczciwym, ale mieć do tego podstawy. Wiedzieć, kim się jest i czego naprawdę chce. Mateusz ze smutkiem przyznaje, że to, czego pragnie, jest nieosiągalne. Dlaczego? Bo jest, jaki jest, a kobiety są tylko kobietami. Ponure rozmyślania nad kawą przerywa mu jakiś facet, który z książkami w ręku podchodzi do jego stolika. Szczupła, opalona twarz, inteligentny błysk oka. Koci wdzięk w ruchach.

– Mogę panu zabrać chwilę? – zagaduje grzecznie, z przymilnym uśmiechem.

Mateusz, wymęczony własnym towarzystwem, kiwa aprobująco głową.

– Jestem autorem tych książek. – Facet wykłada przed nim na stoliku grube tomy. – Opisałem w nich arcyciekawe życie, swoje i mojego sławnego ojca... – Przerywa. – Bohdana Tomaszewskiego pan zapewne zna? – upewnia się.

– Oczywiście – bąka nieśmiało Mateusz.

– Świetnie. To jest biografia mojego ojca, a ta druga to moja autobiografia.

Jak za naciśnięciem guzika zaczyna relacjonować: kim był, czego to się nie imał, na jakim kontynencie. Przewraca kartki, ukazujące liczne zdjęcia, którymi jest udokumentowana cała jego egzystencjalna brawura. Mateusza to deprymuje. Nie jest nawet na jotę ciekaw życia tego nieszczęśnika, a jego „kulturalna” nachalność wprawia go w zażenowanie.

– Stosuje pan dość oryginalny sposób sprzedaży obnośnej. – Zdobywa się na lekką złośliwość. Facet błyskawicznie wyczuwa rezerwę.

– No wie pan, akurat jestem tutaj... w pięknej okolicy. W plenerze, bo jestem także malarzem.

Kurwa, artysta totalny! Mateusz przymyka oczy. Kombinuje, jak się od natręta odczepić. Jego własna delikatność nie bierze się ze współczującego żalu, ale z tłumionej agresji, której się wstydzi. Natarczywość tamtego jest układna, pełna wdzięku, zmiękczona sławnym nazwiskiem ojca. Blokuje asertywność. Czarowny powab jedwabnej opresji, maskujący dość ostentacyjne chamstewko. Co robi przygnieciony trudną sytuacją mężczyzna? Wzywa na pomoc, przywołuje żonę:

– Wie pan? – Mateusz rozkłada bezradnie ręce. – Jestem kompletnie bez kasy, żona ma wszystko, czekam tu na nią od...

Nie potrzebuje więcej słów, autor traci nim zainteresowanie. Poza tym właśnie do kawiarnianego ogródka wkracza roześmiana grupa, zajmuje sąsiedni stolik. Dwie pary w średnim wieku. Facet przyskakuje do nich z identyczną opowiastką. Uwolniony z kłopotu Mateusz przysłuchuje się, jak radzą sobie inni. Jedna z kobiet połyka haczyk. Ściska w rękach książkę, jakby już nie zamierzała się z nią nigdy rozstawać.

– To ja od razu wpiszę pani dedykację. – Tomaszewski junior wydobywa długopis. – Jak pani ma na imię?

– Magdalena.

– A pani życiowy partner?

Blondynka milknie, śmieje się sztucznie, ukrywając zażenowanie. Towarzyszący jej gruby facet chrząka:

– Po co będziemy mieszali w to męża, jeszcze biedak...

– To co, napiszemy trzy kropeczki – taktownie przerywa mu autor.

– Nic pan nie pisz! – ucina gniewnie ten od blondynki.

Pozostali milczą zakłopotani. Mateusza zachwyca nierażony, błogi wyraz twarzy autora chowającego banknoty do kieszeni. W jego oczach triumf i obojętny egotyzm: mam was wszystkich w dupie! Może z takim spojrzeniem spotykał się ze strony swojego ojca? Teraz nie tylko starego glory-fikuje, ale też wykorzystuje. Mści się na nim obciachem tej żebraniny, namolnego wciskania ludziom tandety swojego życia. Wyrósł w cieniu sławnego ojca. Cień wyłazi z niego. Próbuje udawać fascynującego człowieka. Równie co jego stary interesującego, ekscentrycznego. Uwodzącego i uwiedzionego sobą.

Groteskowe, szekspirowskie zaplątanie. Synowie sław-nych ojców liżący (koniecznie na oczach świata) rany po szponach geniuszy. Napuszone, skłamane wyznania o włas-nym znaczeniu, własnej genialności wyciekają co chwila z kolorowych magazynów. Wszechobecna postać ojca, któ-rego on w swoim życiu nie zaznał. Może i dobrze? I tak ob-sesyjnie wkrada się do umysłu Mateusza. Tajemnym wej-ściem przez lochy nieświadomości. Niczym ojciec Hamleta. Postać równie uparta. Nawiedzona, domagająca się za-dośćuczynienia. Udziału? W czym? W życiu porzuconego syna?

Przejaw synowskiej tęsknoty? Zew wygłodniałego serca? Niewyrażone, dumnie wypierane: „Wróć, przybądź, zostań ze mną, tato!". Chory kościec przetrąconej przez ojca du-szy? Odczuwa to w sobie jako dynamizującą siłę, z której nie potrafi skorzystać. Cytat z Borgesa, którym opatrzył pi-saną przez siebie powieść: „Ziemia, którą zamieszkujemy, jest omyłką, niestosowną parodią. Zwierciadło i ojcostwo są rzeczami wstrętnymi, gdyż ją pomnażają i umacniają. Za-sadniczą cnotą jest obrzydzenie". Obrzydzenie. Uczucie po-dejrzanie Mateuszowi znajome.

Monika podchodzi do niego z dziwnym wyrazem twa-rzy. Odsuwa dla niej fotel.

– Zamówić ci coś? – pyta uprzejmie.

Żona kręci przecząco głową.

– Wiesz, zanim tu przyszłam, wstąpiłam do hotelu i od-mówiłam rezerwację. – Przygryza wargę i dodaje z determi-nacją w głosie: – Wracajmy do Warszawy!

– Skoro tak chcesz. – Mateusz zgadza się bez protestu.

Podnosi ciężko od stolika, wzdycha matowym głosem: – Pozostaje tylko zapłacić rachunek. – Brzmi co najmniej dwuznacznie.

Skąd ten głód? Tylko kobiety pozwalają mu ukoić lęk przed śmiercią. Lęk, z którym na co dzień nie ma bezpośredniego kontaktu, ale który tkwi w nim jak kornik cierpliwie pożerający duszę.

Śmierć i pogrzeb dziadka, jedynego mężczyzny, którego bezwarunkowo kochał. Lata sześćdziesiąte, przedmieścia Puław. Otwarta trumna wystawiona w salonie. Dziadek wystrojony w ciemny garnitur, połyskliwe, nowe buty. Niedogolony. Pod szyją jak fular stercząca kula waty. Podłożona, aby mu się nie otwierały usta. Nie sposób było je zamknąć, ktoś rozpaczliwie i nieudolnie chciał to zamaskować.

Teraz twarz dziadka boleśnie skurczona, jakby zacięta. I ta groteskowa kula waty. Widać, że dziadek się jej wstydzi. Wnuczek kręci się niespokojnie, obserwując reakcje żałobników. Serduszko ma zbolałe, trzepoczące osobliwym uniesieniem. Jest w nim posmak niezrozumiałego triumfu. Jego niestosowność jest dręczącą nielojalnością. Pomieszanie uczuć rozbija go i przyjmuje postać nienaturalnego ożywienia. Rozpacz i euforia, żal i niezrozumiała wspaniałość przeżywanych podniosłych chwil.

W dodatku się zakochuje. Ela jest jego równolatką, daleką kuzynką. Przyjechała na pogrzeb z liczną rodziną, ludźmi, których nigdy wcześniej nie widział na oczy. Ma ciemną grzywkę, błyszczą zza niej chabrowe, ciekawe oczka. Filuterny uśmiech, mimo powagi sytuacji. Pozostawieni sami sobie wirują między postaciami szepczących dorosłych. Ukrywają się i odszukują. Muskają po rękach, uśmiechają do siebie flirtująco. Taniec godowy. Miłosna pantomima. Romeo i Julia na balu. Uderzenie pioruna miłości, równie gwałtowne, co nieoczekiwane. I równie niestosowne wobec tragicznego napięcia. Nie wrogiego konfliktu rodzin, ale majestatu śmierci. Nie potrafią sobie z tym poradzić. Triumf życia nad śmiercią w postaci rodzącej się miłości. Zabronionej. Niewłaściwej i przemożnej, młodzieńczo bezczelnej. Ból po śmierci dziadka miesza się z rozpaczą po wyjeździe Eli.

Odkrywa zakochanie jako upojny mechanizm kojenia tragedii.

Kiedy tylko wyszła, on zaczyna sprzątać. Usuwa burdel po niej z metodycznym zapamiętaniem, jakby chciał się pozbyć wszelkich śladów jej istnienia. Usunąć z życia? Zbiera porozrzucane po sypialni części garderoby. Bierze w dwa palce, jakby się brzydził albo jakby były czymś skażone. Rzuca na bezładny stos. Najchętniej wywaliłby to wszystko do kosza albo oblał benzyną i podpalił. Dławi go wściekłość. Czy aż tak jej nienawidzi? Czy w ten sposób odreagowuje porzucenie? Wchodzi do sypialni, kładzie się na łóżku. Włącza płytę Arvo Pärta *Für Alina*. Melancholijny minimalizm, wędrówka rozpaczy po kilkunastu klawiszach, współbrzmi z pustką. Wtula głowę w poduszkę Moniki, pozostał w niej ślad jej zapachu. Tęsknota, której sobie wzbrania.

Od czasu powrotu z Kazimierza przestali się ze sobą kochać. Każde zawija się we własną kołdrę, nie próbując pojednawczego gestu. Rozmawiają zdawkowo. Z biegiem dni i nocy wyrasta między nimi mur. Niczym ten w Berlinie w krótkim czasie oddziela dwie żywe, naturalnie zrośnięte tkanki miasta. Wzajemne miłosne odtrącenie. Kiedy Monika wychodzi do pracy, odgłos zamykanych przez nią drzwi sprawia ulgę. Pamięta to uczucie z dzieciństwa, dni, gdy był chory (najczęściej symulował). Matka wychodziła do pracy, a on wpływał na bezkres oceanu wolności. Nic specjalnego z tego nie wynikało, ale sam fakt kilkugodzinnego luzu zapierał mu dech. Upajał się każdą czynnością, której nikt nie oceniał. Towarzyszyła temu radosna nieważkość. W natchnieniu kręcił kolejny kogel-mogel, w głośnym radiu królowała stacja Luksemburg. Czytane książki sączyły magiczne obrazy. Ludzie za oknem dreptali bezsensownie, przygnieceni natłokiem prozaicznego życia. On unosił się w złotym pyle, pławiąc w możliwościach jak półbóg. Nawet sranie z otwartymi drzwiami toalety, wyzwolone ze zwykłej krępacji, sprawiało mu rozkosz.

A może wszystko przez to jego jedynactwo? – błysk intuicji. Nauczył się bawić sam ze sobą i tylko tak potrafi. Oszukuje kobiety. Nie potrafi być z drugim człowiekiem. A czy w ogóle potrafi istnieć? Jest przecież „żywym trupem".

Żona pakuje się nerwowo, biega po mieszkaniu w poszukiwaniu rzeczy. Ta jej bezmyślność. Nad niczym nigdy, mimo pozorów planowania i porządku, nie udaje się jej zapanować. Nie potrafi nawet ułożyć rzeczy w walizce. Rzuca je na bezładną kupę, dopycha kolanem. Wyjazd jest problemem, powoduje wkurwione rozbicie.

Kłócą się od momentu, kiedy zwlókł się z łóżka, około dziesiątej. Ociężały jak robot, niezręczny w każdym geście i słowie. Emocjonalny niemota. Plącze się po kuchni, tak jak plącze się w jej życiu. Tępy wyraz twarzy, głuchy dźwięk głosu.

– Zastygłeś na tej sofie i w swoich mądrościach. Ręce ci przyrosły do laptopa, a normalne życie przecieka między palcami!

– Normalne życie? – dziwi się teatralnie Mateusz. – Co masz na myśli?

– Na pewno nie twoje gnicie w tym kącie – rzuca ze złością. – Jesteś żywym trupem. Izolujesz się, milczysz, nie chcesz spotykać ludzi. To jest jakieś chore... lecz się, człowieku... ratuj. Umów z jakimś psychiatrą!

Histeryczna wariatka. Małostkowy babon, plujący jadem oszczerstw. Nie ma sensu ciągnąć tego dłużej. Świetnie, że wyjeżdża.

– Odwiozę cię na lotnisko – proponuje polubownym tonem.

– Daruj sobie – prycha. – Zamówiłam taksówkę. Baw się dobrze w swoim grobowcu!

Trzaska drzwiami. Cisza. Siedzi nieruchomo, gapi się bezmyślnie w ekran komputera. W głowie pustka, boli go serce. Kilka łyków wódki prosto z butelki. Dzwoni komórka. Rzuca okiem, na displayu miga imię Joanny. Następna! – warczy do siebie zniechęcony. Nie odbiera. Po kolejnym sygnale zmienia zdanie.

– Halo – chrypi niepewnie.

– Cześć, to ja, Joanna, źle się czujesz?

– Lekkie przeziębienie – kłamie. – Nic takiego... dłużej spałem i teraz się powoli rozkręcam.

– A co robisz wieczorem? Może byś wpadł?

– Do was, do Zalesia? – upewnia się.

– No tak... to znaczy Adama nie ma, wyjechał wczoraj na kilka dni...

Mateusz siada przy kuchennym stole ze słuchawką przy uchu. Sięga po nóż do krojenia chleba i w mimowolnym odruchu wbija go z całej siły w blat stołu.

– To co, o której będziesz? – W jej głosie radość, która go niepokoi.

Jest cicho i ufnie pod wygładzonym, lśniącym błękitem nieba. W taki dzień ludzie odnoszą się do siebie milej. Mateusz odtajał, kupił Joannie jej ulubione białe kwiaty i dobre wino. W drodze do Zalesia nuci razem z Kazikiem w radiu głupawo-knajacką piosenkę o „Celynie". Świat bez Boga jest nie do zniesienia – przychodzi mu nagle do głowy. „Złorzeczę i gorliwie lubieżny kopuluję z martwotą. Jakbym chciał zapłodnić nieludzką naturę świata" – układa wersy patetycznego poematu. A może Monika ma rację? Ucieka od życia, zamykając w grobowcu swoje pragnienia, naturalne instynkty. Świat go nie cieszy, nie ciekawi. Gówno prawda! To ona na niego tak działa. Swoimi pretensjami, od których coś w nim zamiera. Sparaliżowany niechęcią, walczy z agresją do niej. Nie umie sobie z nią radzić. Teraz

odżywa po pierwszym szoku, po brutalnych ciosach poran-
nego rozstania. Oszołomiony siłą, ciężarem wypowiedzia-
nych słów. Kilka godzin później odzyskuje świeżość myśli.
Słowa i obrazy fruwają jak motyle. Joanna wita go w progu.
Ubrana w prostą, białą tunikę. Ciemna cera, szlachetne rysy,
wygląda jak grecka bogini. Zagląda mu czule w oczy, całuje
w policzek.

— Cieszę się, że cię widzę. — Nalewa wino do kieliszków. —
Twoje zdrowie! Nasze! — prostuje.

Stukają się delikatnie szkłem.

— A Adama gdzie pognało? — Pytanie, które kołacze mu
w głowie od czasu jej telefonu.

— Wyjechał wczoraj... zostawił kartkę, że wraca za kilka
dni... wiesz, on mi się nie opowiada.

— Ale jest w Polsce czy gdzieś za granicą?

— Nie mam pojęcia. — Joanna wzrusza ramionami. —
Może być wszędzie.

Mateusz żałuje własnej ciekawości. Pogłębia niepewność
i frustrację. Produkuje scenariusze przesycone zazdrością. Monika poleciała do Nicei, do swojej dawnej paryskiej
przyjaciółki Sylwii. Tyle wie i nie dopytuje. Taka szczątko-
wa wiedza musi mu wystarczyć. Ale nie wystarcza. Przeciwnie, uruchamia w nim ponury masochizm spekulacji.
Przez chwilę rozważa szczerą rozmowę z Joanną. Opowie
jej o swoich podejrzeniach, ona je rozwieje, pośmieją się.

Idiotyczny pomysł. Nie chce wypaść w jej oczach na pa-
ranoicznego głupka. Podważać zaufania do żony i wspólnego przyjaciela. Boi się, że mogłoby zabrzmieć dwuznacznie:
„oni razem, a my tutaj". Żałosny sposób na zaciąganie czyjejś kobiety do łóżka.

— Chciałam ci o czymś powiedzieć. Pamiętasz? Dałeś mi
kiedyś wizytówkę do znajomego galernika.

— Oczywiście. Mówiłem z nim o twoich obrazach.

— No właśnie. Nie miałam zamiaru do niego dzwonić.
Ale coś mnie podkusiło...

— Tak?

– Przyjechał ze znajomym, miłośnikiem sztuki. Jakiś nadziany prezes znanej firmy ubezpieczeniowej. Pogadaliśmy przy kawie, a potem obejrzeli wszystko, co mam w pracowni. Uparli się nawet zobaczyć to, co wisi w willi Adama.

– No i?

– No i ten prezes... Facet trochę oszalał. Chce ode mnie kupić kilkanaście największych płócien.

– Sprzedasz?

– Nie wiem. Ciężko mi się z nimi rozstać. Poprosiłam o czas do namysłu.

– A on co?

– Naturalnie się zgodził. Obiecałam, że zadzwonię. Ale się nie odezwałam. – Joanna upiła wina z kieliszka. – Uroczy. I bardzo uparty... zasypał mnie telefonami. W końcu zaczęłam się łamać. Żeby jakoś z tego wybrnąć, zaproponowałam niebotyczną cenę.

– Aha, a on? – Mateusz wciągnął się w historię.

– On, nie uwierzysz, prawie na nią przystał. Ale sama nie wiem. Te obrazy to kawałek mnie.

– Mam nadzieję, że nie skomplikowałem ci życia? – pyta Mateusz z wahaniem w głosie. – A ten cały prezes... zakochał się tylko w twoich obrazach?

– Daj spokój. Ojciec rodziny, biznesmen, wygląda na superpoważnego gościa. A co u ciebie? Pracujesz nad książką? Czy to jest dziennik?

– Nie. Dlaczego?

– Nie wiem... Jakoś mi do ciebie pasuje.

– Dzienniki są z przeczucia katastrofy. Przekleństwem takiego pisania jest krańcowy egotyzm. – Mateusz wpada w dziwny słowotok. – Kiedyś myślałem, że dziennik to przepustka z celi śmierci. Ale to rodzaj zadośćuczynienia. Za podły charakter i sadystyczne skłonności. – Śmieje się szyderczo.

– Więc o czym piszesz?

– To ma być powieść. Bohaterem jest dziwny chłopak,

dziecko hipisów. Rzecz się dzieje głównie w Holandii i Niemczech... dotyczy kontrkultury i reakcji na nią.

– Ambitne. Dużo napisałeś?

– Docieram do połowy. Mówiąc szczerze, całą fabułę od dawna mam w głowie. Teraz to rozpisać. Potrzebuję czasu, żeby się tylko na tym skupić.

– Opowiesz?

– W zasadzie... – Chrząka niepewnie. – Nazwałem to *Voodoo child*, tak jak tytuł znanego kawałka Jimiego Hendrixa.

Zaczyna zrazu nieśmiało, potem się rozkręca. Joanna nie przerywa, słucha skupiona, czasem dolewa mu wina. Nie mija kwadrans, Mateusz dochodzi do tego, jak Peter porzuca Marię i małego synka i wyjeżdża do Australii szukać – jak to określa – motywów.

– Nie bardzo wiedziała, co miał na myśli. On raczej też nie, chyba że chodziło o abstrakcyjne bohomazy, które smarował na ścianach amsterdamskich ruder w artystycznym szale po LSD i meskalinie. Potem przychodzi tragiczna wiadomość o jego śmierci. Wybrał się gdzieś na daleką wyprawę do buszu, nie wiadomo, czy chodziło o diamenty, czy sztukę Aborygenów, ukąsił go wąż i było za późno na ratunek. Maria zaczyna brać heroinę. Stacza się, żyje z zasiłku, przypadkowi kochankowie, klienci. Dla małego Abego to gehenna. Jakiś obleśny grubas włazi w nocy do jego sypialni, zatyka mu usta i gwałci. Rano wzrusza ramionami, że „dzieciakowi się coś przyśniło”. Maria wzywa policję, tego dnia trzeźwieje. Sąd, służby socjalne, grozi jej utrata dziecka. Przechodzi terapię, wraca z synkiem do Niemiec, zamieszkuje z babką. Kilka miesięcy później popełnia samobójstwo, podobnie jak kiedyś jej matka. Abe zostaje na łasce stukniętej babki. Kiedy jest nieposłuszny, ta bije go pejczem. Zamyka w pokoju, wygłasza cichym głosem kazania na temat niemieckiej moralności. Nastoletni Abe przystaje do skinheadów... Nie nudzę cię? – Mateusz przerywa.

– Wręcz przeciwnie.

– To teraz tylko tak szkicowo ci dokończę: Fascynacja Hitlerem, neonaziści, bojówki, akcje terroru, podpalenie mieszkania rodziny tureckiej, ofiary śmiertelne. Abe nie jest bezpośrednim sprawcą. Broni go świetny adwokat, homoseksualista, który staje się jego mentorem, przyjacielem, w końcu kochankiem. Wprowadza chłopaka do innego, zamożnego i wyrafinowanego świata. Abe z łysego debila w glanach przeistacza się we wrażliwego poetę, wielbiciela sztuki. Odkrywa w sobie coraz silniejszą kobiecość, zaczyna myśleć o zmianie płci. Znajomy profesor psychiatra namawia go na zamrożenie spermy. W klinice podczas testów, zanim dostanie zgodę, poznaje kobietę, która chce zostać mężczyzną. Zakochują się i decydują się na dziecko. Oboje dokonują operacji. Mieszkają teraz w Nowym Jorku, prowadzą galerię sztuki. Ich córeczka Laura nie bardzo jeszcze rozumie, że jej matka jest jej ojcem, a ojciec jest jej matką. Mniej więcej tyle.

– Dużo chcesz opowiedzieć. Europa, radykalne ekstrema, granice płci, szukanie siebie...

– No właśnie. – Mateusz czuje się odrobinę speszony. – Sama widzisz, co sobie wziąłem na plecy. Potrzebuję roku spokoju. Ale to niemożliwe, nie mam kasy.

– A gdybyś dostał stypendium albo zadatek od przyszłego wydawcy? Masz już przecież połowę książki.

– Zapomnij. Nie jestem żadnym pisarskim celebrytą, nie mam nazwiska. A książka nie jest kryminałem. Romansem o wampirach czy kretynce zaplątanej w erotyczne gierki sado-maso. Taka rzecz nie gwarantuje sukcesu.

– Gdybym sprzedała obrazy... Część pieniędzy należy się tobie. To byłoby sprawiedliwe, to był twój pomysł.

– Chyba zwariowałaś.

– Mówię poważnie.

– Ja też. Joanna, nie wkręcaj mnie.

– Już jesteś wkręcony – przerywa mu stanowczym głosem. – Posłuchaj, mam pomysł. Pieniądze ode mnie, roczne stypendium, potraktujemy jako mój biznesowy udział w twoim projekcie. Wysoko oceniam jego potencjał rynkowy.

Mateusz patrzy na nią zdumiony. Czy ona się wszystkiego domyśla? Czy tym przyjacielskim gestem wyciąga do niego rękę? Cała ich czwórka spleciona tajemnymi nićmi. To nie może być przypadek. Jeden nieostrożny ruch przewraca kostkę domina, wali się cała konstrukcja. Poranna kłótnia z Moniką. Upadek serialu. Jej SMS, jego nieuwaga albo uwaga skupiona na niej i wpada na Adama. Rano kłócą się o penisa, o hamowanie życiowej energii (nie zahamował – samochód to przedłużenie penisa). Nie zakręca tubki, nie blokuje plemników? On ciągle czegoś nie zamyka, nie domyka, nie dba o życie? Pojawia się Adam, niczym witalny diabeł, w ślad za nim Joanna z bliskimi mu artystycznymi obsesjami. Kto tutaj prowokuje kogo? Kto co w kim wyzwala?

– Obiecaj mi, że to przemyślisz. – Joanna przytula się do niego na pożegnanie.

Mateusz całuje przez pachnące włosy jej twardą czaszkę. Chroniącą cenny skarb. Ta kobieta ma naprawdę piękny umysł.

„Wiedza to potęga" – powiedział kiedyś Francis Bacon. Odkrycie, że już nie kocha Moniki, jest bolesne, ale sprawia ulgę. Czuje się, jakby nagle wyzdrowiał po długiej chorobie, z którą się tak zżył, że zapomniał o innym samopoczuciu. Rozważa warianty nadchodzącego życia. Spekuluje, jakby planował kolejny sezon rozpisywanego na sceny i pomysły serialu.

Abstrakcja. Nigdy nie żył bez kobiety. Najpierw przygnieciony nadopiekuńczą, nieszczęśliwą matką, potem w małżeństwie z Krystyną. Po rozwodzie krótsze i dłuższe romanse. Teraz ten niby udany, a przetrącony w kręgosłupie związek z Moniką. Po jej powrocie zaproponuje separację. Zaczeka kilka dni, żeby nie wyglądało na zemstę. Swoim romansem, którego z wielu powodów nie chciał zdemaskować, zabrała mu całą czułość. Czułość upokorzonego zdradą wobec niewiernej – cóż to za karykaturalna figura! Nie stać go na tak perwersyjne człowieczeństwo. Współczuje Monice i sobie, ale stara się myśleć jasno.

Zdrada Moniki to nie jest jakiś jednoznaczny fakt, wyjaśniający to, co się między nimi wydarzyło. To czubek góry lodowej. Za żadne skarby nie chciał się z nią zderzyć. Ale nie potrafił opłynąć. Nawiguje desperacko w jej cieniu, przerażony nieuchronnością katastrofy. Co może zrobić? Upijać się, zamulić lekarstwami, zatracić w pracy, w kolejnym romansie? Wszystko, żeby tylko nie czuć. Nie przeżywać bezradnej rozpaczy, nie konfrontować z prawdą o sobie. Wyjście ucieczkowe albo jazda po całości. Kolejna żona, kolejne dzieci, nowy dom. Syndrom wypalenia, potrzeba wyciszenia. Wyjazdy, ekscytacje, libacje, medytacje... sracje. Obserwuje to od lat. Groteskowa miotanina facetów z klasy średniej.

Kolejne urojenie o harmonijnym byciu z drugim człowiekiem. Boi się samotności. Boi się przyszłości, nie ma na nią żadnego pomysłu. Nie chce być patykiem rzuconym w nurt rzeki życia. Propozycja Joanny – kilkanaście miesięcy pracy nad książką – wydaje się zbawienna. Ciemność i gdzieś tam z kosmosu niewielki snop światła. Oświetla białe kartki. Zapełniając je, czy odnajdzie spokój?

– Ona chciała za dużo... Ja od niej zbyt mało.
– Czego chciała?
– Wszystkiego. Dzieci, lepszego życia, ciągłej admiracji, na którą już nie było mnie stać.
– Przestałeś ją lubić?
– Przestaliśmy się rozumieć, dobrze się czuć we. własnym towarzystwie. Seks stał się kijem i marchewką, instrumentem kontroli i manipulacji. Nie było już „my", więc musiałem wybrać albo ona, albo ja.

Mateusz przerywa w pół słowa. Rozmowa z Pawłem go osłabia. Łatwość odkrywanych w kontakcie z drugim człowiekiem prawd na temat własnego życia wzmaga niepewność.

– Mam napady lęku. Boję się, że dostanę wylewu albo zawału. Od pewnego czasu budzę się nad ranem. Zupełnie przytomny, jak spłoszone zwierzę gotowe do obrony czy ucieczki. Za dnia też mam dziwne stany. Nagle podczas jedzenia zaczynam się dławić, rośnie mi gula w gardle, boję się, że następnym kęsem się uduszę. Mam dziwne bóle głowy w różnych miejscach, jakby mi w niej coś rosło, napierało, jakiś tumor. Pocą mi się ręce, serce wali, zaczynam źle się czuć wśród ludzi, obrzydzony sobą i nimi. Czuję się przegrany.

– Zawsze byłeś wrażliwcem. Jak wielu kreatywnych ludzi. Przeżywasz kryzys. To naturalna reakcja. – Spokojny, kojący głos Pawła, zatroskane spojrzenie. – Przepiszę ci lekarstwa, coś przeciwlękowego i na sen. Mam nadzieję, że to nie początek depresji. Może jednak dasz się namówić na rozmowę z moim przyjacielem. To naprawdę dobry psychiatra.

Mateusz kręci przecząco głową. Wie, że jest w kiepskim stanie, ale szczera konfrontacja z kimś obcym nie wchodzi w grę. Już krótka rozmowa z przyjacielem miażdży mu serce. Potrzebuje milczenia.

Dlaczego przyjechał do rodzinnych Puław? Spakował najpotrzebniejsze rzeczy, zszedł do podziemnego garażu i po wyjeździe z osiedla skręcił w Wilanowską, na Konstancin i potem Górę Kalwarię. Był już niemal w połowie drogi, kiedy uświadomił sobie, dokąd właściwie zmierza.

„Do domu, chcę do domu" – łkało w nim nieszczęśliwe dziecko, odruchowo wciskając guzik automatycznego pilota. Tak jak kiedyś, gdy miał dwanaście lat i na zajęciach technicznych ciął gruby karton. Ostry nóż ześlizgnął się po krawędzi linijki, przecinając mu niemal połowę końcówki kciuka wraz z paznokciem. Stał wtedy nieruchomo, przerażony obficie kapiącą na płytki PCW krwią. Wleczony przez nauczyciela do gabinetu pielęgniarki wywrzaskiwał w szoku: „Do domu! Chcę do domu!".

Puławy to dom, rodzinne miasto. Paweł jedyny człowiek, na którego może liczyć. Rodzice umarli, żony go opuściły. Adam zdradził. Jedyna córka unika z nim kontaktu. Przyjaciel ma jednak własne problemy. Niezbyt szczęśliwa egzystencja pracoholicznego lekarza i ukrywającego swą seksualną tożsamość geja. Łatwość, z jaką daje się wykorzystywać przez kolejnych kochanków, budzi niepokój. Tych romantycznych historii jest za dużo, są perwersyjnie osobliwe. Mateusz jest zanadto *straight*, by w pełni wczuć się w te wszystkie uczuciowe zawiłości. Nie bardzo też może liczyć na pełne zrozumienie ze strony nieznoszącego kobiet geja: „Co cię tak ciągnie do tych pokręconych, prymitywnych istot?". Takie są kobiety w opinii Pawła – mściwe, manipulujące, pozbawione elementarnej uczciwości. Mateusza uczucia są rozchwiane. Ambiwalentne, nienawistna mizoginia miesza się w nich z uwielbieniem. To, co go naprawdę jednoczy z Pawłem, to wspólna przeszłość i dojmujące outsiderstwo. Życie w pojebanej schizie – wydrzeć się z kokonu samotności, w który sami siebie bez przerwy ochronnie owijają.

W trakcie rozmowy z najbliższym człowiekiem czuje mdlące uderzenia lęku. Przeraża go świadomość, że w odwodzie ma tylko samego siebie.

– Co zamierzasz? – sonduje Paweł.

– Miałem jechać do Amsterdamu, zrobić *research* do mojego projektu. Chyba nie dam rady. Innego pomysłu nie mam. – Mateusz wzrusza ramionami.

– Zostań u mnie, przynajmniej na kilka dni – rzeczowym tonem lekarza proponuje mu Paweł. Sięga do szuflady po jakieś lekarstwa. Wybiera kilka tabletek, nalewa wody do szklanki. – Połknij. Za chwilę poczujesz ulgę. Potem zrobisz się senny. Najlepiej, jakbyś teraz po prostu wypoczął. Oderwał się od wszystkiego. Jakkolwiek głupio to zabrzmi, staraj się nie myśleć. Szlaban na alkohol i kombinowanie, przynajmniej przez kilka dni.

– To proste zalecenie uratowałoby zdrowie połowie ludzkości.

– Żebyś wiedział.

Po kilku dniach u przyjaciela czuje się na tyle pewnie, że chce wyjechać. Paweł oferuje mu swój letni domek. Wygodne, wybudowane przez górali drewniane cudeńko. Usytuowane na wzgórzu (z dala od sąsiadów w dolinie), gdzieś w połowie drogi między Nałęczowem a Kazimierzem.

– Użyczam ci mojej sekretnej „świątynki dymania". Możesz tam zostać, ile potrzebujesz. Ja już z niej nie korzystam, w wolnych chwilach wyskakuję nad Bałtyk; chyba potrzebuję jodu. Masz tam wszystko: wodę, prąd, media, awaryjną kuchenkę na gaz. Drewna do kominka starczy na dwa lata. Sklep we wsi, u Jankowskich, mają też zapasowe klucze. Dobrzy ludzie, można im zaufać. – Paweł przerywa, marszczy czoło. Po krótkim namyśle dodaje: – Brakuje tylko ekspresu do kawy. Zawsze możesz kupić coś w domu towarowym po drodze. – Rysuje starannie mapkę dojazdu. – Trzymaj się, bracie. Nie będę ci się narzucał. Jakby co, dzwoń. Mogę być u ciebie w czterdzieści minut.

Po wyjeździe od Pawła czuje głód. Nie zna tej knajpy – jeszcze jedna drewniana buda stylizowana na staropolską karczmę. Wszechpolska zaraza. Siada na niewygodnym zydlu. Pojawia się kelnerka z kartą. Pretensjonalne nazwy potraw budzą podejrzenia. Zamówione danie okazuje się niezjadliwe. Przeżuwa parę kęsów, skubie surówkę, wściekły odsuwa talerz na brzeg stołu.

Nie ma siły handryczyć się z hołotą. Wrzuca dwudziestozłotowy banknot do sosu, obok przesolonych ziemniaków i niedopieczonego de volaille'a. Rusza ostro, z piskiem opon. Po kilkunastu kilometrach dojeżdża do Nałęczowa i dopiero wtedy zwalnia. Mija podupadły kurorcik, którego wilgotnej i dusznej atmosfery nigdy nie lubił. Jedzie niespiesznie wijącą się wśród wzgórz drogą na Kazimierz. Niespodziewane piękno krajobrazu nie potrafi oderwać go od ponurych myśli. Od kilku dni bierze antydepresanty. Kopią w mózg, a raczej grzebią w nim po swojemu. Wiwisekcja poruszonej chemicznie nieświadomości. Stan emocjonalnego oblężenia. Kruszeją obronne mury rozumu. Na przemian marznie i zalewają go fale dusznego gorąca. Zimne uczuciowe „ciepło" nadopiekuńczej, zalęknionej matki. Gorąca, bezwzględna, nieznosząca sprzeciwu wola ojca. Mateusz na poziomie komórkowym zbudowany z chorych, ekstremalnie rozedrganych wibracji domu. Psychika zagubiona w labiryntach rozpaczy, mury obronne wzniesione przeciw patologii związku rodziców.

Jest kolejną ofiarą w łańcuchu nieludzkiej destrukcji. Wrażliwe dziecko poturbowane bólem, zarażone lękiem. Nie miał w rodzicach oparcia. Od zawsze osamotniony w ponurym jedynactwie. Wraz z odejściem ukochanego dziadka przyszedł do niego śmiertelny chłód. Pierwszy, mroźny powiew depresji? *Voodoo child* – rozmyśla o niedokończonej książce. Czy to jego własna, zakamuflowana spowiedź? Czuje z Abem rodzaj powinowactwa. Z dzieckiem zagubionych, nieszczęśliwych dzieci, z neurotycznym outsiderem, odnajdującym spokój w nowym, kobiecym ciele. Z dala od chorej Europy, której jest tworem i ofiarą. Abe – spełniony, czuły rodzic. Ojciec czy matka? – czy to nie wszystko jedno? Spokojny człowiek, wyzwolony z pręgierza tradycji i nieludzkiego bestialstwa rodzinnej, historycznej przeszłości. Z trywialnych konwencji mieszczańskiego zniewolenia.

Przypomina sobie Andrzeja Bobkowskiego, swojego ulubionego polskiego pisarza. Jego obrzydzenie przegniłą Europą. Emigrację do Ameryki Południowej. Wierność własnym zasadom, heroiczną determinację. Za którą płaci. Spalony południowym słońcem umiera przedwcześnie na raka skóry. Miał jednak siłę i odwagę żyć po swojemu. Czy właśnie o tym jest rozpisany w głowie, niemożliwy do napisania *Voodoo child*? O zatruciu przeszłością, niespełnieniu, tęsknocie za innym życiem?

Umiejętność istnienia. Skąd się to bierze? Źle wyposażony genetycznie, kulturowo fatalnie poinformowany. Przesiąknięty rodzinnymi i narodowymi traumami polskiego piekła. Bezustannie wyrządzający krzywdę sobie i innym.

Od czego ma zacząć? Od samobójstwa? Może tak. Symbolicznego. Odciąć się od świata, opuścić stado. Porzucić dotychczasowego siebie. Czterdzieści dni, a raczej czterdzieści tygodni na pustyni. Egzystencja eremity. Przerażająca wizja. Szansa na oczyszczenie? Zabójcze wyzwanie.

Jak poznać, co prawdziwe, co zgodne z jego naturą? Światło jest w tobie – odpowiedziałby zapewne wschodni mędrzec. Jak je odnaleźć? Nie ma magicznej różdżki, wiedzy, narzędzi. Żyje po omacku, stosując – jak to się określa w wojsku – rozpoznanie walką. Wykrwawia się.

Potrzebuje się odsunąć. Odciąć od gorączkowej krzątaniny. Wyplątać z chorego związku. Wygrzebać z tego polskiego śmietnika, w którym – jak ktoś przenikliwie zauważył – groteska obyczajowa maskuje i tępi dramat metafizyczny.

Pokąsany stary wilk, ukryty w ostępach, liżący swoje rany. Stracił dystans. Nigdy nie był pogodnym pięknoduchem, ale miewał przebłyski autoironicznego humoru. Układał zabawne wierszyki, bawił opowiastkami, sypał dowcipami jak konfetti. Ten jego esprit znikał powoli, aż w końcu całkowicie pochłonęła go czarna dziura. Pogrążony w mentalnym stuporze, siedzi i gapi się godzinami na okoliczne wzgórza. Rozbitek na lessowej pustyni. Od kilku dni wyłączone komórka i laptop. Brak radia i telewizora. Przestaje się golić, przestaje gotować. Nad ranem budzi go śpiew ptaków, w nocy nie dają zasnąć poszczekiwania wiejskich kundli. Dni mijają beznamiętnie, giną jak anonimowi żołnierze w nierównej walce z czasem. Niekiedy podnosi się ciężko, aby rozprostować kości. Najwyższym wysiłkiem woli zmusza się do półgodzinnego spaceru. Na skraju lasu znajduje dziwny zakątek, zdziczałe resztki dużego ogrodu. Zachodzi tam codziennie. Lubi to miejsce. Jest polem bitwy – między lasem reprezentującym siły natury a ogrodem, przyczółkiem cywilizacji, kiedyś pielęgnowanym czyjąś troskliwą ręką. Ta nierówna walka trwa już lata. Przygląda się zafascynowany jej skutkom. Truskawki uparcie przebijające się do słońca przez gęstniejące poszycie łąki. Gwałcone natłokiem chwastów krzaki porzeczek i agrestu nadal rodzą owoce. Podziwia karłowate jabłonie. Zminiaturyzowane jabłka czerwienieją pośród coraz bardziej obcych liści.

Tak sobie wyobraża agonię kultury, człowieczeństwa. Nikt już nie zadba, nie zaszczepi, nie opieli. Postępujący proces zdziczenia – trywializacja mediów, barbarzyńska polityka, puszczona na sprzedajny żywioł kultura. Nachalna promocja celebryckich półgłówków.

Widok umierającego ogrodu napełnia go także osobliwym spokojem. Dowód rozpadu i dekadencji, ale także naturalnej transformacji. Przejaw kosmicznego porządku.

Przypomina sobie niszczejący cmentarz poniemiecki, na który natknęli się kiedyś w lesie, podczas harcerskiego rajdu. Spękane, zapadające się w bruzdach ziemi płyty nagrobne. Porośnięte mchem litery gotyckiej czcionki w obco brzmiących nazwiskach. Resztki świata, który był i zniknął. Zapomniane przez wszystkich ślady niedawnego ludzkiego istnienia, pożerane bezceremonialnie przez zieloną nicość. Pamięta swoje metafizyczne przerażenie.

Powidoki tego miejsca prześladowały go latami. Odganiał je szeptanymi żarliwie pacierzami.

Dzisiaj się już nie boi i nie modli. Nie potrzebuje opieki Ojca. Czuje się pusty, kompletnie wyjałowiony. Poddańczo obojętny wobec zachłannej natury. Od zawsze karmiony i pożerany przez matkę, kobiecość. Krwiożercza Kali, dawczyni życia i śmierci. Nigdy się od niej nie wyzwoli. Nie potrzebuje kajdan symbiozy, nie musi z nią walczyć. Nie musi z nią kopulować, czerpiąc spokój i energię. Zagłuszać miłosnymi iluzjami budzącą się nienawiść do własnego, upokorzonego zniewolenia. Nadawać takiej namiętnej bliskości pozór jedynego sensu. Sprowadzać do żałosnego absurdu – głupiej idealizacji wymarzonej blondynki, bez której życie traci wartość.

Skąd wziąć siły? Czym nakłonić do dalszego trwania?

Nie potrafi pisać. Słowa ukrywają się przed nim. Wyszukiwane z cierpliwym mozołem, nie mają blasku. Kleci na siłę drewniane zdania pozbawione energii. W końcu trzaska klapą laptopa, odrzuca go w kąt. Wieczorami rozpala ogień w kominku, przysuwa fotel do promieniującego ciepła. Zastyga w pozie zamyślonego Stańczyka. Ogień trawi myśli. Zamieniają się w popiół.

Na szafce pod ścianą ogromny sprzęt stereo. Gramofon, wzmacniacz, kolumny wiszące pod sufitem. Obok kurzy się pokaźna kolekcja winylowych płyt. Przegląda wszystkie z delikatną starannością. Kompletny miszmasz: klasyka, jazz, bigbit z lat sześćdziesiątych. Wybiera ze stosu kilka – nagrania Milesa Davisa, Coltrane'a, Billie Holiday, Bacha, Griega, poezję śpiewaną przez Demarczyk i Grechutę. Próbuje wszystkiego. Klasyka go przygnębia, a wyśpiewywane po mistrzowsku wiersze trącą pleśnią.

Może chodzi o słowa. Dobre czy złe, potrzebne czy nie, irytują go i prześladują. Nie pisze, nie czyta, nie słucha radia. Stara się nie myśleć, ale nie potrafi się ze słów wyzwolić. Czuje do nich obrzydzenie.

Przypomina sobie ostatni kontakt z cywilizacją: Wizyta w knajpie na przedmieściach Puław. Pożegnalna kolacja z ludzkością. Ostatnia wieczerza przed głodówką na pustyni. Tęga blondynka z ryżoszarymi odrostami przyniosła ogromną kartę dań. Otworzyła ją przed nim w nabożnym skupieniu, jakby to był cenny rękopis. Zrobiło mu się niedobrze od tych „piankowomglistych panierek", „marchewkowych pierzynek przycupniętych w paprykowej chatynce". Pseudopoetycki chłam maskujący podłe żarcie. Łatwiej wymyślać wyszukane nazwy niż ugotować coś smacznego. Nadwiślański talent do górnolotnej ściemy. Pierdolone władztwo słowa. Sami siebie oszukujący wiecznie rodacy. Polska to nie jest – jak wymyślili ci zachodni spece od PR-u – „twórcze napięcie", tylko pięknie opowiedziana nieudolność. Dziedzictwo historii. Zezwierzęcone poddaństwem chłopstwo i poezja panków, brylujących na salonach pianą romantycznych uniesień. Dzisiejsi inteligenci odcinający kupony od wtłuczonych im (przez ambitne, uwiedzione poezją polonistki) do łbów lektur. Patetyczne bzdury w reklamach, w mediach. Mielone na okrągło przez – pożal się Boże – polityków, dziennikarzy, aktorów.

Zaimponować tekstem, zabłysnąć aforyzmem. Betonowa tępota umysłowej ściany, polakierowana błyskotliwą frazą. Ambicje na miarę bloga, migawkowej wypowiedzi w newsach. Świat nie kończy się skowytem, tylko narcystycznym skomleniem. Onanistycznym ćwierkaniem „ptaszków idiotów" na Twitterze.

Czy sam do nich nie należał? Może powinien odgryźć sobie język? Dokonać lobotomii, harakiri na lewej półkuli wiecznie spekulującego umysłu. Przypadkowo znaleziony cytat z książki o taoizmie. Westchnienie, wydane kilkaset lat temu przez mistrza zen Gibona Sengaia, zmęczonego Konfucjuszem, Buddą i jego trudnym filozofowaniem.

„Nazwa jest tylko gościem rzeczywistości" – twierdzili chińscy mędrcy. Aby żyć w harmonii, wystarczy patrzeć i oddychać. Chłonąć. Zatrzymać w sobie obraz kołyszącego się łanu zboża. Kipiel żółci pod żaglami granatowego nieba. Piękno jest uchwytne, podobnie jak miłość, ale łatwo je zdusić. Lepiej, kiedy ono ciebie łapie za gardło. Umieć na tym poprzestać.

Godzinami obserwuje kołującego nad głową myszołowa. Stara się zgubić myśli. Zahamować ich nieustanną gonitwę. Zapada w dziwny stan ducha. Przez chwilę staje się unoszącym się w przestworzach drapieżnikiem. Czujne oko wyławia pod sobą ruchliwe szczegóły w trawach: owady, motyle, myszy polne. Cienie obłoków kładą się na wzgórzach pastelowymi wstęgami. Zielone kępy drzew wybijają kulistymi plamami z płaskich, słonecznie żółtych połaci łąk. Unosi się nad paletą orgiastycznych barw, rozsianych aż po sinoniebieską mgiełkę horyzontu. Wszechobecne, przenikliwe spojrzenie Pana. Zmienne, żywe przedstawienia natury wprawiają w uniesienie. Brak słów nie tylko przynosi ulgę, ale jest też dowodem przeżywanego błogostanu.

Mateusz przypomina sobie obrazy Joanny. Jej samotną pasję. Jej ucieczki szczeliną zachwyconego oka z więzienia czaszki, siedziby udręczonego umysłu. Sam chce nagle powrotu do rysowania. Uniesienia, jakie kiedyś odczuwał, powielając własną ręką fragmenty widzialnego.

Tak bardzo pragnie odnaleźć źródło jakichkolwiek dobrych uczuć. Dotrwać, aż obudzi się w nim coś żywego i prawdziwego. Aż będzie szkoda umierać.

Tydzień później nadchodzi zmiana. Zmierzch, ciepła kołdra mgły otula wzgórza, Mateusz kładzie się w trawie. Wpatruje intensywnie w niebo. Znika w poświacie zdziwionych, mrugających gwiazd. Coraz mniej myśli, rozumie. Coraz głębiej oddycha: wdech, wydech, wdech, wydech... Pulsuje w zgodzie z rozkosznie obojętnym światem. Krzepiący przypływ mocy.

Antydepresanty? Rozstanie z Moniką? Ucieczka od warszawki?

Rano zjeżdża na dół do wsi. Słyszy bicie kościelnych dzwonów. Ich doniosły dźwięk przywołuje przeszłość.

Ma dziewiętnaście lat, podróżuje z dwoma kumplami autostopem. Skwar nie do zniesienia, parne lipcowe powietrze nabrzmiewa złowrogo. Zbliża się burza. Siedzą oparci o plecaki na krawężniku drogi na obrzeżach jakiegoś sennego miasteczka. Palą tanie, kruszące się w palcach sporty. Czekają na nysę czy gruchoczącego żuka, który ich zabierze, powiezie dalej. Nieważne gdzie. Równie dobrze mogą podejść kilkaset metrów do rynku, usiąść tam w cieniu akacji i trwać. Gapić się, gadać, milczeć. Rozpływać w rozedrganym upałem powietrzu.

Wszędzie się czują u siebie. Wrośnięci w czas, barwy i dźwięki. Szczególne, niemal bolesne wyczulenie na niuanse: kształty dachów, rysunek cienia, barwę sierści ujadającego kundla za płotem, zapyziałe wystawy pożółkłych sklepików. Słońce stoi w zenicie, ruch w miasteczku zamiera, ptaki milkną. Osobliwy stan odurzenia istnieniem. Dotykalna, ponadzmysłowa więź z wszechświatem. I wtedy biją dzwony pobliskiego kościoła. Epifania. Święta chwila, w której tak mocno jest, a jednocześnie jakby się rozpłynął. W migotaniu tamtejszego światła, słodyczy południowego żaru, gdzieś w Brodnicy czy Jarosławiu.

Wakacje się skończyły, zaczęły się żmudne studia, zaraz potem wojsko, pierwsza praca. Nachalna dorosłość stępia zmysły. Resztki wrażliwości obrastają znieczuleniem jak serce tłuszczem. Z wiekiem staje się coraz bardziej wyjałowiony, niedostępny sobie. Twardy, czasem bezwzględny. Parweniusz z prowincji, bez koneksji. Nafaszerowany ambicjami, przepycha się siłą charakteru, maniackim uporem. Zagrywki, manipulacje, układziki. Broni się jak wszyscy: ironią, podbojami, alkoholem.

Walka o lepszy byt, która wrednie stacza w syf, w niebyt. Wtedy tego nie pojmuje. Trzyma się kurczowo swojego, w miarę sprawnego intelektu, dewaluuje wzruszenia, szydzi. Płacze ukradkiem na filmach, upija się do nieprzytomności. Zatruty goryczą, pacyfikowany nienawiścią, ranami przeszłości. Broni się, jak umie... Umierając za życia. Miota się w horrorze codzienności jak jakiś pierdolony zombi.

Dźwięki dzwonu. Czy on bije dla ciebie? Nie, wcale nie myśli o śmierci. „Niech umarli grzebią umarłych" – słyszy natchniony głos Jezusa. Co ten buntownik chce mu powiedzieć? Idylla istnienia dla samego istnienia? Uświęcona brakiem winy, odarta z niepokoju o przyszłość. Boska ufność w takie „teraz", w którym nie potrzeba żadnej pewności. Nie doświadcza się lęku. Zgoda – pójdźmy za tym. Jeśli nawet Jezus uparł się nazywać taki stan łaski miłością, to Mateusz czuje się miłosnym rozbitkiem. Ocean rozpaczy wyrzucił go na nadwiślański piach. Ocalał. Ale to nie miłość, to życie uratowało życie.

Po raz pierwszy od tygodni włącza komórkę. Przedtem wysyłał tylko – zgodnie z solennym przyrzeczeniem – cotygodniowe raporty do Pawła. Brzmią lakonicznie: „Trzymam się", „Jest OK", „Dobrze mi tutaj", „Tego potrzebowałem". Telefon brzęczy SMS-ami. Znajomi, wydawnictwa, redakcje – standardowe pytania, propozycje. Jeden SMS od Moniki („Czy mógłbyś się odezwać? Proszę"), dwa od Joanny („Tęsknię za naszymi rozmowami"). Żadnej wiadomości od córki. Jedynej, na którą naprawdę czekał. Siada w fotelu na ganku i cierpliwie wszystkim odpowiada. „Wybacz, przykro mi, wyjechałem w kilkumiesięczną podróż po Europie". Dzwoni do Joanny. Odbiera po dłuższej chwili. Nie kryje zaskoczenia. Mateusz w przypływie nagłego impulsu zaprasza ją do siebie. Wieczorem dzwoni Monika. Mówi pospiesznie. Słyszy w jej głosie napięcie. Nieprzyjemny ton, który zna i którego nie znosi. Nie jest na rozmowę z nią gotowy. Przerywa jej w pół słowa:

– Słuchaj, nie mogę teraz rozmawiać, czy mogę zadzwonić za godzinę?

– Jasne – odpowiada.

Zgoda maskująca irytację. Mateusz wciska guzik i wyłącza telefon.

Pocą mu się ręce. Powraca niepokój. W powietrzu jesienny chłód. Zakłada ciepły blezer, bierze latarkę i wybiera się na spacer.

Nie chce z nią rozmawiać. Nie ma o czym. Bajka się skończyła. Miłość między nimi pojawiła się kiedyś jak dobra wróżka. Wzięła dzieci za ręce i zaprowadziła do czarodziejskiego ogrodu. A potem ich zostawiła: bawcie się teraz sami. Zabrała ze sobą dekoracje, atmosferę zaczarowania. Posmutnieli, zaczęli się kłócić, obwiniać. Wzajemne pretensje zatruły resztki pięknego snu. Może wtedy należało się otrząsnąć, obudzić? Nie chcieli? Nie umieli?

Monika po kolejnej awanturze proponuje mu terapię par. On nie chce o tym słyszeć. Wylądują u jakiegoś drogiego, przemądrzałego dupka i będą się opluwać. A ten, bazując na zacietrzewionych półprawdach, ich objaśni i skoryguje. W ten prosty sposób naprawią swoje małżeństwo. Jakby byli glinianym garnkiem rozbitym na kilka skorup, który da się posklejać. Za pomocą śliny. A tymczasem oni są kryształową wazą. Rozpadli się na setki kawałeczków. Część ich się bezpowrotnie zagubiła. Nie pozostało nic innego, jak pozamiatać. Szczere wyznanie powodu, dla którego nie chce się poddać terapii, pogrążyłoby go jeszcze bardziej niż ostentacyjne „nie", z jakim ją zbywa. Monika rozumie je po swojemu: nie zależy mu, nie chce walczyć o związek. Musiałby się obnażyć.

– Taki wstyd. Zdjąć maskę to dla faceta stracić twarz – szydzi.

– Walka o związek? – Mateusz broni się nieporadnie. – Czy to jest, kurwa, walka z rakiem?

Ona sama nic nie straci, nie ma co i z czego zdejmować. Chyba że majtki – myśli wściekły. Nigdy nie miała twarzy. Kobiecie, zwłaszcza takiej jak ona, do niczego nie jest potrzebna. Chyba że do kosmetyków. Wystarczą jej cycki i dupa. Dopóki nie obwisną. Najlepszy dowód, jak wybrnęła z kryzysu. Podstawiła się innemu. Nieszczęsna suka! O czym miałby z nią teraz rozmawiać? Zostały konkretne ustalenia. Wystukuje do niej SMS-a: „Nie ma potrzeby rozmawiać przez telefon. Możemy się porozumiewać mailowo". Za wcześnie się uruchomił. Na kontakt z Moniką nie jest gotowy. Konfrontacja z nią to konfrontacja z sobą. Ze swoim żałosnym poplątaniem. Nie skończył się jeszcze proces, który wytoczył samemu sobie. Jest w nim oskarżonym, prokuratorem, sędzią, adwokatem, ławą przysięgłych, opinią publiczną. Nie za dużo tych ról? Jak sprawiedliwie rozdzielić proporcje, nadać im właściwe znaczenie? Na czym właściwie polegało przestępstwo? Co złego uczynił? Kogo skrzywdził albo oszukał?

Wydawało mu się, że dzisiaj dotknął innego rodzaju bycia. Szczerej i czystej afirmacji. Poczuł się lekki, radosny. Wolny od samego siebie. Ale to tylko przebłysk. Wystarczył jeden krótki telefon od Moniki i powrócił boleśnie do wcześniejszego „ja". Wkurwionego, zranionego. W takim wydaniu nie potrafi już siebie znieść, nowego nie potrafi odnaleźć. Kontakt z drugim człowiekiem natychmiast uruchamia w nim stare odruchy. Jest nadal przepełniony resentymentem, nienawistnym dupkiem. Pustelnia. Czy tylko to mu pozostało? Dotrwać dzielnie i samotnie do kresu drogi. Spocząć gdzieś na rusztowaniu wzgórza jak Indianin. Niech ptaki rozszarpią jego ciało, wydłubią oczy.

Po śniadaniu pierwsza kawa. Za namową Pawła kupił po drodze z Puław luksus produkcji Krupsa. Ekspres ma wbudowany młynek, filtr do wody, dyszę do robienia pianki z mleka, programator z różnymi funkcjami. Brakuje tylko, żeby gadał do właściciela. W miarę użytkowania na jego małym displayu pojawiają się zalecenia: wypłucz, oczyść, wymień. Maszyna wydaje rozkazy w pruskim stylu. Mateusza to złości i rozczula. Klepie masywną obudowę, uspokaja, obiecuje. Może to oznaki postępującego fioła, ale i tak jest z nim lepiej niż z bohaterem filmu *Cast Away*. Pamięta Toma Hanksa perorującego zawzięcie do bejsbolowej piłki.

Nie czuje się rozbitkiem, chociaż trochę na takiego wygląda. Urosły mu włosy, przepleciona jasnymi pasemkami siwizny broda. Opalony, w słomkowym kapeluszu wygląda czerstwo i ekscentrycznie. Lniana koszula ze stójką, w oczach lekki obłęd długiego odosobnienia. Współczesna odmiana Tołstoja. Przed przyjazdem Joanny chce się ogarnąć. Podcina brodę, wkłada czyste rzeczy i jedzie do Kazimierza. Dzień powszedni, znajduje szybko miejsce na parkingu. Maszeruje w stronę centrum, rozglądając się za fryzjerem. W końcu trafia na jakiś „salon". Wymalowany krzywo czarny napis „Fryzjer" nie wygląda zachęcająco. Ale czasy są takie, że nie należy się uprzedzać. Niechlujność może być wzruszająco autentyczna, może też być świadomą stylizacją. Podróbką prowincjonalnego stylu, przedwojennej estetyki, budzącą zachwyty wśród snobistycznej warszawki. Jej przedstawiciele tłoczą się tutaj co weekend jak afrykańskie zwierzęta u wodopoju.

Mateusz, wspinając się po schodkach, dostrzega za szybą dwie ciemne głowy młodych fryzjerek pochylone nad gazetą. Nuda, krzyżówkowy zastój, raczej słaby PR dla firmy. Na widok klienta teatralne ożywienie. Młodsza, ładniejsza wskazuje mu miejsce na fotelu. Obserwuje ją dyskretnie w lustrze. Lekko opuchnięta twarz, podkrążone sinawo oczy nałogowej onanistki. Sztywne, zafarbowane na czarno włosy upodabniają ją do taniej lalki. Szpecą i postarzają. Zauważa jego wzrok, uśmiecha się. Naturalnie, bez cienia zalotności, co go rozczarowuje. Dla niej jest nie tylko klientem, ale także siwiejącym dziadkiem.

Mimo młodego wieku jest niezła w swoim fachu. Ostre nożyczki śmigają w ręku: cyk, cyk, cyk. Mateusz kątem spłoszonego oka łowi migotliwe srebrne błyski tuż przy swojej twarzy. Dziewczyna chwyta kosmyki włosów w dwa palce, przycina je ze zręczną nonszalancją. Rozdziela, zaczesuje, zrasza. Wiruje wokół niego, nie przestając się uśmiechać. Od czasu do czasu ujmuje delikatnie jego głowę w obie dłonie i prostuje. Jest w tym geście intymność. Nieme, cierpliwe napomnienie: nie przekrzywiaj, trzymaj tak, proszę. Jego głowa w ciepłych dłoniach kobiety. Natychmiast czuje w całym ciele rozkoszne dreszcze. Fizyczny, namacalny dowód, jak trudno jest mu bez bliskości. Wystarczy delikatny dotyk fryzjerki – przenika go boska energia.

Nic go z tą dziewczyną nie łączy, nawet nie jest szczególnie atrakcyjna. Wyczuwa swoim sejsmografem subtelne fale sympatii, zainteresowania? Wyłapuje minimalne drgnienia erotycznej aktywności, seksualne fantazje czyjegoś mózgu? Bzdura! Dziewczyna obsługuje go z rutynową starannością. Poza ujmującym uśmiechem nie zdradza najmniejszych oznak pozaprofesjonalnego zainteresowania klientem.

Czy jest napalonym, niewyżytym, starym durniem? Czyżby odezwała się znowu ta patologiczna symbioza z matką? Odwieczna potrzeba czułej bliskości, z której nie będzie potrafił się już wyzwolić? A może to najzwyklejsza ludzka potrzeba wymiany energii? Relacja kobiety i mężczyzny jest naturalnie magnetyczna. Przecież to na tych strunach dźwięczy miłosna aria. Drga najczulszy, odwieczny balans wszechświata.

– Tak będzie dobrze?

Mateusz aprobująco kiwa głową. Fryzjerka zdejmuje z niego ochronną pelerynkę, omiata z karku i ramion resztki włosów.

– Trzydzieści złotych.

– No co ty? Dwadzieścia! – odzywa się z boku starsza, z napomnieniem w głosie.

Dziewczyna czerwieni się zmieszana. Zapada niezręczna cisza. Mateusz wyjmuje z portfela dwie dwudziestki, bez słowa wciska młodej do ręki. Wychodzi pospiesznie. Nic takiego się nie stało. Niepozorne zderzenie męskiej samotności z obojętną, wyrachowaną kobiecością. A jednak czuje się zażenowany, skołowany.

Zdziczałem albo jestem pierdolnięty – myśli z przestrachem. Spotkania z ludźmi dotykają, rozmowy zawstydzają, własne myśli i uczucia budzą przerażenie. Kim jest? Chce swobody i naturalności, a staje się coraz większym kosmitą. Czerpiącym jałowy napęd z samego siebie. W dodatku czuje się zakładnikiem jakiejś pierdolonej cywilizacji, w której męska wrażliwość jest emisariuszem nieodwołalnej klęski.

– Piszesz? – pyta Joanna.

– Zarzuciłem. Czasem zapiszę jakieś haiku.

– A książka?

Mateusz macha lekceważąco ręką. Żałuje zaraz tego gestu, widząc niepokój na twarzy Joanny. Najwyraźniej traktuje jego pisanie poważniej niż on sam. To miłe, ale w tym momencie krępujące. Zależy mu też na jej szacunku. Tym bardziej że zatracił własny. Próbuje wybrnąć.

– Wiesz, Asiu, przechodzę chyba kryzys. Mam kłopot z odszukaniem siebie, cóż dopiero z wypowiadaniem się. Ta moja powieść – jąka się zakłopotany – to właściwie jakaś nieudolna próba przepracowania własnego popierdolenia. Pospolita autoterapia.

– Cóż w tym niezwykłego. – Joanna kręci głową z niedowierzaniem. – Sublimacja to nie najgorszy sposób na cierpienie.

– Ale nie grzebanie we własnych bebechach, maskowanie tego jakąś literacką minoderią.

– To bez znaczenia. Ważny jest styl, ton, jakość obrazów.

– No właśnie. Sam siebie nie umiem do nich przekonać. Żywe i mięsne w głowie, na papierze robi się... papierowe. No cóż, będę kolejnym, poślednim autorem nienapisanej książki.

– Szkoda. Bo ja czekam na twoją powieść.

Jej prostolinijność go rozczula. Powinien to napisać, choćby dla niej. Przygląda się jej z wdzięcznością. Zmieniła się. Ściągnięta, wychudła twarz, cienie pod oczami. Przy powitaniu chciał zapytać wprost, czy coś się wydarzyło, ale się powstrzymał. Kobiety są tak czułe na punkcie swojego wyglądu. Najważniejsze, że Joanna nie straciła nic ze swojej klasy. Uwielbia jej elegancki styl, barwę głosu. Kobiecy, łagodny, ale stanowczy sposób bycia.

– Nic na siłę – przekonuje ją i siebie. – Może frajda wróci sama. Co słychać w Zalesiu? – zmienia temat.

Joanna przygląda mu się uważnie. Taksujący wzrok onkologa, który rozmawia z rodziną o stanie pacjenta.

– Masz tu jakiś alkohol?

– Jasne. Wybacz, nie pomyślałem. Mam flaszkę burbona. – Nerwowo szpera w kuchennym kredensie. – Gdzieś to musi być. – Wiesz, przyjaciel lekarz poradził mi czasową abstynencję i przedłużyłem ją. Ale dzisiaj z przyjemnością się z tobą napiję. – Czuje w gardle narastający niepokój. – O, jest. – Trzyma w ręku kwadratowo kanciastą butelkę. – Wybacz, marny ze mnie gospodarz, nie mam żadnych stosownych bąbelków ani kostek lodu.

– Nie szkodzi. – Joanna lekceważąco macha ręką. – Po prostu zmieszaj pół na pół z wodą.

Mateusz wyjmuje dwie wysokie szklanki, napełnia je do połowy alkoholem. Z lodówki wyjmuje butelkę wody mineralnej, dopełnia drinki. Przez głowę przelatują mu spłoszone myśli. Zdobywa się jednak na blady uśmiech, serwuje drinka.

– Zdrowie mojego wspaniałego gościa!

– Twoje! – dodaje ciepłym głosem Joanna. Wznosi lekko szklankę. Upija spory łyk. Mruży zielone oczy. W połyskującym świetle dnia nabierają barwy burbona.

– Monika jest z Adamem w ciąży. Wyjechali na Śląsk. Adam wystawił Ponderozę na sprzedaż – wypluwa z siebie zdławionym głosem Joanna.

Mateusz zastyga z drinkiem w ręku. Sprawia wrażenie, jakby czekał na dalszy ciąg... albo jakby ta informacja do niego nie dotarła.

– No cóż. – Chrząka niepewnie. Zdetonowany przygląda się swoim dłoniom. Wydają mu się stare, pomarszczone. Za paznokciami osad brudu. – Zapomniałem obciąć – odkrywa speszony. Ze wstydu lekko zaciska palce. – Co za nowina!

– Martwiłam się o ciebie. Adam powiedział, że przechodzicie z Moniką kryzys, że wyjechałeś do Holandii. Chcesz w samotności skupić się na swojej książce.

– Wybacz, powinienem się odezwać.

– Wiedziałeś o ich romansie?

Mateusz milczy. Joanna uświadamia sobie swoją niedelikatność. To jasne, że on potrzebuje czasu, by ochłonąć. Ona miała na to kilkanaście dni i chyba nadal nie potrafi się z tym oswoić.

– Może się przejdziemy? – proponuje Mateusz.

– Okej – zgadza się Joanna bez namysłu. – Daj mi tylko kilka minut. Pójdę do samochodu, mam w bagażniku wygodniejsze buty. Wezmę też aparat.

Mateusz sięga po szklankę z drinkiem. Zapach alkoholu wzbudza w nim wstręt.

*

Wieczorem jadą do Kazimierza. Późna kolacja w restauracji pensjonatu Vincent, gdzie Joanna zarezerwowała sobie nocleg. Siedzą przy stole w milczeniu. Im więcej do powiedzenia, tym trudniej. Przemożność słów, ich żałosna bezceremonialność.

– Co teraz? – pyta Mateusz.

– Co mogę zrobić? – Joanna wyciąga dłoń do zapalonej świecy, jakby chciała się ogrzać. Albo przypalić, poczuć realny ból. – Odgrodzę się wysokim murem od nowych sąsiadów.

Brzmi gorzko, kategorycznie. Jakby już do końca była skazana na izolację. Czy naprawdę nie znajduje innego sposobu na spokojne życie?

– Nie czujesz się czasem samotna?

– Prawdziwa samotność to samotność wobec losu, a nie innych ludzi – odpowiada spokojnym, zrezygnowanym tonem.

Księżyc lśni nad horyzontem, wprowadzony do obiegu niczym srebrna moneta. Mateusz zamawia taksówkę. Wraca do siebie wzdłuż gęstniejącej od mroku Wisły. W burej toni połyskują warkocze niebezpiecznych wirów. Na wzgórzu jest cicho, z oddali dobiegają poszczekiwania wiejskich kundli. Zaparza kawę, wynosi fotel przed dom, owija się pledem. Bezsenność nie jest dziś dokuczliwa. Podobnie jak napływające myśli. Jego żona i najlepszy przyjaciel będą mieli ze sobą dziecko. Dowód na nieprzewidywalność losu. Tylko nam, w ludzkiej pysze, może się wydawać, że pociągamy za sznurki. Zawiadujemy przeznaczeniem, w miłosnym uścisku z innym ciałem tworzymy następne. Przywołujemy z nieskończoności nową duszę, obdarzamy ją imieniem i przekonaniami. Nadchodzące na swoich prawach życie i nasze żałosne ego. Absurdalne roszczenia na temat własności, wyłączności, honoru. Adam i Monika musieli się spotkać i połączyć. Ich pierwsze spojrzenie zawierało więcej niż Mateusza małżeństwo. Tych kilka żałosnych wspólnych lat. Spotkanie Moniki z Adamem uruchomiło maszynerię nowego życia. Tak być musiało, skoro się wydarzyło. Jeszcze niedawno ich nienawidził, nie chciałby się z nimi nigdy spotkać. Teraz czuje wzbierające ciepło. Nie ma im nic do wybaczenia.

To nie przypadek rzucił go w te kazimierzowskie wzgórza. Przypadek to drugie imię Opatrzności. Dobrze wie, że do Warszawy już nie wróci. Tutaj jest jego miejsce. Sprzeda wilanowski apartament, odkupi od Pawła drewniany domek. Jeśli będzie żył prosto i szczęśliwie, starczy mu kasy na kilkanaście lat. Ma dostęp do internetu. Może dorabiać, pisząc artykuły czy recenzje. Zainwestuje w panele słoneczne, niewielką siłownię wiatrową, będzie miał tani prąd. Założy ogródek, zasadzi drzewka owocowe. Może zbuduje pasiekę, kurnik, zamieni u Jankowskich jajka na kawę. Będzie samowystarczalny. Alkoholi i papierosów nie weźmie nigdy więcej do ust. Ułoży się z Moniką, nie chce już żadnych konfliktów z ludźmi. Jego córka jest dorosła, postanowiła żyć swoim życiem. Może kiedyś za ojcem zatęskni. Był kiepskim tatą, ale nie jest, nie chce być, złym człowiekiem. Uwolni się od zabójczych myśli. To tam jest komora gazowa, krematorium jego duszy. Nauczy się medytować. Skupiać na „tu i teraz". Być obecnym. Uważnym. Cieszyć się chwilą. Sobą, światłem, pięknem krajobrazu. Joanna ma rację – jesteśmy zatruci prymitywnym indywidualizmem. Nie znosimy siebie, nie umiemy żyć z innymi. Chciałby wygasić swoje ja. Stać się spegliwą cząstką rafy w oceanie spokoju.

Mateusz unosi głowę, długo patrzy w niebo. Świat otula kobierzec gwiazd. Miękki, ciemnogranatowy dywan wygłusza stąpanie wieczności.

Źródła cytatów

KALIFORNIA

ss. 21–25 PILUMNUS. *Zdrowe życie, Uczucia i zachowania dziecka alkoholika w dzieciństwie* [online] http://itc1.nazwa.pl/s/ itc1_8/index.php/partnerzy-dda

s. 34 Biblia Tysiąclecia, Marek 15,34, Poznań 1999.

s. 52 Joseph Heller, *Paragraf 22*, przeł. Lech Jęczmyk, Warszawa 2014.

s. 60 Franz Kafka, *Dzienniki 1910–1923*, przeł. Jan Werter, przedmowa: Zbigniew Bieńkowski, Kraków 1969.

s. 61 Biblia Tysiąclecia, Jan 18,36, Poznań 1999.

s. 96 Emily Dickinson, *My life closed twice before its close* [online]

DOMINO

s. 255 José Lezama Lima, *Wazy orfickie,* przeł. Rajmund Kalicki, Kraków 1977.

s. 365 Jorge Luis Borges, *Powszechna historia nikczemności*, przeł. Andrzej Sobol-Jurczykowski i Stanisław Zembrzuski, Warszawa 2006.

Spis treści